权利质权制度研究

权利质权制度研究

胡开忠 著

中国政法大学出版社

总　　序

　　法律是由一系列制度规则组成的逻辑严密的自足体系，它通过国家强制力确认人们在社会生活中的角色和地位，借以定纷止争，调整社会关系，使社会秩序达到法治的理想境界。故法谚云：有社会之处必有法（ubi sotietas ibi ius）。法律是社会关系的调节器。而法学在近世亦成为显学，私法又成为整个法学的精髓。欲治法学必先治私法，私法在法学体系中具有母法的地位，其他部门法均是从不同角度对民事法律关系进行的充实完善或纠偏。不仅如此，作为规范私人生活的基本法律，私法与人类生活联系最为密切，关涉衣、食、住、行等日常生活的方方面面，堪称生活的百科全书；私法规范还明确规定了市场准入规则、市场交易规则、市场竞争规则、市场退出规则等经济规则，以法律的形式保障经济生活条件，促进经济发展；而贯穿私法始终的自由平等、公平正义理念以及尊重人、关怀人、以人为本的人文传统更是人类社会文明的重要体现。私法在社会生活中地位如此显赫，依靠的并非是强权的理性而是理性的强权。

　　从人类的历史长河来看，社会生活的法律化也是始于私法，早在两千多年前，智慧的罗马人就开始琢磨关于公平正义的各种规则,创造了倍受各国推崇的简单商品经济的世界性法律,并发展出一套相当完善的私法体系与私法理念。虽然在中世纪,私法曾遭受到封建神权和专制王权的双重压迫,沦为神权与王权膝下的婢女,但随着罗马法的复兴及自然法思想衍生的私权观念的勃兴,为捍卫私权而进行的斗争也从来就没有停止过。降至近代,中西欧各国继受罗马法先后制定了内容形式更臻完善的私法制度,私法在市民社会中基础性地位最终得以确立,私法规范亦成为世俗社会秩序的基础本身。在我国古代社会,法律的社会作用遭到轻视,礼治与人治代替法治,追求道德正义和法律非规范化的古代法律徒具形式意义,其实质为伦理法,且重刑轻民,私权观念十分薄弱,私法的发展命途多舛。直至20世纪初叶,随着西学东渐,现代理性主义的私法观念才在我国生根发芽。建国以后,特别自20世纪80年代以来,经过几代学人的不断努力,我国私法学界成果丰硕,英才辈出,大量茹古涵今、体大思微、慎思明辨的著作层出不穷,令人振奋。

  私法理论博大精深,义理精微,常令学者产生穷白首而不能尽一经的感慨。私法理论的推进与发展离不开深层次的理论探讨和学说创新,离不开一批批法律学人的不断努力。中南财经政法大学汇集了一批勤勤恳恳、兢兢业业在私法领域辛勤耕耘的专家学者,为了广泛吸收借鉴国外先进立法经验,把握私法理论的发展趋势,解决司法实践中的实际问题,提升私法理论的研究水平,我们已创办了《私法研究》刊物,开通了"中国私法网"(http://www.privatelaw.com.cn),现又推出《私法研究文库》系列丛书。该丛书将收录我校学者的重点学术专著和优秀博士学位论文,并计划每年出版四至六册。我们希望以《私法研究文库》作为思想传播的媒介,学术交流的窗口,对话互动的平台,并在此基础上形成自由平等的学术氛围,建立自察自省的学术共同体,通过严肃认真的学术讨论和学术批评,推动私法研究的理论创新。

该丛书收录论文著作若干,就私法领域而言,仅为沧海一粟。庙廊之才,非一木之枝,希望能与学界同仁相濡相闻,砥砺共进。

是为序。

2003年6月

导 言

在当今以市场经济为主导的世界经济中，机遇总是与风险同在，人们在市场中所参与的不仅是信用经济，更是风险经济。而如何化解各种风险以达到最佳的经营效果，则是当今各国政府和学者所关注的重要课题之一。有鉴于此，人们设计出形形色色的担保制度来对抗交易中的风险，以求最大限度地保证债权的实现。权利质权制度便是这些担保方式中一个重要的组成部分。

权利质权制度，是以所有权以外的可转让的财产权为标的的质权。它最早萌生于古罗马时期，历经多年的嬗变，目前已为大陆法系国家的民法典、商法典及部分英美法系国家的法律所确认。其内容一般包括权利质权的标的范围、权利质权的设定、权利质权的效力、权利质权的实行等内容。在旧中国的民法典中，权利质权制度曾得到确认。解放后，我国在1986年颁布的《民法通则》中未对权利质权作出规定，直至1995年我国才在《担保法》中对其内容作出概括性规定。这些规定，极大地促进了我国权利质权制度的繁荣，国家版权局于1996年发布了《著作权质押合同登记办法》，中国专利局1996公布了《专利权质押合同登记管理暂行办法》，国家工商局1997年发布了《商标专用权质押登记程序》，中国人民银行、中国证监会2001年联合发布了《证券公司股票质押贷款管理办法》，与此同时，各商业银行也发布了存单质押管理办法。这些法律和规章的颁布和实行，标志着我国初步形成了以债权质押、有价证券质押、知识产权质押等为主导的权利质权法律体系。但由于我国在《担保法》制定之际，立法带有很强的欲尽早化解市场风险的急躁性和现实社会中的功利取向，致使《担保法》的出台明显带有很多不足之处，特别是在权利质权制度的构架上更显得过于简化。为此，在当前我国忙于制定民法典之际，重新审视和规范权利质权制度，为民法典的出台提供理论上的支持，也就尤显重要。

权利质权制度的研究已引起各国学者的注意，德国、日本、法国等国的学者都在其著述中讨论了权利质权制度的基本问题，我国台湾学者如史尚宽先生在其著作中大量吸收了外国的先进研究成果，对该制度作了注释性研究。我国自《担保法》通过后，掀起了研究权利质权制度的高潮，既有对权利质权的设定、权利质权的效力等理论问题展开分析的，也有对债权质权、股权质权、票据质权、知识产权质权等实务问题展开讨论的。这些现象无不表明，权利质权的研究目前已引起了国内外学者的重视，成为众学者日益关注的一个重要课题。但是，我国目前在该方面的研究多限于注释性研究而缺乏理论性分析，很多问题尚需要通过比较分析方法作深入性探讨。有鉴于此，在当前展开权利质权制度的研究就具有十分重要的理论和实践意义。一是因为权利质权制度的地位日益重要，国内外多位学者都在文章中指出："可作为权利质权对象的各种权利，在现代市场经济社会中具有极大的财产价值，使权利质权制度具有极重要的机能，尤其是债权质权和股票上质权，今天在金融上具有极大的意义，甚至有压倒不动产抵押权的趋势。"[1]可见,在市场经济日益繁荣的背景下深入研究这一极具生命活力的担保制度,乃是社会发展的必然。二是目前权利质权制度的法律规定尚不完善,仅存在为数不多的原则性规定而无具体条款,即使是一些部门性规章也仅仅是局限于某一枝节问题。立法上的先天不足给权利质权的适用带来了太多的不便,实际部门在遇到具体问题上常常无所适从,尤其是知识产权质权虽然有所规定但迄今为止尚无该方面的实例。为此,最高人民法院只好于2000年9月29日通过了《最高人民法院关于适用〈中华人民共和国担保法〉若干问题的解释》,对法律作出相应的补充。所以,在这一背景下,完善权利质权的立法既可为实践提供理论指导,又可为将来民法典的出台提供理论支持。

有鉴于上述背景,笔者拟通过对该问题的研究达到以下几个目标:一是构建一套完整的权利质权理论体系。拟通过对权利质权制度的理论分析和具体规则的研讨,规划较为完整的基础理论,明确权利质权的应有地位。二是设计一套完整的权利质权使用规则。我国现行法中关于权利质权的规则存在明显的漏洞,极不利于司法操作。为此,笔者将通过本课题的研究,分析比较各国有关权利质权的规则,从制度上设计一套比较符合我国国情的权利质权规则。为此,笔者拟在权利质权问题上吸收和借鉴国内外一些先进的研究成果,运用历史分析、经济分析、哲学分析、比较分析等手段来对权利质权制度进行宏观考察,进行全方位的探讨,以洞察其精髓。本文从以下几方面对该制度作了理论性探讨。

---

[1] 铃木禄弥:《物权法讲义》,创文社三订版,第241页。转引自梁慧星:"日本现代担保法制概述",载《外国法译评》1994年第1期。

第一章对权利质权制度的历史源渊及其在各国法律中的演进历程进行了考察。首先,分析了权利质权制度在古罗马法中的表现及其产生原因,旨在明确它产生的背景;其次,通过对大陆法系和英美法系国家权利质权制度的比较分析,明确了权利质权在各国发展演变中的态势。随后,对我国权利质权制度的产生和发展作了分析。通过以上比较,认为权利质权制度历经多年演变,已逐渐形成一种比较成熟的法律制度,其涵盖对象日益扩大,其地位日益上升,其内容越来越规范化、体系化。

第二章对权利质权制度进行了概括性说明。首先,以中外学者对权利质权概念的诠释为基础,通过对该制度特点的分析,将权利质权界定为以所有权和不动产用益权外可转让的财产权为标的的质权;其次,对权利质权的性质进行了分析,认为它在本质上仍属于一种物权而非债权;又次,对权利质权的地位进行了探讨,认为它已步入成熟期,成为一种与动产质权相并列的质权。最后,对与权利质权相近似的担保物权进行了比较分析。

第三章分析了权利质权制度的价值取向。首先,从分析担保产生的原因入手,指出了影响担保设定的三个因素:安全因素、公平因素和效率因素;其次,结合权利质权的具体规范,系统分析了当事人在设定权利质权时的价值追求,认为安全、公平、效率三大目标应为该制度的价值取向。

第四章对权利质权的标的进行了分析。首先,探讨了财产形态的发展变化,认为财产的本质是权利,有形财产、无形财产均是其外在的表现形式。随后,以此为基础,以民事客体理论为指导,分析了权利成为民事客体的可能性和现实性,认为权利质权与动产质权在本质上都是以一定的交换价值作为担保,因而可转让的财产权能够作为质权的标的。然后，分析了权利质权之标的的构成要件，并探讨了各类财产权成为权利质权客体的可能性。

第五章分析了权利质权的设定制度。首先概括了权利质权设定的一般规则，分析了权利质押合同的性质、内容与形式。其次，对权利质权设定的生效条件进行了分析。随后，对普通债权质权、有价证券质权、股权质权及知识产权质权的设定都作了具体的探讨。最后，对权利质权的善意取得和让与制度也作了分析。

第六章分析了权利质权的效力。首先分析了权利质权的效力范围，即对权利质权所担保的债权范围及其权利质权效力所及的标的的范围作了分析。其次，对出质人的权利义务，质权人的权利义务分类作了概括。然后，分别根据普通债权质权、有价证券质权、股权质权、知识产权质权的特点对其质权的实行方式作了探讨。最后，对权利质权的消灭制度作了分析。

第七章是本文的结论部分。该部分分析了我国发展权利质权制度的重要意义，紧密结合我国的司法实际，从权利质权制度的立法例、权利质权的标的、设定方式、效力及相关制度几个方面分别研究了完善我国权利质权制度的若干途径，并提出了一些立法建议，以期对将来我国民法典的制定有所裨益。

目 录

总序 …………………………………………………… (1)

导言 …………………………………………………… (1)

第一章　权利质权制度的历史考察 ………………… (1)

    第一节　从动产质权到权利质权：权利质权
           制度的萌芽 ……………………………… (1)

    第二节　大陆法中的权利质权制度 ……………… (10)

    第三节　英美法中的权利质权制度 ……………… (23)

    第四节　我国的权利质权制度 …………………… (33)

第二章　权利质权制度概说 …………………………… (50)

    第一节　科学定义之寻求：权利质权之概念 …… (50)

    第二节　物权抑或债权：权利质权之本质 ……… (55)

    第三节　权利质权之地位 ………………………… (60)

    第四节　权利质权与权利抵押权——制度比较
           研究（一） ……………………………… (66)

第五节　权利质权与让与担保——制度比较
　　　　　研究（二） ………………………………… (74)

第三章　权利质权的价值取向 ……………………… (83)
　第一节　一个难解的谜：担保为何会存在？ ……… (83)
　第二节　安全性价值——权利质权的价值取向之一 …… (96)
　第三节　公平性——权利质权的价值取向之二 ……… (102)
　第四节　效率性——权利质权的价值取向之三 ……… (105)

第四章　权利质权的标的 …………………………… (113)
　第一节　财产形态的演变及启示 ………………… (113)
　第二节　财产权利作为民事客体的可能性与现实性 … (136)
　第三节　权利质权标的的构成要件 ……………… (144)
　第四节　权利质权标的的种类 …………………… (148)
　第五节　其他可用来出质的财产权 ……………… (188)

第五章　权利质权的设定 …………………………… (199)
　第一节　权利质权设定的一般规则 ……………… (199)
　第二节　权利质押合同 …………………………… (205)
　第三节　权利质权设定的生效条件 ……………… (215)
　第四节　普通债权质权的设定 …………………… (221)
　第五节　有价证券质权的设定 …………………… (231)
　第六节　股权质权的设定 ………………………… (243)
　第七节　知识产权质权的设定 …………………… (263)

第八节　权利质权的善意取得与让与 …………… (272)

第六章　权利质权的效力 ………………………… (274)

　　第一节　权利质权的效力范围 …………………… (274)

　　第二节　出质人的权利义务 ……………………… (280)

　　第三节　质权人的权利义务 ……………………… (284)

　　第四节　权利质权的实行 ………………………… (302)

　　第五节　权利质权的消灭 ………………………… (328)

第七章　我国权利质权制度的重塑 ……………… (332)

　　第一节　促进权利质权制度发展的重要意义 ………… (332)

　　第二节　完善我国权利质权制度的具体构想 ………… (336)

主要参考文献 …………………………………………… (356)

后记 ……………………………………………………… (366)

第一章　权利质权制度的历史考察

第一节　从动产质权到权利质权：
　　　　权利质权制度的萌芽

今天，当我们从历史的角度来考察权利质权的产生、发展的规律时，不难看到，权利质权制度的发展有着其深厚的历史渊源，在研究这一问题时，我们不妨从古罗马法的相关规定展开考察。

一、信托——担保物权的萌芽

在古罗马时期，为了确保债务的履行而率先产生了信托制度。所谓信托（fiducia），通常是指当事人一方用市民法转让的方式（要式买卖或拟诉弃权），将标的物的所有权移转于他方，他方则凭信用，在约定的情况下把原物归还于物主。就适用领域而言，罗马法幼稚时期，在尚未产生要物契约和诺成契约等法律形式时，信托曾广泛用于借用、寄托、担保和遗产继承等方面。随着经济的发展，信托的担保功能日益突出，因为在经济交往中，债权人往往担心债务人不能依约履行债务。其具体方式是，双方当事人通过订立信托简约（pactum fiduciae）来约定双方的权利和义务。其效力包括：债权人通过要式买卖或拟弃诉权而取得担保物的所有权，对担保物享有一切物权；债权人在受到清偿时，应当将担保物归还给债务人；如果债权到期未受清偿，债权人可以将担保物出卖以抵偿债务，并把余款退还给债务人；债权人应当对担保物所受的损害包括低价出卖担保物的损失负赔偿之责；对保管担保物所支付的费用有权向债务人结算。当然，在实行时，为了避免因转移占有而影响标的物的使用，罗马法允许当事人以容假占有或租赁的方法将担保物交债务人保留。与此同时，为了防止因债权人不返还标的物而损害债务人的利益，罗马法也允许债务人提起信托之诉（actio fuduciae），以强迫债权人履行义务，同时，债务人也可因"收回时效"（usureceptio）而取得原物的所有权。[1] 对于信托担保这种形式，我国学者多持批评态度，如有学者认为：信托担保以担保物的所有权转移给债权人为前提，如果债权人背信弃义，将担保物转让给第三人，则债务人无法通过"物件返还诉"追回原物，如果债权人丧失给付能力而破产，则债务人更难取回原物；此外，由于信托担保常常伴有担保物的转移，因而不利于对标的物的充分利用；而且，担保物无论价值高低，只能给一个债权人担保，不能充分发挥担保物的价值。[2] 对此，英国罗马法学者巴里·尼古拉斯也持同样立场。[3] 正因为如此，信托担保至阿尔卡地乌斯（Arcadius，东罗马皇帝）和霍诺里乌斯（Honorius，西罗马皇帝）时，虽还偶

---

[1] 所谓"收回时效"是指，在信托担保的情形下，担保物有时不发生占有的转移，此时债务人可以继续享用物品，并可以通过占有来恢复所有权，犹如恢复自己的物，因此人们将这种时效取得称为"收回时效"。
[2] 周■著：《罗马法原论》上册，法律出版社1994年版，第392页。
[3] [英]巴里·尼古拉斯著，黄风译：《罗马法概论》，法律出版社2000年版，第160页。

有采用，但终因弊大于利而被质权所取代。笔者认为，信托担保是一种以所有权的移转为特征的担保制度，尽管其存在着这样或那样的弊端，但其在创立之初对于解决不良债权问题仍发挥了不可磨灭的功绩。

二、质权——担保物权的第二种形式

鉴于信托担保的内在缺陷，在古罗马逐渐产生了一种新的担保方式——质权。质权有时也称为质押，据罗马学者考察，质押（pignus）一词源于"拳头"，因为用于质押之物要被亲手交付，所以一些人认为质权（pignus）本身被设定于动产之上。[1] 具体而言，质权是指由债务人或第三人提供一定的财产交付给债权人占有，当债务人不能履行到期债务时，债权人可以将质物出卖以清偿债务的一种债权担保方式。质权分为两类，一类称为"典"，即债务人不支付利息，但以质物的孳息来抵充利息的质权；另一类称为"质"，即债务人支付利息的质权。在担保范围上，质权所担保的债权范围十分广泛，包括附条件债、附期限债、纯自然债和未来之债。质权本身具有不可分的特性，它对债的全部进行担保，即使债权被部分清偿，质权也是完整的；如果债权人有数个继承人，他们当中的每个人均可以对构成质权标的的整个物提起质押之诉。

质权得以形成，与占有观念的发展存在着不可分割的联系。起初，古罗马仅承认质权人有权持有质物，不发生移转物权或移转占有的效力，债务人对质物仍享有所有权，是质物的合法占有人。正因为如此，债权人对于质物仅仅能在债务受清偿前留置，

---

[1] 盖尤斯：《论十二表法》第6卷，参见[意]桑德罗·斯契巴尼选编，范怀俊译：《物与物权》，中国政法大学出版社1999年版，第166页。

倘若其失去了对质物的持有，则无法寻求司法救济，质权的效力等同于虚设。后来，大法官虽然承认质权人可以受到"占有令状"的保护，但由于罗马法仅承认占有是事实而非权利，质权人在保护质物时仍无法受到物权的保护。一旦债务人占有质物，仍可以以所有人的资格将质物转让给他人，质权人因缺乏追及权而无法追回质物。后来，大法官逐渐承认债权人对于质物有物权，如果债权在清偿期来临时未受到清偿，债权人可以将质物出卖而就卖得的价金受偿。这种处分质物的权利，最初由当事人以特约方式约定，后来相沿成习，凡无相反约定的，大法官即认为当事人之间有默契，债权人就享有此种权利。到了优帝一世时，质权人的处分权已发展成为质权的当然条件。[1] 正如《法学总论》所记载的那样："为了使债权人行使权利不受阻碍，并使债务人不轻易丧失他对物的所有权，朕以宪令规定了出卖质押物的固定方式，借以充分保证债权人和债务人双方的利益。"[2]

从设定类别来看，罗马法所规定的质权一般可以分为以下几类：

1. 动产质权。动产质权是以动产为标的的质权。据罗马法学者的解释，动产质权一般遵循如下规则：①动产质权在设定上不仅应交付质物，而且应缔结单纯协议（nudaconventio）；②乡村土地的孳息被视为质押给了出租土地的所有权人，尽管双方对此未作约定；③房客携入房内之物在质押时，不仅应当作为给付租金的担保，而且也作为对房客因过错而恶化居住条件的赔偿金的担保；④即使债务人允诺将质物转让给债权人的债务人，也不

---

[1] 周■著：《罗马法原论》上册，法律出版社1994年版，第393页。
[2] ［罗马］查士丁尼著，张企泰译：《法学总论——法学阶梯》，商务印书馆1993年版，第70页。

能因此被免于债务；⑤非交易物不得用作质权标的；⑥质押之诉将为债权人带来对物之诉；⑦出卖质物的债权人应当转让其对质物的权利，如果他占有质物，无疑应当转让质物的占有；⑧债权人为了其利益可以按其意志出卖质押给他的若干质物中他想要出卖的那个质物；⑨有体物消灭，质权也随之消灭；等等。[1]

2. 权利质权。权利质权是以权利为标的的质权。关于其内容，将在下文论述。

3. 法定质权。法定质权通常被称为"默示达成的质权"，在类别上有特别的法定质权与一般的法定质权之分。特别的法定质权包括：城市土地的出租人对于由承租人带入的物品享有的质权；乡村土地的出租人对于土地的孳息享有的质权；受监护人对于任何人以他的钱购买的物享有的质权；受遗赠人或信托受益人对继承人或其他受托人通过继承取得的财物享有的质权；贷款人对用贷款盖成的建筑物享有的质权。一般的法定质权包括：国库对基于税收或契约的债权享有的质权；受监护人和未成年人对其监护人和保佐人的财物享有的质权，以及监护人为母亲时对母亲的新丈夫的财物享有的质权；子女因管理他们的外来特有产而对父亲的财物享有的质权，以及对母亲婚姻所得财物享有的质权；妻子因返还嫁资、嫁资外财物和婚姻赠与而对丈夫的财物享有的质权；丈夫（对尚未给付嫁资的）嫁资设立人的财物享有的质权；继承人或其他人对遗嘱人的遗孀的财物享有的质权（如果遗赠的条件是守寡），教会对其永佃户的财产享有的质权。

4. 司法质权。司法质权是通过裁判、执行判决或准许为担保而占有等方式加以设立。包括：允许受遗赠人为维护遗赠而占

---

[1] 参见［意］桑德罗·斯契巴尼选编，范怀俊译：《物与物权》，中国政法大学出版社 1999 年版，第 166—171 页。

有遗产；允许孕妇为了胎儿利益而占有应由其继承的遗产；允许债权人在债务人故意逃避或以欺诈方式转让财产时占有债务人的财产。[1]

从上述规定可以看出，罗马法所规定的质权制度具有如下一些特色：①质权的种类较多，既包括动产质权、权利质权等现代常见的担保形式，也包括法定质权、司法质权等特殊的担保形式。法定质权、司法质权通常是根据法律的规定或司法判决而产生，在设定时不需要通过双方当事人的约定，这是其主要特色。②质权的标的以动产为主，权利为辅。③质权的设定手续比较简单，只要当事人之间有约定并移转质物即可。从这些特点可以看出，质权在设定时需要交付质物，只转移物件的占有而非所有权，因此其优点十分明显，债权人不能随便出卖质物，即使在破产时也不会影响出质人对质物的所有权，因此质权很快就取代了信托担保成为一种流行的担保制度。当然，由于质权的标的物一般为有体物，因此其局限性也十分明显：①质权设定以交付为条件，一旦将物价出质，如果质权人不允许出租质物或作容假占有处理，则出质人将丧失对质物的使用和收益；②质权设定以交付质物为前提，因而不能对未来的物件设定质权；③质物通常只能为一个债权人提供担保，倘若质物价值超过债权也只能如此，从而常常造成质物价值的浪费。正因为如此，最终导致了抵押这种新的担保方式的成立。

所谓抵押，是指由债务人或第三人提供一定的财产作为担保，不移转财产的占有，当债务人不履行债务时，债权人有权将该财产予以变卖而受偿的一种担保方式。古罗马时期，在以农

---

[1] [意] 彼德罗·彭梵得著，黄风译：《罗马法教科书》，中国政法大学出版社1992年版，第347—348页。

具、家畜等生产资料作担保时,当事人之间往往约定不移转财产的占有,仍由农民保留上述财产继续使用,这样就可以不影响物的利用。后来,罗马人逐渐在一些司法判决中确立了抵押的法律效力,抵押遂通行于全国。较之质权而言,抵押标的物既可以由债务人继续使用,也可以同时为多个债权人提供担保,因而较充分地发挥了物的利用价值,因而它逐渐演变为一种重要的担保方式。

三、权利质权——质权的特殊形式

权利质权是罗马法质权制度的一个重要特色。所谓权利质权,乃是以权利为标的的质权。据学者考察,在优士丁尼时期,可以转让的永佃权、地上权、用益权、居住权等权利均可作为质权的标的。例如,乡村役权可以设立为质权,以便债权人能在一定期限内享用它并在逾期不能清偿时将它卖给邻居。另外,债权也可作为质权的标的。所谓债权质权(pignus nominis),是指债务人或第三人以其债权作为质押标的,当债务人不履行债务时,由债权人对出质的债权行使权利的一种担保制度。此外,在罗马法中,甚至还有将自己的质权设立为质权的情形,当然,这引起了广泛的争议。[1]

罗马法为什么会将权利作为质权的标的呢?这与罗马法对物的分类存在着密切的关系。罗马人认为,物是一切人力可以支配、对人有用并能构成人们财产组成部分的事物。[2] 物可以根据其是否有形体分为两类,一类是有体物(res corporales),另

---

[1] 参见 [意] 彼德罗·彭梵得著,黄风译:《罗马法教科书》,中国政法大学出版社1992年版,第345页。

[2] 周■著:《罗马法原论》上册,法律出版社1994年版,第276页。

一类是无体物（res incorporales）。所谓有体物是按其性质能被触觉到的物，例如土地、奴隶、衣服、金银及众多的其他物。所谓无体物是指不能被触觉到的物，如权利，比如遗产继承权、用益权及以任何形式设定的债权。被称为役权的城市和乡村土地上的权利也属于无体物。[1] 对此，学者褒贬不一，持反对意见的学者认为，罗马法的这种将物与权利混淆的作法，确实有让人难以把握的弊病。[2] 笔者认为，罗马法之所以将权利看作物的一个组成部分，是从权利可以用金钱来衡量的角度看待的，权利既然能够与有体物一样用金钱来衡量，当然可以当作一种财产进行利用。因此，罗马人通过创设权利质权制度，巧妙地将权利作为一种可供担保的财产予以利用，从而扩大了质权的标的物的范围，也突破了"物必有体"的陈见。这不能不算是罗马人的一个伟大的创造。尽管罗马人未明确提出权利质权的概念，但在事实上存在着这项制度。

从罗马法的现行规定来看，权利质权制度具有以下特色：① 可供质押的权利比较有限。罗马法所规定的可质押的权利主要可分为三类，包括：可转让的永佃权、地上权、居住权、役权等不动产用益权；可转让的债权；质权。前两种权利多是设定在有形财产上的权利，而后一种权利是一种担保物权。至于近现代常见的有价证券质权、知识产权质权则未出现在罗马法之中。同时我们还可以发现，质权一般以动产为标的，而设定在永佃权、地上权等权利上的质权以不动产的用益权为标的，因此权利质权的规定精巧地将设定于不动产上的权利与动产质权所遵循的规则结合

---

[1] 参见［罗马］查士丁尼著，张企泰译：《法学总论——法学阶梯》，商务印书馆1993年版，第59页。
[2] 孙宪忠著：《德国当代物权法》，法律出版社1997年版，第3页。

起来，使不动产的价值利用与动产的价值利用统一于质权制度之中。②权利质权在设定时通常比照动产质权设定的规则。由于罗马法将权利视为一种与有体物并列的无体物，因此权利在作为财产利用时遵循与有体物同样的规则，所以权利质权在设定时比照动产质权的相关规定。正因为如此，权利质权在罗马法中被看作是动产质权的一种延伸，是质权的一个特殊部分，也就不足为奇了。在近现代法律体系中，权利质权最初被作为动产质权的一个附属部分，也与此存在着千丝万缕的联系。不过，罗马法未对权利质权的设定和实行规定特别的程序，不利于维护交易的安全，这不能不算是其一个内在的缺陷。

与罗马法不同，古代日尔曼法所规定的财产概念与罗马法有着显著的区别，其财产包括动产与不动产。其中，"动产包括武器、牲畜、耕种狩猎的用具、奴隶，以及其他能够移动和容易灭失的物品。"[1] 由于权利未作为一种无体物规定在财产中，因而日尔曼法中不可能存在权利质权制度。尽管如此，日尔曼法中仍存在着相当完备的质权制度，如日尔曼法所规定的动产占有质即与此类似。所谓占有质，即债务人将质物的占有移转于债权人，以担保债权的实现。在这种担保方式中，债权人尽管不享有质物的所有权，但可以占有质物并使用收益，因而该方式也称为收益质。收益质又可分为两种：①债权人收取质物的收益，不仅用于充抵原本的利息，而且充抵债务的原本，当债务原本全部清偿之后，债权人将质物返还给债务人；②债权人收取的收益仅作为债务的利息，不用于充抵原本，因而被称为利质。这些动产质的存在，为今后欧洲一些国家的权利质权制度的设定提供了一定的立法经验。

---

[1] 由嵘著：《日耳曼法简介》，法律出版社1987年版，第56页。

第二节 大陆法中的权利质权制度

大陆法系国家的民法多继承古罗马法，古罗马法中的权利质权制度对其也产生了一定的影响。下面，我们不妨通过对各国民法典中相关规定的比较来分析其立法上的特色。

一、法国法的规定

法国在大革命以前，其南部地区施行着罗马的《优士丁尼法典》，北部地区施行着由日尔曼法演变而来的习惯法，这种法律混乱的状态最终导致了一部统一的民法典的产生。1804年，《法国民法典》公布并正式施行。它既是一部典型的近代民法典，也是第一部资本主义国家的和以资本主义经济制度为基础的民法典。[1] 该《法典》在制定时发生过大规模的罗马法继受运动，其结果是导致了以罗马法为蓝本的权利质权制度的建立。同时，由于资本主义经济的发展，《法国民法典》所规定的权利质权制度也反映了一定的时代特色。

权利质权制度规定在《法国民法典》第三卷《取得财产的各种方式》第十七编《质押》第一章《动产质权》和第二章《不动产质权》之中。[2] 该法典有关权利质权的规定具有如下特色：

1. 权利质权制度被作为动产质权和不动产质权的一个组成

---

[1] 谢怀栻："大陆法国家民法典研究"，载《外国法译评》1994年第3期。
[2] 本处有关权利质权规定的介绍主要参照罗结珍译：《法国民法典》，中国法制出版社1999年版。

部分，隐含于其中。之所以形成这种局面，乃是因为《法国民法典》在制定时吸收了古罗马法有关物的概念和权利质权的相关规定。该《法典》第527条明确规定："财产，依其性质或由法律确定而为动产。"尽管该《法典》未明确采纳罗马法中有体物与无体物的分类，但从第二卷第一编第二章《动产》的规定来看，它仍然吸取了此种分类。例如，该《法典》第529条规定，"以可追索之款项或动产物品为标的的债与诉权，在金融、商业、工业公司内的股份与利益，虽然附属于这些事业的不动产属于公司，仍依法律之规定为动产；但此种股份与利益，在公司存在期间，仅对每一参股人为动产。自国家或自个人领取的永久性定期金或终身定期金，依法律规定，亦为动产。"由此可见，债权、诉权、股份与利益、定期金等，均可依法律规定而作为动产。另外，该《法典》第526条还明确规定，"以下所列，因其附着客体而为不动产：——不动产之用益权；——地役权与土地使用权；——旨在请求返还不动产的诉权。"正因为将上述权利归类于不动产，所以该《法典》也就顺理成章的将设定于这些权利上的质权纳入不动产质权范畴之中。所以，该《法典》将以上述财产为标的而设立的质权作为动产质权和不动产质权予以规定，而不专列权利质权一章，这是与其对财产的认识息息相关的。不过，采取这种立法例后，权利质权也就被湮没于动产质权和不动产质权之中。

2. 权利质权的标的比较广泛。该《法典》第2075条规定，无形动产上可以设立动产质权。从该《法典》第529条的规定来看，债权、股份与利益、定期金等财产，均可作为动产，可以成为质权的标的。此外，不动产的用益权、地役权等权利被视为不动产，它们可作为不动产质权的标的。再次，根据法国于1992年颁布的《知识产权法典》的规定，绝大多数知识产权可作为权利质押的对象。[1] 较之罗马法的规定，法国法中权利质押的标的有了十分显著的变化，罗马法中的债权质押、不动产用益权质权被保留下来，另外增加了其他无形财产权质押。

3. 权利质权在设定和实行程序上遵循动产质权和不动产质权的相关规定，但已逐渐产生了自己的独有的法律规范。权利质权在设定和实行时遵循动产质权的规则，是罗马法遗留下来的传统，《法国民法典》也不例外，并且增加了有关不动产质权的规定。该《法典》规定的能够适用于权利质权的动产质权和不动产质权的规范主要有：质权可以根据当事人之间的约定产生，也可以根据法院的司法判决产生；质权所产生的优先权，仅限于有合法登记的公证文书或私署文书，载明所欠债务之数额，以及用于质押的财产的种类与性质或者附有此种财产的质量、重量与度量的清单时，始对第三人发生效力；质权效力的发生，还必须由债务人或第三人将质物交付给债权人并继续由其占有，或者已交付给当事人约定的第三人并继续由该第三人占有时，始对出质物存在优先权。当以无形动产为标的设定质权时，该《法典》第2075条规定了特殊的质权设定规则，即"合法登记的公证文书或私署文书应送达已用于设立质权的债权的债务人，或者应由该债务人以公证文书接受之。"也即，权利质权在设定时，既需要遵循动产质权的一般规则，也需要通知相关的第三人，始发生设定的效力。权利质权在实行方面仍然遵循动产质权的设定规则：债权人在未得到清偿前，不得处分质物；但债权人得请求法院裁

---

[1] 例如，《法国知识产权法典》第 L. 132—34 条规定了"软件使用权质押合同"，第 L. 614—29 条规定了"专利权的质押"，第 L. 714—1 条规定了"商标权的质押"。具体内容参见黄晖译：《法国知识产权法典》（法律部分），商务印书馆1999年版。

判，经鉴定人作价，在其债权数额限度内，以该质物抵偿其债权，或者将出质物公开拍卖，以清偿其债权；以债权作为质物并且该债权应付利息时，债权人可将此利息抵偿应向其偿还的债务的原本；用债权设立质权，其担保的债务本身如未订立利息，前述利息得抵偿债务的原本；仅在为之设立质押的债务的原本、利息与费用全数清偿时，债务人始得请求返还出质物，但出质物的持有人滥用出质物之情形，不在此限；不动产质权仅得以书面设定之；债务未完全清偿前，债务人不得请求享有设定质权的不动产用益权；等等。尽管该《法典》中有关权利质权的特殊规定屈指可数，但我们仍可看出立法者已开始注意到该制度的特殊性并尝试适用特殊的规则。

二、德国法的规定

德国在 1871 年统一以前，罗马法和日尔曼法在全德境内并存适用。自 18 世纪中叶，德国的各公国开始从事民法典的编纂活动。在统一前，德国曾有制定民法典的强烈呼声，但未能付诸实施，其中一个主要原因就是当时的一位著名法学家冯·萨维尼极力反对编纂一部统一的民法典。他认为："法不是可以依照立法者的意思任意创制的东西，恰似语言和习俗，是依民族的确信而发展、成长起来的，是在一定程度的文化发达基础上由民族文化的代表者法律家发展起来的。"[1] 尽管萨维尼未能阻止德国在统一后制定民法典，但他的主张却深深地影响了《德国民法典》的理念。1896 年 8 月 24 日德国颁布了《民法典》并于 1900 年 1 月 1 日施行，该《法典》在制定时既吸收了大量的罗马法规范

---

[1] 梁慧星著：《民法解释学》，中国政法大学出版社 1995 年版，第 51 页。

也采纳了较多的日尔曼习惯法,体现了非常鲜明的民族主义色彩。[1] 正因为如此,《德国民法典》在物权和权利质权制度上的规定就兼有罗马法和日尔曼法的特色。

《德国民法典》在物的定义上摒却了罗马法中的广义的物的概念(即物包括有体物和无体物),而采取日尔曼法中的狭义的物的概念:"本法所称的物为有体物。"所以,德国法中的动产概念不包括权利,但人们一般认为对权利也可以适用动产的法律规则。[2] 正因为如此,德国法中既规定了动产质权也规定了权利质权。

《德国民法典》第三编《物权法》第九章《动产质权和权利质权》规定了动产质权和权利质权制度。有关权利质权的规定具有如下特色:

1. 权利质权的地位有所提升。该《法典》第九章第一节规定的"动产质权"制度共有68条,第二节规定的"权利质权"制度也已达到23条,[3] 其数量远远超过《法国民法典》的规定,而且,该法典独树一帜地将权利质权制度单独作为一节,使之与动产质权并列,这大大提高了权利质权的地位。尽管如此,该《法典》仍在第1273条第2款规定:"关于权利质权,除第1274条至1296条另有其他规定外,准用关于动产质权的规定。"对此,德国学者认为,根据该《法典》的规定,权利质权不过

---

[1] 娄进波:"'德国民法典'的发展及其评述",载《外国法译评》1993年第3期。
[2] 孙宪忠著:《德国当代物权法》,法律出版社1997年版,第9页。
[3] 目前,《德国民法典》经过修订,已废除了第1259条至第1272条,故有关动产质权的规定目前仅有54条,权利质权制度的条文相当于动产质权部分的1/2。参见郑冲、贾红梅译:《德国民法典》,法律出版社1999年版。

是动产质权的一种特殊类型而已。[1] 如无例外规定，仍适用关于动产质权的相关规定。可见，这种立法例尽管承认权利质权有其内在的特殊性，但也承认权利质权与动产质权的相通之处，确认动产质权的规定对权利质权有着适用的可能。

2. 权利质权的标的日趋扩大。较之法国法，德国法所规定的权利质权的标的范围已有显著的扩大。首先，《德国民法典》在第1273条第1款开宗明义地宣布："质权的标的也可以为权利"，从而以法定的形式肯定了权利质权的地位。其次，该《法典》在第三编第九章第二节规定了多种权利质权：①以可以请求给付的权利为标的的质权；②以债权为标的的质权；③土地债务或者定期金债务上的质权；④指示证券上的质权；⑤无记名证券上的质权；⑥抵押权质权。从上述规定可以看出，德国法所规定的权利质权范围不仅限于传统的债权质权，而且包括了有价证券上的质权、土地债务或定期金债务上的质权、抵押权上的质权，内容十分广泛，反映了权利质权制度的新发展。

在上述类型中，值得关注的是土地债务或定期金债务上的质权。根据《德国民法典》第1191条的规定，所谓土地债务，是指从土地上获取一定数额的金钱的支付的物权变价权。例如，父亲可以设定土地债务作为女儿的嫁妆。由于土地债务是直接从土地上取得一定价值的权利，这种权利并不以担保某个债权为前提条件，因此该种权利为变价权而不一定是求偿权。不过，如果土地债务在设立时或者设立后发挥担保物权的作用时，它就是变价求偿权。所以土地债务的权利人所获得的权利一般为物权，当其

---

[1] Palandt, Bürgerliches Gesetzbuch, 54., neubearbeitete Auflage, Verlag C. H. Beck, 1995, seite 1309. 转引自孙宪忠著：《德国当代物权法》，法律出版社1997年版，第351页。

为债权人时，即当土地债务担保债权时，土地债务完全等同于抵押权的性质并适用其规则。[1] 根据该《法典》第1192条和1198条的规定，土地债务也可作为一种担保物权，此时援引抵押权的有关规定。而且，抵押权可以变更为土地债务，土地债务也可变更为抵押权。另外，根据《德国民法典》第1291条的规定，土地债务可作为一项权利而入质，设立土地债务质权，适用关于债权质权的规定。从性质上讲，土地债务质权是以一种特殊的、在不动产上成立的、以物权为标的而设立的质权，不同于债权质权。所谓定期金，是指在土地上设立的以定期给付一定金额为目的的土地债务。例如，年老的农民在将土地的所有权转移给子女时，为自己设立一项定期金债务，让子女定期从土地上给付自己养老所需要的金额。从性质上讲，定期金债务仍然是一种土地债务。定期金债务可转换为一般的土地债务，一般的土地债务也可转换为定期金土地债务。同样，根据该《法典》第1291条的规定，定期金债务也可以作为质权的标的，其性质与土地债务质权一样。

此外，虽然地上权也是一种用益物权，但《德国民法典》未将其作为权利质权的标的。根据德国《地上权条例》第11条、第12条的规定，地上权可以独立地作为抵押权的标的。

通过以上规定可以看出，德国法所规定的权利质权的标的十分复杂，既有常见的债权质权、有价证券质权，也有十分罕见的抵押权质权、土地债务或者定期金债务上的质权，其规定十分独特庞杂，反映了德国人擅长抽象思维的特点。所以有学者评价说，"在当时的德国，由于经济发展的原因，权利物权并不具有多大实践意义。故权利物权的法律规范进入民法典，与其说是实

---

[1] 孙宪忠著：《德国当代物权法》，法律出版社1997年版，第294页。

践的需要，还不如说是德国人习惯的法学推理的结果。"[1]

3. 权利质权的设定及实行规范化。尽管《德国民法典》在第1273条第2款仍然规定了"权利质权准用动产质权规定"的原则，但该《法典》已充分注意到了权利质权的特殊性，使用大量篇幅对此作了规定。首先，该《法典》第1274条从原则上规定了权利质权设定的一般规则：权利质权根据关于权利转让的规定加以设定。为转让权利需要交付物时，适用第1205条、第1206条的规定；不得转让的权利，不得设定权利质权。其次，该法典针对不同的质权种类分别规定了不同的设定和实行方式。对于债权质权，该《法典》使用大量的篇幅详细规定了债权质权的设定方式，如设定时向债务人的通知义务，债务清偿期届满前后的给付方式，债权到期的催告义务，质权的实行范围等等。其内容之详细、考虑之周密，丝毫不亚于一般动产质权的规定。对于其他的权利质权制度，该法典的规定则相对简单地多，例如，对于土地债务或定期金债务上的质权，适用关于债权质权的规定；指示证券上的质权在设定时仅需要有设定之协议并移交有背书的证券；无记名证券上的质权则适用关于动产质权的规定；证券质权人的催收权利、变价权利，等等。从这些规定来看，德国法对债权质权的规定比较详细而对其他权利质权的规定则篇幅较少。这在当时也许能适应经济发展的需要，但在社会经济生活日益复杂的今天，恐怕这些规定已远远不能适应实践的需要，因为证券质权、股权质权、知识产权质权都具有其十分突出的特点，机械地参照动产质权地规定，是不能圆满地解决各种纷繁复杂的问题的。

---

[1] 孙宪忠著：《德国当代物权法》，法律出版社1997年版，第349页。

三、瑞士法的规定

瑞士是一个联邦国家，组成联邦的各个州在15世纪末才逐渐从神圣罗马帝国独立出来，集合到一起，在17世纪中叶得到欧洲各大国的承认，最终于1848年组成了瑞士联邦，制定了瑞士宪法。在此之前，瑞士各州大多已有自己的民法，有的是在法国民法典基础之上制定的，有的是以奥地利民法典为范本制定的。[1] 这些都对《瑞士民法典》的制定产生过一定的影响。1898年，瑞士联邦政府任命法学家欧根·胡贝尔教授主持起草民法典。1907年12月10日，瑞士正式公布了《瑞士民法典》并于1912年1月1日起施行。

《瑞士民法典》中有关权利质权的规定在第四编《物权法》第二十三章《动产担保》中，与法国和德国的相关规定比较起来，其规定具有如下特色：

1. 权利质权与质权相对独立，但又同属于"动产担保"的一个组成部分。该《法典》在第713条对动产所有权的标的物进行解释时将动产定义为："性质上可移动的有体物以及法律上可支配的不属于土地的自然力，为动产所有权的标的物。"从该定义及第二十章"动产所有权"的其他规定来看，动产的含义仅包括有体物而不包括权利等无体物。但令人费解的是，第二十三章又将权利质权作为"动产担保"的一个组成部分，并在第899条第2款规定权利质权"除另有规定外，适用有关动产质权的规定"，这实际上承认权利在某种程度上可被视为动产，准用动产的相关规则。在立法例上，瑞士法将"权利质权"与"质

---

[1] 谢怀栻："大陆法国家民法典研究"，载《外国法译评》1995年第2期。

权及留置权"相并列，体现了权利质权的重要性，反映了立法者对权利质权的重视。不过，从该法典的一些条文及其体例来看，权利质权仍然被看作是动产质权的一个特殊方面。

2. 可作为权利质权的标的十分广泛。与德国法和法国的一个显著区别在于，瑞士法在规定权利质权的标的时采用了一种概括的立法例，即第899条第1款规定："可让与的债权及其他权利可出质。"它一方面突出债权可作为质押的标的，另一方面又确认其他权利也可作为质押的对象。"其他"二字，充分说明权利质权的标的并不局限于某一种权利，只要具备法律所规定的条件，任何可转让的权利均可作为权利质权的标的。因此，这种立法例具有充分的开放性，也为司法裁量留下了灵活的余地。除了一般性规定外，该节还细化了几种特殊的权利质权：①债权质权。包括无契约证书的债权和有债务证书的债权；②证券质权。包括不记名证券质权、记名证券质权、股份质权及货物证券（仓单与提单）质权。比较而言，《瑞士民法典》规定的权利质权种类十分丰富，比《德国民法典》又有了显著的进步。至于在建筑权、泉水权等用益物权上设定的质权，虽名为质权，但学者多认为其性质为权利抵押而非不动产权利质权。[1]

3. 权利质权在设定和实行上有了十分明确的特殊规则。《瑞士民法典》与其他民法典相比具有一个十分独特的地方："条文数较少而内容含量多"，[2] 反映在权利质权制度上，该《法典》仅用8个条文就对各种权利质权的设定和实行作了准确的概括，条条切中要害，规定了各类质权最为关键的内容。在权

---

[1] 参见史尚宽："权利质权之研究"，载郑玉波主编：《民法物权论文选辑》（下），台湾五南图书出版公司1984年版，第869页。
[2] 谢怀栻："大陆法国家民法典研究"，载《外国法译评》1995年第2期。

利质权的设定方面，该法典分别规定了债权质权、不记名证券质权和有价证券质权的设定，然后又规定了后位质权的设定。其中，在《德国民法典》中被大篇幅规定的债权质权的设定在该《法典》中仅有3个条文，即债权质权在设定时应采取书面形式，有证书的应移交证书；质权设定应及时通知债务人；其他权利设质，除需书面质权契约外，还须遵守规定的有关转让的形式。对于其他几类质权，该《法典》仅规定了最为核心的内容，如不记名证券出质，仅需将证券交付质权人；其他有价证券的出质，在交付证券时，须附背书或让与声明；货物证券出质，即表明对货物设定质权；等等。在权利质权的效力部分，该法典分别对设质的权利的范围、已出质的股票的代表权、质权的管理和清偿三个重点问题作了概括。①该《法典》规定债权附有利息或其他定期给付的，这些请求权视为一同出质，除非另有约定；②该《法典》独树一帜地规定了股票出质后股东权的行使问题："公司股票的出质，在公司全体大会上仍由股东代表行使，而不是由质权人代表行使。"[1] ③该《法典》对债权的实行问题专门作了规定，即债权人和质权人对债权的管理，债务人的清偿及履行问题。总之，该《法典》有关权利质权的设定和实行的规定虽然不甚详细，但却处处切中要害，覆盖面十分广泛。

四、日本法的规定

《日本民法典》于1896年公布，1898年7月16日起施行。该《民法典》在制定过程中，深受《德国民法典》的影响，尤其在内容编排上，不采罗马式而取德国式，分为总则、物权、债

---

[1] 《瑞士民法典》第905条。参见殷生根、王燕译：《瑞士民法典》，中国政法大学出版社1999年版。

权、亲属、继承五编,在条文处理上,"只列原则、变则或就易生歧义事项列出规则,而不作过于详细的规定。"[1] 这些特色均对日本的权利质权制度发生着深刻的影响。

权利质权制度规定在该《法典》第二编《物权》第九章《质权》中。其规定具有如下特点:

1. 权利质与动产质、不动产质并列,共同组成质权的三大部分。该《法典》第九章第一节先就质权的设定和实行作了总则性概括,然后分"动产质"、"不动产质"和"权利质"三节分别规定了三种特殊的质权制度。从体例上来看,权利质因其标的的特殊性,而上升为一种基本的质权种类,这一立法例与《德国民法典》基本相同。在法律适用上,该《法典》同样规定,权利质权,"除本节规定外,准用前三节的规定。"[2] 即权利质权在法律适用上,先适用法律规定的特殊规范,如无相应规定,则适用总则部分和动产质、不动产质的相关规定。也即,《日本民法典》同样反映了其他国家民法典的一种共同的倾向——权利质不过是一种特殊的质权罢了,动产质的相关规定可适用于此,因此权利质对动产质仍有一定的依附性。对此,日本学者解释说:"权利人也是以质权标的——财产权所具有的交换价值而享受优先救济这一点为质权的内容,它本质上与动产质并没有什么不同,但由于有关理论和规定已难以原封不动地适用于权利质,所以民法典规定准用有关质权的总则、有关动产质的规定以及有关不动产质的规定。"[3] 但如果细细分析条文的规定,不

---

[1] 王书江译:《日本民法典》中的序言,中国人民公安大学出版社1999年版,第4页。
[2] 《日本民法典》第362条第2款。
[3] [日]汤浅道男编著:《担保物权法》,成文堂1995年版,第49页。

难发现，立法者已认识到了权利质权的重要性，又进一步提高了其地位，例如，第九章《质权》第一节《总则》部分非常详细地规定了质权的内容、质权的标的物、质权设定的要物契约性、质权担保的债权的范围、转质、流质契约的禁止、物上保证人的求偿权等内容，这些规定不仅适用于权利质权，而且适用于动产质、不动产质，且该章第三节所规定的权利质权的条文数远多于动产质和不动产质的规定，上述现象均可以说明立法者已充分注意到了权利质的特殊性，将其置于与其他质权相并列的地位。

2. 权利质权的种类以债权质为主。《日本民法典》所规定的权利质权的种类不多，主要围绕债权质展开。所谓债权质，是以债权为标的的质权。根据其标的的不同，该《法典》第364条、第365条、第366条将其细分为指名债权质、记名公司债质和指示债权质。其中，后两者相当于《德国民法典》所规定的指示证券上的质权。根据日本学者的解释，设定于无记名公司债、购物券上的无记名债权也可出质，[1] 这一类相当于《德国民法典》所规定的无记名证券上的质权。由于该《法典》制定的时间相对较早，故一些新型的质权种类未能在该《法典》中反映，随着社会的发展，《日本民法典》的规定已不能适应新的需要。对此，日本在其它法律中规定了几类新的权利质权制度，它们包括：股份质权（《商法典》第207条）；地上权、永佃权、役权上的质权（《不动产登记法》第1条）；无形财产权上的质权（《专利法》第45条、《外观设计法》第25条、《实用新型法》第26条、《著作权法》第15条）。其中比较特殊的是地上权、永佃权、役权上的质权，地上权、永佃权、役权等权利是以不动产的利用为目的的权利，《日本民法典》允许将其作为权利

---

[1] 参见［日］汤浅道男编著：《担保物权法》，成文堂1995年版，第50页。

质权，这从一个侧面说明，日本在理论上认为，地上权、永佃权、役权等权利与不动产一样可以出质。

3. 有关权利质权的设定和实行的规定十分概括。与其他法典不同的是，该《法典》在规定权利质权的设定和实行时极为概括，仅规定了最为核心的内容而缺乏详细的诠释，对于法典未作规定的，则适用有关质权的总则的规定及动产质和不动产质的规定。该法典作出概括规定的内容主要有下列几方面：①债权质的要物契约性。债权质的设定，如有债权证书的，债权质因证书的交付而发生效力；②指名债权质、记名公司债质、指示债权质的对抗要件；③债权质权人的权利。质权人可以直接收取作为质权标的的债权；债权的标的为金钱时，质权人以对自己的债权额部分为限，可以收取；上述债权的清偿期，先于质权人的债权清偿期届至时，质权人可使第三债务人提存其清偿金额。于此情形，质权存在于提存金上；债权标的物不是金钱时，质权人于作为清偿而所受的物上有质权。这种立法例虽然具有简单明了易于抓住重点的优点，但其缺陷也十分明显，既不利于操作，也容易留下法律真空。

第三节 英美法中的权利质权制度

质押，作为一种古老的担保形式，不仅在大陆法中，而且在英美法中都有着极为悠久的历史渊源，甚至可以说是一切物的担保的源流。[1] 古罗马法和日尔曼法中的质权制度对英美法中的权利质权制度均产生过一定的影响，只是由于历史、文化和社会

---

[1] 许明月著：《英美担保法要论》，重庆出版社1998年版，第237页。

发展的差异，权利质权制度在各国的规定不尽相同。

一、英国法的规定

英吉利王国于公元9世纪才形成，在此时期，英国的法律主要是盎格鲁——撒克逊习惯法，即日尔曼法，因而其质押制度也主要沿用日尔曼法上的收益质的形式。公元1066年，诺曼底公爵威廉入主英格兰，是为威廉一世。到了亨利二世期间，法律制度进行了重大改革，各地区差异很大的习惯法在封建化的过程中得到了统一，并在13世纪逐步形成了普通法。此时，原仅适用于动产的质权制度被扩及于不动产担保，即担保物为土地时，要求债务人将土地占有转移于债权人，由债权人收益，以抵偿债务。[1] 在英国法律发展中，普通法也深受罗马法的影响，"罗马法的材料被巧妙地加以运用，与日尔曼法和封建法的材料揉合在一起"，共同构成英国普通法的有机组成部分。[2] 英国进入资本主义时期后，法律形式出现了很多变化，自19世纪后半叶开始，衡平法与普通法逐步合流，其作用相对下降，制定法的数量相对增加，其作用日益明显。1925年，英国颁布了《财产法》，对物的担保进行了彻底修订，但对质押的修改不大。

英国法未提出明确的权利质权的概念，但这并不意味着英国法中缺少该项制度。在该法中，与大陆法的规定相类似的制度规定在动产质之中。该项制度具有如下特色：

1. 权利质是作为动产质的一个组成部分而隐含于其中，不存在独立的权利质权制度。根据英国学者的解释，所谓质押是指为设定担保而使特定的财产实际或推定转移占有于债权人，该取

---

[1] 参见潘华仿著：《英美法论》，中国政法大学出版社1997年版，第51-61页。
[2] 梁治平："英国普通法中的罗马法因素"，载《比较法研究》1990年第1期。

得占有的人被称为质权人,他因质押而获得存于担保物上的一种特殊财产,或某种存于该财产上的有限的法律上利益,设质财产的所有权仍然保留于质押人手中。[1] 质押以物的实际占有或推定占有为成立的条件,因此英国法上的质押制度主要是在动产上设定。而在英国法中,动产并不仅仅局限于可移动的有形财产,债权、商业证券、商誉、知识产权、债券和股票等权利也被称为无体动产。[2] 对于无体动产,如果未固定在一定的载体上(如债券就是债权固定在纸张上),则不能在其上成立质权。[3] 但是,无体动产如果能被占有,便可成为质押的对象,从而构成类似于大陆法的权利质。因此,代表货物、金钱或权利的契据可通过交付或必要的背书移转的方式设定担保。此时,债务人的交付或付款义务不是对原债权人的义务,而是对任何该契据持有人的义务,持有人提示这些契据要求付款或交付货物时,义务人必须付款或交付货物。从英国的法律实践来看,只有可流通的代表权利的契据才可作为质押的对象。例如,就股权而言,通过移交股权证来设定质押是无效的,因为公司的股份是无形的,因而不能质押。[4] 但是,如果移交代表权利的无记名的债券或无记名的股票,则可设定有效的质押,因为后者的载体是有形的。[5]

究竟哪些财产可进行质押呢? 我们不妨从无体动产的分类来予以考虑。①债权。一般的合同,如建筑合同、租赁合同,不能

---

[1] R. M. Goode, Legal Problems of Credit and Security, 2nd. Ed. Sweet & Maxwell, 1988, p. 10.
[2] [英] F. H. 劳森、B. 拉登著,施天涛等译:《财产法》,中国大百科全书出版社 1998 年版,第 25—35 页。
[3] Simon Gleeson, Personal Property Law, FT Law and Tax. London, 1997, p. 254.
[4] Harrold v. Plenty [1901] 2 Ch 314.
[5] Carter v. Wake (1877) 4Ch D 605.

在其上设质,因为这些合同的占有和提示不能作为付款或合同履行的条件,当某人持有合同或对对方当事人提示合同书时,并不能产生对方当事人向其付款或履行的义务,它们在通常情况下也不能流通。但是,当债权转化为债券形式,则可进行质押;②非流通的证券。就非流通的运输单据、非流通的票据、股票登记证书、不可转让的债券而言,它们必须在提示后,义务人才对其履行,但对其取得占有并不意味着授予其对义务人的权利,此类契据是否可以进行质押,实践上颇有疑问。[1] 还有,就提单而言,提单是运输货物的权利凭证,货物的承运人负有在该单据提示时对单据的持有人在目的港交货的义务。如果提单可以转让,则可作为质押。反之,如果人们采用记名提单,则这种提单即使交存到银行进行担保也不可能授予银行对货物交付的任何权利,因此它们不能产生质押的效力;③无记名的股权凭证、无记名股票、可转让的债券。无记名的股权凭证、无记名股票和可转让的债券因具有可转让性,因此可以通过交付而转让,所以英国法承认它们可以用来质押。但是,就登记证券而言,英国法不承认它们可进行质押,因为英国法规定,登记股权凭证或需登记的债券的权利在形式上和实质上都不可转让,因而它们实际上不能流通,占有和转让登记证券仅授予持有人一种请求登记的权利,不能授予源于登记而发生的权利本身。也即,登记证券上的权利乃基于登记而产生,这些权利不可流通,只能通过登记改变权利的享有者,因而不能进行质押;④票据。汇票、本票、支票等票据,如果可以转让,则可用来设质。但是,如果票据属于"不得流通"的票据,则不能转让,因而不能用于质押。对于支票而言,支票即使是划线的,也可用来质押,因为支票的划线仅仅意味着受让

---

[1] 参见许明月著:《英美担保法要论》,重庆出版社1998年版,第237页。

人不能获得比让与人更好的权利，但该权利仍可转让，因而此类支票仍可设定质押；⑤保险单。在英国，人寿保险单可以作为担保而交存，但不能用作质押，因为尽管其提示构成请求付款的条件，但对其取得占有并未将收益人对于保险人的权利授予占有人。从上述规定来看，英国法虽然在实践中承认无体财产可在一定条件下予以质押，但其质押的条件十分严格。尽管英国学者也认识到无体财产本质上是一种财产性权利，[1] 但英国法在权利质的设定问题上未能抽象出权利质实质上是以权利为标的的质押的结论，因而在实践上固守"质押以质物的交付为前提"的原则，不承认权利可直接予以质押，从而排斥了直接的债权质押、股权质押、知识产权质押等权利质押。不过，英国法又采取了一种十分矛盾的做法，当这些权利固定在一定载体上时，可予以质押。例如，无记名的债券、无记名的股票、可转让的提单等，可进行质押，其种类尚比较丰富。从实质上讲，这不过是权利质的转换而矣。因此我们可以说，英国法的规定具有十足的机械主义的特点。同时，这种规定也使权利质制度隐含于动产质之中，降低了其法律地位，使其难以发展为一下项独立的法律制度。

2. 权利质在设定和实行上遵照动产质的相关规定。英国法未规定独立的权利质的设定和实行的规则，实践中主要遵循动产质的相关规定。质权在设定上，除了当事人之间应有设定质权的合同外，还必须交付质物。质物的移转分直接移交和推定移交两种。对于有形动产，需要将该物直接移交给质权人，但对于无体动产，在移交时仅需移交代表其权利的凭证。例如，根据1992年海上货物运输法的规定，提单上的背书移转即象征它所代表的

---

[1] [英] F. H. 劳森、B. 拉登著，施天涛等译：《财产法》，中国大百科全书出版社1998年版，第25页。

货物的直接移交，可产生法律上的效力。[1] 这是因为，提单是货物所有权的凭证，移交提单即象征它所代表的货物的占有发生了变更。[2] 对于其它一些货物凭证，在发生移交时，法律上推定它们所代表的货物发生了移转，即权利的标的物发生了移转。[3] 在对质物占有时，既可由质权人直接占有，也可由代表其利益的人占有。在通常情况下，用于出质的质物不得再返还给出质人。例如，用于出质的存单如果返还给出质人，则质权不再成立。但是，英国法对此作了一种变通性的规定，即如果返还对质押不造成影响且质押人的临时占有是为了质权人的利益，则这种返还不影响设质的效力。[4] 比如，银行将出质的提单退给购买货物的客户，以便他能从货物的到达港取货，然后将其销售以便向银行还款。但是，如果此时善意的第三人从质押人手中取得质物，则该第三人能够对抗质权人。此外，如果合同有明确规定，质权人可将质物转质。[5] 当债务人不履行债务时，质权人可依法对质物进行法律上的处分，如将质物拍卖或变卖，以其卖得价金偿还其债务。

从以上规定可以看出，英国法有关权利质押的规定与大陆法相比要简略得多，未形成系统的法律制度。

二、美国法的规定

美国在独立战争之前，殖民地适用的法律是英国的普通法和

---

[1] And formerly s 1 of the Bills of Lading Act 1885.
[2] Glyn, Mills, Currie & Co v. East and West India Dock Co (1880) 6QBD 475.
[3] Official Assignee of Madras v. Mercantile Bank of India Ltd [1935] AC 53.
[4] North Western Bank Ltd v. John Poynter, Son & Macdonalds [1895] AC 56.
[5] Donald v. Suckling (1886) LR 1 QB 585.

衡平法，仅路易斯安那州参照《拿破仑法典》制定了民法典。独立战争后，美国全面继承了英国的普通法、衡平法和制定法，并以之为基础建立了美国的资产阶级法律制度。其财产法基本上是沿袭英国财产法的原则与制度（路易斯安那州除外）。物的担保形式主要包括不动产抵押和动产质押。[1]

自20世纪30年代末，美国开始了担保法的重述工作。1936年，美国开始此项工作，首先完成了质押一章，到了1941年，担保法重述的文本最终问世。该重述主要针对动产担保和保证进行，其内容包括两部分：动产担保，包括质押、占有留置；保证。在立法时按照动产担保的方式来对动产担保的规则进行系统描述，但从实际效果来看，并不理想。后来，美国于1952年完成了《统一商法典》草案，提交各州批准采用。其中，该《法典》第九篇是对动产担保的专门规定。与传统法律的规定不同，该法典没有采纳传统的担保立法中根据担保形式的不同分别制定法律进行调整的立法例，从而避免了传统担保立法中大量重复的现象，使担保法更为简洁。但这并不等于说诸如留置、质押、动产按揭、应收帐款等担保形式就不能使用，实际上，美国动产担保的形式仍未改变，《统一商法典》对所有这些动产担保形式进行抽象，将其统摄于担保权益（Secured Interests）之下，作为一个整体来进行规范。[2] 对此，我国有学者给予了高度评价，认为这种立法体例"摆脱了传统动产担保交易程序繁杂、形式主义、脱离实际等等弊端，从动产担保权益的统一观念出发，对于动产担保作出了更符合实际、更体现交易安全和降低交易成本规

---

[1] 参见陈盛清主编：《外国法制史》，北京大学出版社1987年版，第212-214页。

[2] Henry J. Bailey Ⅲ, Secured Transactions, West Publishing, 1981, p.9.

则要求的规定",[1] 所以，该法典后来在世界范围引起强烈的反响，成为不少国家效尤的对象，也就不足为奇了。

尽管《统一商法典》未设专章对质押予以专门规定，但从该《法典》的相关规定来看，质押仍然是动产担保设立的一种基本形式，只不过它在设立和实行时要遵循第九篇的共同规定而矣。例如，该《法典》第9—102条第2款规定："本篇适用于由契约所创设之担保利益，此项契约包括质权、让与、动产抵押、动产信托、信托凭证、经纪人留置权、设备信托、附条件买卖、信托收据、其他质押权或所有权之契约，及意图以标的物供担保而订立之租赁或寄托。"可见，该《法典》承认它适用于各种通过契约所创设的担保利益，如通过质押所设定的担保利益，因此质押仍是该法典所认可的一种担保设定方式。关于质押的含义，从法律实践来看，美国法上的"质押"的含义与大陆法基本类似，系指一方交付他方动产或必要之证券，以担保债务的履行，担保物由质权人占有，于债务人完成一定条件后，得以取回或赎回的一种担保方式。但与大陆法比较起来，其质权人"尚有所谓'默示权'（implied power），对于标的物的处分，如因债务人之怠于参加，得单方自行出卖之。"[2] 而且，美国法中不存在动产质与权利质的分类。

哪些对象可以作为质押的标的呢？美国法在实践中的作法与英国法极为类似，通常，只有有形的动产可供质押。[3] 根据《统一商法典》第9-102条第1款的规定，动产可分为：①物

---

[1] 许明月著：《英美担保法要论》，重庆出版社1998年版，第268页。
[2] 国立中兴大学法律研究所主译：《美国统一商法典及其译注》，台湾银行经济研究室编印1979年版，第740页。
[3] Douglas J. Whaley, Problems and Materials on Secured Transactions, 2nd, Little, Brown and Company, Boston and Toronto, 1989, p. 11.

品。包括消费物、设备、存货、农牧产品；②准无体财产。包括权状（如仓单、提单等所有权凭证）、动产执据（证明金钱债务或特定物上之担保利益或租赁权的文件）、证券；③无体财产。包括应收帐款（因出售、出租或服劳务所生之给付请求权，而无须以证券或动产执据证明其存在者）、商誉权、著作权、专利权等权利。[1]在上述财产中，物品为有形的动产，当然可作为质押的对象。权状、证券虽实质上为代表财产权的凭证，但因其具有外在的形体，因而仍可作为质押的对象。至于应收帐款、专利权、著作权、商誉权等权利，因无外在形体，不能移转占有，因而不能作为质押的对象。关于动产执据能否予以质押的问题，十分复杂。根据《统一商法典》第9-105条第1款b项之规定，动产执据是证明金钱债务及特定物上之担保利益或租赁权同时存在的一纸文件或一些文件，即为表彰债权和担保权的权利凭证。动产执据可用来担保，例如，一位出售者基于附条件买卖将一部发电机售给一位顾客，该顾客即签发一纸可流通的分期付款本票给出售者。此时，本契约构成担保合同，出售人为担保权人，顾客为债务人，发电机为担保物。当出售者需要资金融通时，他可以将契约及本票移转给融通资金公司来担保贷款，那么，对于出售者及融通资金的公司之间的交易而言，契约及本票是担保物——动产执据，融通公司为担保权人，出售者为债务人，而顾客此时被指定为"账款债务人"。笔者认为在此时，出售者在形式上是以动产执据进行担保，实质上是以对顾客的债权及其担保利益进行贷款担保。那么，这种以动产执据的交付所设定的担保就具有了质押的特征。综上所述，权状、动产执据和证券在一定条件

---

[1] Douglas J. Whaley, Problems and Materials on Secured Transactions, 2nd, Little, Brown and Company, Boston and Toronto, 1989, p. 71.

下可通过占有移转来设定担保,这种担保实质上类似于大陆法中的权利质押担保,只不过美国法中无此称呼而矣。由于美国法过分强调质押物的物质实体,因此,很多没有外在实体的权利,如应收债权、专利权、商标权等知识产权,就不能设定质押。其实,权状、动产执据、证券实质上仍是权利,只不过有外在形体而矣。美国法只承认后者可作为质押的对象而否认前者,无疑暴露了其理论上的僵化和死板,也人为地缩小了权利质的种类。

美国法除具有以上特点外,其权利担保(为论述方便,暂且将在权状、动产执据上设定的担保简称为权利担保)在设定和实行上无专门的整套规范,而是统一适用商法典的共同规则。虽然《统一商法典》承认质押仍是担保设定的一种方式,但该《法典》不根据每一种担保方式来立法,而是从中抽象出共同适用的规则,因此不存在对权利担保问题的专门立法,它的设定和实行适用统一的规范。这些规范有:①担保利益的创设。当事人之间如欲创设有效的担保利益,必须有合约存在且担保利益必须附着在担保物上,如其欲有优于第三人的权利,担保利益必须有效成立,除非该担保形式属于占有式,且担保权人已占有担保物者外,其担保合约须以书面为之。所谓附着,其成立的条件有:债务人对于担保物需有权利存在;担保权人已给付对价;债务人与担保人需有担保合约;②担保利益的有效成立。就证券、动产执据、权状而言,如欲使担保利益有效成立,债权人可以占有它们而起到公示的作用,从而取得优于第三人的权利。一般情况下,质物必须由债权人占有,但也有例外。例如,当债务人需要使用证券进行提示、更新、移转登记或达到最终出售或互易的目的时,根据《统一商法典》第9—304条第5款b项的规定,债权人可以暂时将证券移交给债务人,其担保利益在21日内无需登记而继续有效成立;③担保权人的权利及救济。在债务人履行债务之前，持有质物的担保权人应当以合理的注意保管质物。就证券和动产执据而言，其合理注意包括为维持权利而采取的对抗前手的必要步骤——例如持有流通证券的人，向主要当事人为适时提示而不获承兑时，应负有通知义务。[1]担保权人对于质物有转质权。当债务人迟延履行时，担保物如为权状、证券或动产执据，担保权人可依法处分它们或其所涵盖的物品。例如，担保权人可以通知证券上的义务人，向其给付款项。就动产执据上设定的质押而言，担保权人可依合约之赋权，请求返还尚未收取的担保物，或以其他方式向债务人或负有收取责任的人请求完全或有限的追索。

综上所述，美国法中不存在独立的权利担保制度，但存在与之类似的制度，有关该方面的规定十分简略，其内容远远略于大陆法的相关规定。

第四节 我国的权利质权制度

我国的权利质权制度是在古代的动产质权制度的基础上，通过吸收和借鉴大陆法系和英美法系国家的立法经验而形成，并在内地、台湾、香港、澳门四个地方分别演变为各具特色的权利质权制度。

一、古代的动产质——权利质权的基础

我国在远古时期就已存在质押制度。据东汉许慎的《说文

---

[1] 蔡炯燉："美国担保交易法的综合研究"，载国立中兴大学法学研究所编：《法学研究报告选集》，台湾1981年版。

解字》的解释,"質(质),从貝,从 ",其本义是"以物相赘。"何为"赘"?许慎又解释说:"以物质钱,从敖、贝。敖者,犹放,谓贝当复取之。"对此,清朝段玉裁注释说:"若今人之抵押也。……依《韵会补》,放者当复还,赘者当复赎,其义一也。此十字释敖、贝之意也。"显然,"质"本义是以物抵押取赎,后来的"当"、"典当"、"典"之此义,均源于此。[1]

在先秦时代,人质担保非常普遍。如《左传·哀公八年》上记载:"以王子姑曹当之而后止。"这里的"当"乃是以人质押之意。直接采用"质"这一说法的在古代也十分常见,如《左传·隐公三年》上记载的"胡周郑交质。王子狐为质于郑,郑公子忽为质于周"及《触龙说赵太后》文中的"有复言令长安君为质者,老妇必唾其面"中的"质"均指以人质进行抵押。[2] 显然,这里的"质"与现代社会的保护人身自由、禁止非法扣押人身的人权思想格格不入,只是它与动产质有一定的共同点,即都是通过移转一定的物件或人身而实现担保的目的。

从生活实践来看,除人质担保外,动产质押在春秋战国早已存在。例如,《国语·晋语》中曾记载:"所不与舅氏同心者,有如河水。沉璧以质。"也即,古人在盟誓时以物作质押,以取信于鬼神。及至秦汉,人质和物质在生活中都极为常见。例如《太平御览》引刘向《孝子图》董永故事:"父亡,无以葬,乃从人贷钱一万。永谓钱主曰:'后若无钱还君,当以身作奴'"。后来,其妻为钱主织千匹绢作质,钱主便放还董永。这千匹绢就是质押的对象。[3]

---

〔1〕 曲彦斌著:《典当史》,上海文艺出版社1993年版,第23页。
〔2〕 曲彦斌著:《典当史》,上海文艺出版社1993年版,第24页。
〔3〕 参见孔庆明等编著:《中国民法史》,吉林人民出版社1996年版,第131页。

三国两晋南北朝时期，由于私有经济和商业活动比较兴盛，以物质押在生活中十分兴盛。据《南齐书》记载，褚澄"以钱万一千。就招提寺赎太祖所赐渊白貂坐褥"，"又赎渊介帻犀导及渊所常乘黄牛"。于此同时，典当业也在南朝兴起，据《南史·齐宗室·坦之传》记载，东昏侯永元元年（499年），"帝遣延明主帅黄文济围坦之宅，诛之。"坦之从兄翼宗，文济乃遣收之，"检家赤贫，唯有质钱帖子数百"。胡三省注《通鉴》曰："质钱帖者，以物质钱，钱主给帖与之，以为照验，他日出子本钱收赎。"[1] 这里的质钱就是以质当钱，可见，在南北朝时，质当、典当已很普遍。

至隋唐时期，由于经济的迅速发展，质押制度也得到了迅速的发展。在唐代，典卖、质押借贷、典当，统归于"质"，而且当时已经有了"占有质"、"无占有质"的区分。占有质包括典、质、当，无占有质就是抵押。而且，典当业已发展成为专门的行业。

及至宋朝，动产典当业的发展更为迅速。诗人陆游诗中吟道："新寒换典衣。"同一时代的诗人戴复也有"丝车未落图赎典"的诗句。由此可见，典当业已成为当时十分流行的行业。因此，当时的法律对此进行了规范："质者过期不赎，听从私约"（《关市令》）。

元朝时期，典权和质权作为一种重要的物权形式存在，被统称为"活业"。鉴于典当业规模较大，法律对典当业作了较为概括的规定，如规定典当回赎的最高期限，典赎的契约手续，典当款的取息及息率，典当物毁失的赔偿责任等。而且，在司法判决

---

[1] 参见孔庆明等编著：《中国民法史》，吉林人民出版社1996年版，第208页，第209页。

中，通常认为，收典物者如遇不可抗力而毁损典当物，不负赔偿责任；相反，如无故毁损包括防备不周而被偷盗，必须负赔偿责任。[1]

及至明朝，质押制度得到了进一步的发展，尤其是在形式上开始走向规范化。借贷双方通过订立契约来设定质权，这种契约在当时被称为"当契"。契约订立后，物主交付质物并取得质金，质权关系即告成立。契约签订后，质权人有义务妥善保护质物，而当借款人到期不偿还借款时，质权人有权变卖质物。就质物的范围而言，明朝时的质物主要包括衣服、器具、珠宝等，法律禁止以人为质，但在民间仍存在"当人"的事实。就典当业而言，明律对典当业作了更为详细的规范，如典当主对典当物只有在原物主过期不赎的情况下才能享有所有权和使用权。在此以前，典物如有毁损灭失，典当主负赔偿责任，等等。[2]

清朝时期，借贷活动十分频繁，典当业和质押借款十分常见。就典当业而言，《大清律例》有着专门的规定。例如，典当的对象一般为小型的动产，如衣物财宝等。典卖的业主有权收取典价不出利息，典当的物主取典当金。典主负有保管典物的义务，但无权使用。而且，清朝法律规定了专门的典当金标准。就动产质押而言，根据法律的规定，质押的对象一般为衣服、器具、珠宝首饰等动产。质权设定时一般需要设立契约——当契，写立当契之后，物主交付质物并取得质金，质押关系始告成立。在质权关系存在期间，质权人负有妥善保管质物的义务。如果质物在质押关系存续期间因质权人的过错受到损害，则质权人负有赔偿责任。当质押人到期不履行债务时，质权人可将质物变卖并

---

[1] 参见孔庆明等编著：《中国民法史》，吉林人民出版社1996年版，第481页。
[2] 参见孔庆明等编著：《中国民法史》，吉林人民出版社1996年版，第535页。

优先受偿；出当人可按期回赎当物。

在清朝末年，随着经济的发展，以发行股票方式集资开办实业的活动日益增多。宣统初年，有一外国侨民在上海谎称创设橡胶树种植公司，广为宣传，夸口橡胶事业获利如何丰厚，前途如何远大等等。许多商人不明真相，纷纷购股。不久该外侨借故返国，一去不返，发电问询，杳无音讯，才知受骗，股票价值一落千丈。有的钱庄受质橡胶股票，亦被连累，所有资金付之流水。因此宣告破产的钱庄达数十家，终究酿成了清末最大的金融风暴。[1] 可见，在清朝后期，已经出现了以股票质押的先例，尽管当事人仍是将其当作普通的动产质押而对待，但从实质意义上讲，这种质押在本质上应为一种权利质押。

从中国古代质押制度的发展历史来看，中国古代的质押通常可分为两种，一种为典当，一种为普通的动产质押。前者适用于专门的典当业，后者适用于普通的借贷关系。从标的物而言，动产质押的财产多限于衣物、珠宝、器具等生活用品。直至清朝末年，随着证券业的发展，始出现股票质押，但这种质押在习惯上仍以动产质押的面孔出现，法律上也无专门的规范，之所以视为动产质押或许是因为其固定在有形的纸张上，不过从本质上而言，这种质押应为权利质押。所以我们可以这样认为，中国的质押制度在一步步迈向成熟的过程中，越来越关注质押标的物的价值而淡化其形态上的差异。同时，我们还可以说，动产质权的存在为权利质权的产生提供了理论上和实践上的参考。

二、中国近现代的权利质权制度

自 1840 年鸦片战争以后，西方列强相继侵入我国，我国逐

---

〔1〕 参见孔庆明等编著：《中国民法史》，吉林人民出版社 1996 年版，第 684 页。

渐沦为半殖民地半封建社会。清政府、北洋政府和国民党政府在我国旧有封建法律基础之上，逐渐引进西方资产阶级法律制度进行了频繁的立法活动，权利质权制度也与动产质权制度一起正式规定在民事法律之中。

1907年，清政府开始编纂民事法典，由法学家沈家本主持，聘请日本法学家松冈正义、志田钾太郎和我国法学家朱献文等人来起草民事法律，并于1911年8月完成。《大清民律草案》前三编多仿效德、日民法典，后两编则沿袭我国封建民事法律规范。[1]《草案》第一稿中的物权编乃仿效德国立法例，所规定的担保类型有土地债务、抵押权、不动产质权和动产质权，但该《民法典》未及施行便随着清王朝的崩溃而夭折了。

1921年，北洋政府着手编纂民法典并于1926年陆续完成各编。该草案分为五编，其中第三编"物权编"基本上沿用了《大清民律草案》的内容，变更很少，仅部分章节作了一些调整。"担保物权"的章名被取消，抵押权、质权各立一章，增加典权一章。其中，质权一章包括动产质权、不动产质权和权利质权三节，权利质权制度是在仿效日本民法典的基础上新增加的内容。从该法典的规定来看，权利质权在这一草案中的地位已为立法者所关注，上升为专门的调整对象。该草案作为我国历史上第二个民法草案，虽经北洋政府司法部通令各级法院作为条例援用，但始终未正式作为法典颁行。[2]

国民党统治时期，民事立法得到了进一步的发展。1929年，国民党政府完成了旧民法的债编、物权编的起草工作并于11月颁布；1930年，亲属编和继承编也相继完成并于同年12月公

---

[1] 张晋藩主编：《中国法制史》，群众出版社1991年版，第616页。
[2] 张晋藩主编：《中国法制史》，群众出版社1991年版，第619页。

布。至此，旧民法便起草完毕。该法一直沿用到 1949 年，新中国成立后被废除，但在我国台湾地区仍沿用至今。该法律第三编"物权编"中的第七章是有关质权的专门规定，根据该章的规定，质权包括动产质权和权利质权，原《大清民律草案》和北洋政府时期民法草案中的不动产质权的规定被删除。从这些规定来看，权利质权的地位在旧民法中得到了进一步的确立。

新中国成立后，两岸三地长期处于分裂状态，从而形成了不同的政治制度，在权利质权制度上两岸三地的规定颇为不同，下面分地区予以分析。

（一）我国的法律规定

新中国成立后，国民党的各项法律制度被废除。我国政府在经济上实行了高度集中的计划经济体制，采用行政方式组织社会的生产和分配，使生产资料和生活资料的流通和交换退出市场，使其丧失了商品性质。同时，由于我国实行了银行化和行政划拨手段，银行信贷流于形式。在这种情况下，担保法逐渐失去了其存在的基础，因此其立法不可能健全、完善，担保立法也长期处于停滞、空白的状况。[1] 此时，我国仅有极少数政策法规涉及到动产质押问题，如我国于 1951 年 1 月公布的《中国人民银行质押放款办法》规定了质押贷款问题，该办法所规定的质押标的物仅以流动资产为限，未包括可转让的财产权利。

十一届三中全会后，我国实行了改革开放政策。从此，中国的经济体制逐步从高度集中的计划经济体制转向社会主义市场经济体制。随着经济的发展，客观上产生了对担保法制的需要。

---

[1] 邓曾甲著：《中日担保法律制度比较》，法律出版社 1999 年版，第 2 页。

1981年，我国率先在《中华人民共和国经济合同法》中规定了定金、保证两种担保方式。随后，我国又在1985年通过的《中华人民共和国涉外经济合同法》及1987年通过的《中华人民共和国技术合同法》中对担保作了概况性规定。我国于1986年通过的《中华人民共和国民法通则》是对我国民事制度的基本规定，它规定了四种担保方式——保证、抵押、定金和留置。从1988年最高人民法院所作出的《关于贯彻执行〈中华人民共和国民法通则〉若干问题的意见（试行）》的解释来看，《民法通则》中的"抵押"实际上包括了传统的抵押和质押，但此处的质押一般只包括动产质押而不含权利质押。

1995年6月30日公布，同年10月1日起施行的《中华人民共和国担保法》（以下简称《担保法》）是我国担保法制发展演变的一个重要的里程碑，它标志着我国建立现代担保法制的开端。该法规定了五种担保方式，即保证、抵押、质押、留置和定金，其中质押包括动产质押和权利质押。由此可见，该法在质押方面两大突破：①将质押与抵押分离，突出了质押的法律地位；②仿效西方立法规定了权利质押，从而完善了质押的类别。权利质押的规定，极大地促进了我国权利质权制度的发展，继该法之后，我国又陆陆续续颁布了一系列涉及权利质权方面的规定和司法解释，如国家版权局于1996年发布了《著作权质押合同登记办法》，中国专利局[1]1996公布了《专利权质押合同登记管理暂行办法》，国家工商局1997年发布了《商标专用权质押登记程序》，中国人民银行、中国证监会2001年联合发布了《证券公司股票质押贷款管理办法》，与此同时，各专业银行也发布了存单质押管理办法，等等。此外，最高人民法院还出台了一系列

---

[1] 现为国家知识产权局。

有关权利质权的司法解释，如1997年11月发布的《最高人民法院关于审理存单纠纷案件的若干规定》、2000年12月发布的《最高人民法院关于适用〈中华人民共和国担保法〉若干问题的解释》，等等。从此，我国已初步形成了以担保法为龙头，以部委规章、司法解释为匹配的权利质权法律体系。

通览我国现行法的规定，不难看出，目前我国的权利质权制度具有以下一些特色：

1. 权利质权与动产质权并列，共同构成质权制度的组成部分。我国《担保法》第四章《质押》部分包括两节，第一节为"动产质押"，第二节为"权利质押"。从体例上看，权利质权处于与动产质权相并列的地位，暗示权利质权是一种不同于动产质权的担保权利，也提升了权利质权的地位。从第二节的规定来看，权利质权有着自己独立的法律规范，但对于本节未规定到的地方，根据《担保法》第81条的规定，可以适用第一节即"动产质押"的规定。这从某种程度上说明，动产质权与权利质权并非两种互相隔裂的制度，在某种程度上，动产质权的基本规范对权利质权制度有着补充的作用。

2. 权利质权的种类比较丰富。权利质权在分类时往往以标的为划分的标准，我国《担保法》第75条规定了较为广泛的可质押的权利："（一）汇票、支票、本票、债券、存款单、仓单、提单；（二）依法可以转让的股份、股票；（三）依法可以转让的商标专用权、专利权、著作权中的财产权；（四）依法可以质押的其他权利。"据此，我国的权利质权可以划分为有价证券质权、股权质权、知识产权质权和其他权利质权。而且，根据最高人民法院有关《担保法》适用的司法解释，不动产收益权也可作为权利质权的标的。可见，我国担保法所规定的权利质权的种类十分丰富，几乎涵盖了大陆法系和英美法系国家所存在的全部类型，甚至是近年来新兴的权利质权制度如知识产权质权也被我国《担保法》所吸收，这充分反映了《担保法》在此问题上的时代性和超前性。不过，构成权利质权重要组成部分的债权质权在《担保法》中未有明确规定，[1]这不能不算是立法上的一大疏漏。

3. 权利质权在设定和实行上有着相对独立的法律规范。我国《担保法》第76条至第80条分别对各种权利质权的设定和实行作了较为概括的规范，包括：以汇票、支票等有价证券出质的，应当在合同约定的期限内将权利凭证交付质权人，质押合同于交付之日生效；以股票质押的，出质人应当订立书面合同并向证券登记机构办理出质登记，质押合同自登记之日起生效；以有限责任公司的股份出质的，适用公司法股份转让的有关规定，质押合同自股份出质记载于股东名册之日起生效；以知识产权出质的，出质人和质权人应当订立书面合同，并向其管理部门办理出质登记，质押合同自登记之日起生效；以有价证券出质的，当有价证券的兑现或提货日期先于债务履行期的，质权人可以在债务履行届满前兑现或者提货，并与出质人协议将兑现的价款或者提取的货物用于提前清偿所担保的债权或者向与出质人约定的第三人提存；以股票出质的，不得转让，但经出质人与质权人协商同意的可以转让。出质人转让股票所得的价款应当向质权人提前清偿所担保的债权或者向与质权人约定的第三人提存；以知识产权出质的，出质人不得转让或者许可他人使用，但经出质人与质权人协商同意的可以转让或者许可他人使用。出质人所得的转让费、许可费应当向质权人提前清偿所担保的债权或者向与质权人约定的第三人提存；等等。另外，最高人民法院有关《担保法》

---

[1] 邓曾甲著：《中日担保法律制度比较》，法律出版社1999年版，第87页。

适用问题的司法解释也对权利质权的设定和实行作了具体的补充规定。由此可见，我国目前在权利质权设定和实行问题上已初步形成了较为独立的法律规范，从而摆脱了对动产质权制度的过分依赖。

尽管我国目前已初步形式了有关权利质权的法律制度，但由于《担保法》制定中的急躁性和社会功利取向，[1] 权利质权制度的出台存在一些明显的先天不足之处，笔者将在后文述及。

(二) 台湾地区的法律规定

我国台湾地区目前适用"民法"是在沿用旧中国民法典的基础上经修订而成。该民法在制定时仿效了德日两国民法的规定，因此其物权制度与德日两国法律制度颇为接近，其权利质权的相关规定也染有德日两国的遗风。具体而言，其权利质权制度具有下列特点：

1. 权利质权与动产质权同为质权的两个组成部分。从台湾地区的现行规定来看，其"民法"第三编第七章《质权》部分一共包括两节内容，第一节为《动产质权》，第二节为《权利质权》。显然，权利质权处于和动产质权相并列的地位。其立法理由中指出"自罗马法以来，各国立法例，关于质权，大概分为三种：①不动产质权；②动产质权；③权利质权。"，由于我国（含台湾地区）素有典权存在，不动产质权在社会上并不常见，因而旧"民法"在本章仅设立动产质权和权利质权制度。[2] 可

---

[1] 陈小君、曹诗权："质权的若干问题及其适用"，载《法商研究》1996年第5期。
[2] 林纪东等编纂：《新编六法参照法令判解全书》，台湾五南图书出版公司1986年版，第200页。

见,这种立法例与德国民法和日本民法比较接近,也从一个方面突出了权利质权的独立地位。

2. 权利质权的种类比较丰富。台湾地区施行的旧"民法"第900条明确宣布"可让与的债权及其他权利,均得为质权之标的物。"从随后的条文及相关的司法判解来看,能够成为权利质权标的的权利主要有债权、有价证券、票据、知识产权(含专利申请权)等等,[1] 其类别十分丰富。从其规定来看,只要是可转让的财产权利,一般都能作为质权的标的,而不考虑其是否附载于一定的载体之上。

3. 权利质权的设定和实行已形成相对独立的规范。旧"民法"就权利质权的设定和实行作了两个原则性规定,一是"权利质权,除本节有规定外,准用关于动产质权之规定"(第901条);二是"权利质权之设定,除本节有规定外,应依关于其权利让与之规定为之"(第902条)。这一方面揭示了权利质权制度与动产质权和权利让与制度有着本质的联系,另一方面也反映出权利质权制度有其独特的方面,需要法律另行作出规范。从具体规定来看,该"民法"主要规定的是债权和有价证券上质权的设定和实行,包括:为质权标的物之权利,非经质权人同意,出质人不得以法律行为,使其消灭或变更;以债权为标的物之质权,其设定应以书面为之,如债权有证书者,并与交付其证书于债权人;为质权标的物之债权,其清偿期先于其所担保债权之清偿期者,质权人得请求债务人,提存其为清偿之给付物;为质权标的物之债权,其清偿期后于其所担保债权之清偿期者,质权人于其清偿期届满时,得直接向债务人请求给付,如系金钱债权,

---

[1] 参见蔡墩铭主编:《民法立法理由》,台湾五南图书出版公司1990年版,第1003—1008页。

仅得就自己对于出质人之债权额，为给付之请求；为质权标的物之债权，其债务人受质权设定之通知者，如向出质人或质权人一方为清偿时，应得他方之同意；他方不同意时，债务人应提存其为清偿之给付物；质权以无记名证券为标的物者，因交付其证券于质权人，而生设定质权之效力；以其他之有价证券为标的物者，并应依背书方法为之；质权以无记名证券、票据或其他依背书而让与之证券为标的物者，其所担保之债权，纵未届清偿期，质权人仍得收取证券上应受之给付，如有预行通知证券债务人之必要，并有为通知之权利，债务人亦仅得向质权人为给付；质权以有价证券为标的物者，其附属于该证券之利息证券、定期金证券或分配利益证券，以已交付于质权人者为限，其质权之效力及于此等附属之证券。

（三）香港地区的法律规定

香港在回归祖国以前，适用英国法律，回归后，其法律逐步走向本地化和现代化。目前，权利质权制度是其财产担保的一种类型，具体而言，其权利质权制度主要有以下几方面的特点：

1. 能够作为权利质权的对象的权利较多，但应附载于一定的载体之上。按照香港学者的解释，香港法所规定的能够作为权利质权标的的权利主要包括三类：①普通债权，如银行的定期存款；②有价证券，如票据、股票、公司债券、仓单、提单、载货证券等；③其他可转让的权利，如著作权、专利权、商号权、专利申请权等。[1]应注意的是，上述权利除应具备可转让的财产权这一基本要件外，还应通过一定的方式附载于书面文件之上才

---

[1] 参见李宗锷编：《香港日用法律大全（二）》，商务印书馆（香港）有限公司1995年版，第72页。

能作为质押对象。这是因为,香港法强调在设定质权时必须有担保物的现实交付或推定交付,只有交付权利凭证,才能视作质押对象的交付,诸如所有权文件如提单的交付等于货物的交付一样。[1] 上述规定与英国法的规定有类似之处。

2. 权利质权的设定和实行有着比较完整的规范,各类型在设定时有所差异。香港法对各类权利质权的设定作了不同的规范:普通债权质权的设定应有书面协议,连同债权证明文书交付给质权人;记名式票据质权设定时除应交付票据于质权人外,还应办理过户转移手续,个别记名票据应通过背书方式交付;不记名式票据质权设定时仅交付给质权人即发生设质的效力;其他权利质权的设定应由当事人签订设质协议。可见,香港法在权利质权设定上的程序比较规范,各类权利质权有其独特的设定方法,而且注重通过过户登记方式来保护第三人的利益。就权利质权的实行,香港法也作了较详细的规定:以债权为标的的,质权人可以在债务人到期不履行债务时迳直收取本金及利息;以不记名证券、票据或其他可依背书而让与的票据设定质权的,其所担保的债权即使清偿期未到,质权人也可收取票据上的款项,但应预先通知票据债务人;如以票据担保的债权,债权清偿期先于票据债权的清偿期的,在所担保的债权到期仍未清偿,质权人可以拍卖设质的票据以偿还款项;质权存续中,如设质的票据有价值降低可能的,质权人可将其拍卖以代替作为质物的票据,对商号权、专利权也如此。此外,出质人以权利来出质的,负有维护权利价值的义务,如不得以抛弃、免除、抵销等方式来使质权人的利益落空。

---

[1] 何美欢著:《香港担保法》,北京大学出版社1995年版,第191页。

(四) 澳门地区的法律规定

澳门于回归祖国前,其民事法律主要是源于1966年修订并于1968年延伸至澳门实施的《葡萄牙民法典》。1999年8月3日,澳门政府公布了《澳门民法典》并于同年10月1日起生效,从而顺利实现了澳门民法的本地化和现代化。考虑到澳门的特殊背景,《澳门民法典》的制定"并不构成对现行民法制度的彻底革新,而只是后者之发展。"[1] 因此,该《法典》是在1966年葡萄牙《民法典》的基础上经修订而完成,其担保制度不可避免地带有浓厚的大陆法系的特色。具体而言,该《法典》所规定的权利质权制度具有如下特点:

1. 权利质权和动产质权共同构成质权的两个组成部分,规定在该《法典》的债权担保之中。与其他民法典不同,《澳门民法典》并未将权利质权纳入物权体系之中,而是将其归入债权担保之中。从体例上来看,该《法典》第二卷为《债法》,质权与保证、抵押权、优先受偿权等担保制度共同规定在第六章《债之特别担保》之中,而《质权》一节又分为三分节:《一般规定》、《物之质权》和《权利质权》。第一分节的一般规定既适用于动产质权也适用于权利质权,可见,就立法体例而言,权利质权和动产质权在该《法典》中处于平等地位。

2. 权利质权的种类比较有限。尽管该《法典》第676条规定:"仅在权利之标的为动产及权利为可移转时,方可就有关权利设定质权",但从《法典》的相关规定来看,权利质权的种类主要以债权质权为准,其他方面的权利质权在该《法典》中规

---

[1] "澳门政府法令·第39/99/M号",载赵秉志总编:《澳门民法典》,中国人民大学出版社1999年版,第2页。

定极少，但从该条的规定来看，如以有价证券、知识产权来质押，应当允许。同时，从该条的规定我们还可看出，能设质的权利必须是在动产上成立的权利，不动产上设立的权利不宜作为质权的标的，从而明确地将不动产的用益权排除于质权标的物之外，有利于立法体系的科学化、协调化。

3. 权利质权的设定和实行的规范主要以债权质权为准。由于该《法典》在其他权利质权问题上着墨不多，所以有关权利质权的设定和实行的规定主要涉及债权质权方面。主要包括：债权人拥有质权时，有权从属于债务人或第三人之权利价值中，优先于其他债权人获得其债权以及利息之满足；有权转让出质财产之人方具出质之正当性；权利质权之设定，按移转出质之权利所要求之方式及公开性为之；如权利质权之标的为债权，则该权利质权之设定仅自通知有关债务人，或自债务人接受该设定时起方产生效力；但属须作登记之权利质权，其设定则自登记时起产生效力；拥有出质之权利之人，应将为其占有而无正当利益保存之有关权利之证明文件交付质权人；质权人有义务作出必要之行为，以保存出质权利，亦有义务收取属担保范围内之利息及其他从属给付；出质之债权在可请求时，质权人即应收取之，而质权随即以满足该债权之给付物为标的；拥有出质之权利之人，仅在质权人同意下方得受领有关给付，在此情况下，质权即告消灭；等等。

结　语

回首权利质权制度的产生和发展的历史轨迹，我们不难发现，权利质权制度滥觞于古罗马法的权利质，经过多年的演变，逐渐形成了一种比较成熟的法律制度。具体而言，这种转变体现在多个方面：一是权利质的标的从不动产的用益权、债权等权利逐渐拓展到债权、有价证券、知识产权等多种财产权，其对象日益扩大，促进了权利质权制度的繁荣；二是权利质权的地位日益上升。权利质权最初被视为动产质权的一个特殊方面，在经历了大陆法的实践后，渐次演变为一种与动产质权相并列的一种质权，其重要性日益显现；三是权利质权的设定和实行规范逐渐体系化。从最初的适用动产质权的相关规范，到形成自己的一套比较完整的法律规范，权利质权的基本制度更趋成熟。尽管目前权利质权制度还不可能完全摆脱对动产质权的依赖，但从发展势头来看，权利质权制度必将越来越步入成熟和完善，这种发展趋向对即将制定民法典的我国而言，将具有十分重要的参考价值。

第二章 权利质权制度概说

第一节 科学定义之寻求：权利质权之概念

权利质权一词，其德文为 Rechtspfandrecht，英文为 pledge of rights，在日文中则表述为权利质。尽管权利质权目前已成为各国民法中的一项十分重要的制度，但对其下一个科学的定义，并非易事，其主要原因在于各国学者对其认识并不完全一致。

目前，多数学者在探讨权利质权的定义时一般都追溯到古罗马法的占有质。在早期的罗马法中，债权的担保方式通常有信托质（fiducia）和占有质（pignus）等形态。所谓占有质，是一种由债权人占有出质标的的担保制度，据罗马学者考察，质押（pignus）一词源于"拳头"，因为用于质押之物要被亲手交付，所以一些人认为质权（pignus）本身被设定于动产之上。[1] 早期的占有质的对象一般为牲畜、货物等有体物，至优士丁尼时期，占有质的对象延伸到可以转让的永佃权、地上权、役权、债

---

[1] 盖尤斯：《论十二表法》第6卷，参见〔意〕桑德罗·斯契巴尼选编，范怀俊译：《物与物权》，中国政法大学出版社1999年版，第166页。

权等多种权利,这种制度被后来的学者概称为"权利质权"制度。[1]可见,在古罗马法中,权利质权是一种设定于债权、不动产用益权等多种权利上的质权。但这种权利质权具体如何设定、如何移转占有,尚缺乏相关的资料。1804年颁布的《法国民法典》沿袭了上述作法,未采纳明确的"权利质权"的表述方法而是将它包括于动产质权中。直至1896年《德国民法典》颁布,权利质权制度才真正从动产质权中解放出来,形成了与动产质权相并列的一节,但该《法典》也未对权利质权予以定义,仅在第1273条十分原则地指出:"质权的标的也可以为权利。"对此,有学者认为,德国法中的权利质权是指债权人以他人的所有权之外的民事权利担保其债权的权利。[2]不过,不动产的用益权同样不能作为质权的标的。后来的《日本民法典》和《瑞士民法典》也同样规定权利可作为质权的标的,但都未对其含义作出解释。但是,《日本民法典》存在一个与众不同的地方,即认为可以在地上权、永佃权等不动产的用益权上设定质权。[3]所以,日本法学家在对权利质权下定义时就将它解释为:"所谓的权利质,不仅指以动产、不动产权利为标的的质权,也包括以各种财产权(债权、股份、无形财产及电话加入权等权利)为标的的质权。"[4]可见,日本学者认为权利质权是一种质权,一种设定于动产权利、不动产权利及其他财产权之上的质权。

我国学者在研习担保法的过程中,也分别从标的的角度对权利质权予以定义。我国台湾地区的学者在定义时多结合其"民

---

[1] [意]彼德罗·彭梵得著,黄风译:《罗马法教科书》,中国政法大学出版社1992年版,第345页。
[2] 孙宪忠著:《德国当代物权法》,法律出版社1997年版,第349页。
[3] [日]我妻荣著:《新订担保物权法》,岩波书店昭和43年版,第179页。
[4] [日]汤浅道男编著:《担保物权法》,成文堂1995年版,第49页。

法"规定予以解释,如认为权利质权"谓以所有权以外的可让与之财产权,为标的的质权。"[1]也有从权利质权与普通质权的关系的角度来定义的:"所谓权利质权,是指可让与之债权及其他权利,得为质权之标的物者,使其准用关于质权之规定,此种质权,称为权利质权。"[2]也即,权利质权被认为是一种准质权。持此种观点的人在我国台湾地区为数不少,例如民法学家郑玉波先生在对权利质权进行诠释时就明确指出:"权利质权者,以可让与之权利为标的物之准质权也。"[3]持类似观点的还有民法学者倪江表先生和谢在全先生。[4]综上所述,我国台湾学者对权利质权所下的定义具有如下特征:一是承认权利质权为一种质权或准质权;二是肯定只有可让与的所有权以外的财产权才能作为权利质权的标的。由于我国台湾地区的"民法"明确规定权利质权准用动产质权的规定,因此设定于不动产上的用益物权不能作为权利质权的标的。[5]

我国《担保法》在制定时未使用"权利质权"一词,也未对其下定义。而该法在"质押"一章中甚至未界定"质押"的内涵,仅规定了何为动产质押,而对权利质押也缺乏概念归纳。然而,这种立法上的空白不能否认我国存在权利质权制度。对于我国《担保法》在制定时未用"质权"一词而采"质押"一词的作法,有学者从两方面揣度了其原因:①担保法并非物权法,

---

[1] 史尚宽:"权利质权之研究",载郑玉波主编:《民法物权论文选辑》(下),台湾五南图书出版公司1984年版,第865页。
[2] 辛学祥著:《民法物权论》,台湾商务印书馆1980年版,第230页。
[3] 郑玉波著:《民法物权》,台湾三民书局1995年版,第320页。
[4] 参见倪江表著:《民法物权论》,台湾正中书局1965年版,第350页;谢在全著:《民法物权论》下册,中国政法大学出版社1999年版,第801页。
[5] 黄右昌著:《民法诠释——物权编》,台湾商务印书馆1977年版,第63页。

其中所涉章之名目均未带"权"字,突出表明保证、抵押、质押、留置、定金均为债权担保的方式;②过去我国抵押、质押合一,统称为抵押,现立法已充分认识到该缺陷,将抵押、质押从制度上分立,颇具科学性。那么,均反映物之交换价值的"抵押"与"质押"之名称排列起来较为对称。[1] 笔者认为上述理由对于担保法的制定而言有其理论上的合理性。但从语义上讲,质押通常是指一种担保物权的设定和实行方式,而质权则表明以此方式设定的担保物权的权利人所享有的权利,侧重于权利的保护。其联系在于,质权一般是通过质押方式而设定,质押的目的就是为了设定质权。[2] 由于我国目前正致力于制定物权法,从体系上讲权利质权制度必然会作为担保物权之一种而纳入法律之中,采用权利质权的概念易于确立其担保物权的法律性质,与用益物权相对立,且与国际上的惯例相一致。所以笔者认为,我国宜采用权利质权一词。

就权利质权的定义而言,我国学者在诠释时也侧重于从权利质权的标的入手。有学者认为:"权利质押,是指以所有权以外的财产权利为标的的质押。"[3] 还有学者认为:"权利质押,是指以可转让的权利为标的物的质权。"[4] 也有些学者表述的标的范围则过于宽泛,如"权利质权是为了担保债权清偿,就债务人或第三人所享有的权利设定的质权。"[5] 对此,已有些学者注

---

[1] 陈小君、曹诗权:"质权的若干问题及其适用",载《法商研究》1996年第5期。
[2] 参见羊焕发:《质押制度研究》,中国人民大学博士学位论文2000年。
[3] 郭明瑞等著:《担保法新论》,吉林人民出版社1996年版,第231页。
[4] 王利明著:《物权法论》,中国政法大学出版社1998年版,第759页。
[5] 钱明星著:《物权法原理》,北京大学出版社1994年版,第367页;参见邹海林等著:《债权担保的方式和应用》,法律出版社1998年版,第276页。

意到权利质权的标的的范围问题，在下定义时注意将其范围予以适当界定，如"权利质权，是以所有权、用益物权以外的可让与的财产权为客体而成立的质权。"[1]

笔者认为，我们在对权利质权下定义时，既应注意到权利质权与普通质权之间的关系，也应注意到其标的的范围大小。首先，从我国《担保法》第四章《质押》的规定来看，质押被分为动产质押和权利质押，可见，权利质权在我国被视为质权之一种。其次，从我国《担保法》第75条所规定的权利质押的范围来看，可质押的权利包括"汇票、支票、本票、债券、存款单、仓单、提单；依法可转让的股份、股票；依法可以转让的商标专用权，专利权、著作权中的财产权；依法可以质押的其他权利"，显然有关不动产的用益权被排斥在权利质权的标的之外，这种立法例不同于日本民法的规定，所以我们在对权利质权进行界定时应当注意到上述特点。有鉴于此，笔者试对权利质权作如下定义："权利质权是以所有权和不动产用益权外可转让的财产权为标的的质权。"

权利质权的定义蕴含有以下几层意思：

1. 权利质权属于质权的一种。权利质权和动产质权同为质权，都以取得标的（物）之交换价值为目的之价值权。不同的是，前者存在于权利之上，后者存在于动产之上，因而前者称为权利质权。

2. 权利质权的标的为所有权、用益物权以外的可让与的财产权。以可让与的财产权作为质权的标的是权利质权与其他担保物权相区别的最重要的特征之一，权利质权的一切制度都围绕它而展开。由于权利质权是以入质权利的交换价值来担保其债权的

---

[1] 徐武生著：《担保法理论与实践》，工商出版社1999年版，第470页。

实现，因此并非一切权利都可作为权利质权的标的，能质押的权利一般应具有以下特点：①须为财产权。仅有财产权才可予以质押，财产权以外的人身权，如人格权和身份权，因不具有经济价值且不能转让，故不能予以质押；②须具备可让与性。由于权利质权的设定目的是在债务人不能履行债务时以入质的权利供债权优先受偿的权利，因而权利质权应遵循权利让与的规则而设定，所以入质的权利应有可让与性的特征；③须为所有权和不动产用益权以外的财产权。以所有权质押实际上等于动产质押，而权利质权是指除动产质权之外的质权，故该种质权的标的只能为所有权之外的其他财产权利。而且，从我国《担保法》的规定来看，我国未承认在不动产用益权上的质押，所以我国的权利质权的标的不应涵盖不动产用益权。

第二节　物权抑或债权：权利质权之本质

权利质权的本质是什么？这曾经是一个为广大学者所津津乐道的话题。在日本，从大正（1912－1926年）末期到昭和（1926－1989年）初期，权利质是否是物权的问题曾经引起了广泛的讨论，甚至连大学者都为之争得面红耳赤。对此，日本民法学家石田喜久夫不无揶揄地指出："议论权利质是否是物权，是典型的不务实的作法"，但"我们只能说，那是一个非常快乐的时代。"[1]

笔者认为，辨清权利质权的本质并非完全毫无意义。如果认为其性质为债权，则其设定和实行应遵循债权的调整规范；反

---

[1] [日]石田喜久夫著：《口述物权法》，成文堂1982年版，第496页。

之,如果认为其性质为物权,则应遵循物权的调整规范。因此,这一问题对于解决权利质权在民事体系中的归属至关重要。在历史上,有关权利质权的性质的争论主要有以下两种学说:

1. 权利让与说。该说认为质权的标的应以有体物为限。通常人们所言的质权乃是指物上的质权,不得于权利之上,再产生一种质权之权利。所以所谓的权利质权,实际上是指以担保为目的而为的权利让与。"夫一般权利质之设定,其所以必须依权利让与之规定为之者,殆不外为权利让与之释明也,尤其在债权质,质权人,竟获有得直接索取质权标的之债权之机能,若非将债权之出质,作为债权之让与,则将以何法解释其理由?"[1] 持该观点的人常举出我国台湾地区的"民法"的第902条和第906条为佐。[2] 但在该学说中,关于权利让与的法律构造,学者之间的见解并不一致。主要有:①附停止条件之权利让与说。该说认为权利质是以主债务的不履行作为停止条件,而将权利让与。德国学者普什特氏持该观点 (Pandekten S. 208);②权能创设的移转说。该说认为权利质是将该权利所包含的各种权能中的一部分,以创设的形式,移转于质权人。德国学者俄尔夫氏、孟斯巴施、斯托哈尔等人持此说;③权利限制让与说。该说认为权利质,系以担保之目的而为的权利限制让与。详言之,这种权利的让与,系受担保目的之限制,质权人于达此目的所必要的限度内,取得出质人之权利,且得予以行使,但出质人之权利并不因此而全部丧失。因此该学说又称为并存让与说 (Theorie der

---

[1] 倪江表著:《民法物权论》,台湾正中书局1965年版,第350页。
[2] 第902条规定:"权利质权之设定,除本节有规定外,应依关于其权利让与之规定为之。"第906条规定:"为质权标的物之债权,其清偿期,后于其所担保债权之清偿期者,质权人于其清偿期届满时,得直接向债务人请求给付,如系金钱债权,仅得就自己对于出质人之债权额,为给付之请求。"

kooptierende Zession）。德国学者邓堡氏持该说（Das Pfandrecht 1 §60）。在以上三说中，以权利限制让与说的影响最大。

2. 权利标的说。也称权利出质说，该说认为权利质与物上质在本质上并无任何差异，所不同者，仅是其标的而矣。也即，物上质是以物为其标的，而权利质是以权利为其标的。对此，可从两方面来证明。首先，传统民法认为权利之上不能再设定权利，但法律为了适应社会经济发展的需要，除认为有体物为标的物外，还承认权利可作为物权的标的，这并无什么不可。例如，地上权可作为抵押权的标的。所以，在今天的法律环境下，并无将权利质认定为权利让与的必要。即使按照物权须行使于物上的原则，也可以以权利质为立法之例外，而使它同普通物权一样享受同样的待遇。其次，虽然法律规定权利质在设定时须遵循权利让与的规定，以及债权质的质权人可直接索取作为质权标的的债权，但这些规定只不过是法律为了便于适用而矣，当然不能将它视为权利的让与。因为前者的目的在于设定质权而非让与权利，只不过是依权利让与的规定为设定权利质的手段。而在后者，法律虽然赋予质权人索取他人债权的权能，但债权此时仍存在于出质人之手，质权人的索取权利和法律直接赋予的债权权利，在性质上截然不同，不可等同视之。总之，物上质与权利质，实无差异，只不过前者以物为标的，后者以权利为标的。德国学者文德沙地氏、梭孟、布来美，日本学者富井政章、中岛玉吉，我国台湾地区学者刘镇中、曹杰、梅祖芳等人持该观点。[1]

---

[1] 参见倪江表著：《民法物权论》，台湾正中书局1965年版，第351–352页。

在上述诸观点中，权利标的说目前已成为法学界通说。[1]笔者认为，权利让与说侧重于对质权的设定和实行予以说明，虽然揭示了权利质权在设定和实行方面与权利让与制度之间的共同之处，但忽略了权利质权设定的目的在于担保债权而非让与权利，而权利质权实质是一种新权利的创设，不同于普通的现存权利的让与。就实质而言，权利让与说的根本缺陷在于否定权利可作为质权的标的。倘以发展的眼光来看，所有权的客体通常应为有体物，无体物（权利）不应作为其客体，否则将产生债权的所有权、知识产权的所有权、所有权的所有权等逻辑混乱，但就他物权而言，其客体并不一定应局限于有体物方面，"在客体方面包括无体物，并不影响物权人的利益。"[2] 目前，一些国家的民法中已承认权利可作为他物权的客体。例如，《德国民法典》第1068－1083条规定的债权用益权、有价证券用益权，《法国民法典》第2118条所规定的权利抵押，均是以权利为标的的先例。所以我们不妨承认权利在一定情况下可成为他物权的标的，这可以将一切质权之观念整合为一体，同时对于促进民事客体制度的发展是大有裨益的。所以，权利物权是一种担保物权而非债权。

权利物权除具有物权的属性外，同样还具有价值权的品性。所谓价值权，一般是指"物的交换价值与使用价值相对分离，权利可不以实物之用益为目的，亦能从其变价中取得利益，特别

---

[1] 我国的学者多持该观点，如郭明瑞等著：《担保法新论》，吉林人民出版社1996年版，第233页；王利明著：《物权法论》，中国政法大学出版社1998年版，第761页；陈华彬著：《物权法原理》，国家行政学院出版社1998年版，第719页；钱明星著：《物权法原理》，北京大学出版社1994年版，第368页；邹海林等著：《债权担保的方式和应用》，法律出版社1998年版，第276页。
[2] 王利明著：《物权法论》，中国政法大学出版社1998年版，第761页。

是担保利益，形成所谓价值权。"[1] 价值权的品性是物的担保的共同属性，与用益物权存在着显著的区别。用益物权的设定在于取得对权利的客体的实体支配，以获取其使用价值，即使用并收益。所以，用益物权必以对权利客体的使用为内容，由于用益物权以此为目的，必然要以对权利客体的实体的支配为条件。[2] 权利质权则与之不同，其设定的目的并非是为了取得对物的使用和收益，而且其标的——权利的非物质性也决定了质权人不可能这样做，故其设定的目的在于担保债权，只有当债务人到期不履行债务时，质权人才能就设质的权利予以变价，取得优先受偿的地位，因而这是一种侧重于价值取得的权利。

与其他担保物权相比，权利质权的价值性表现得尤为明显。动产质权和留置权均以对担保物的实体支配为构成条件，让与担保和所有权保留有时也可能伴有实物的支配。而权利质权既不需要所有权的转移，也不需要对物的实体予以支配，其权利的本质在于对标的的价值的支配。

权利质权的价值性是其基本特性之一，具体表现为以下几个方面：①权利质权在设定时无需占有或移转有形财产。权利质权以可转让的财产权利为标的，其设定时通常要移转证券或权利凭证，因此其重在对财产交换价值的关注；②权利质权设定后，质权人不需像动产质权人那样保管有形财产，从而免去了保管之累。而质押人也无需移转动产，从而可继续使用收益；③在权利质权实行时，质权人应当从出质的权利的价值中获取清偿。当债务人到期不履行债务，质权人有权依照法定的程序对出质的权利予以处置，将其变价后满足其债权；④当出质的权利的价值丧失

---

[1] 董开军："论担保物权的性质"，载《法学研究》1991年第2期。
[2] [日] 柚木馨：《担保物权法》，有斐阁昭和33年版，第3页。

时，质权人的权利也因其价值的丧失而丧失。当其价值丧失时，质权人的权利也不能实现。所以，权利质权是一种具有换价功能，即直接将标的物之交换价值，变换为价金或其他足以满足债权之某种价值，以使担保债权获得优先受偿。这种特质，就权利质权和抵押权而言，其表现最为明显。[1]

第三节　权利质权之地位

权利质权之地位，乃是指权利质权在整个质权制度中究竟处于什么样的地位，发挥什么样的功能的问题，也包括权利质权与动产质权之关系问题。厘清它，有利于我们正确认识权利质权的本质，明确权利质权在整个担保法体系中的地位和归属。

关于权利质权的地位，我国台湾学者通常认为，权利质权为一种准质权。对此，郑玉波先生解释说，我国台湾地区"民法"第 901 条的规定可作为法律上的依据，"权利质权，除本节另有规定外，准用关于动产质权之规定。"所以权利质权在法律上被规定为准质权。其次，质权作为物权，其标的一般为物。但是，质权的功能在于使质权人于债务人不履行债务之时有变卖质物的权利，变卖质物就等于处分其所有权，所以严格而言，动产质权不过是以所有权为标的物，那么所有权既然能为质权的标的物，则所有权之外的财产权为什么不能为质权的标的物呢？只不过这种以财产权为标的物的质权，在性质上毕竟与动产质权有所不同，所以只能准用动产质权的规定。因此，学者将该质权称为准

---

〔1〕　谢在全著：《民法物权论》下册，中国政法大学出版社 1999 年版，第 528 页。

质权。[1]

对于准质权的观点，日本学者中多有异议。石田文次郎博士认为，质权是以取得其客体之交换价值为目的的担保物权，因此物上质权与权利质权并无差异。易言之，质权之客体无论为有体物或无体物，质权的性质并不因此而改变，只是质权的实行方法稍有不同罢了，尤其是当前民法上物上质有时可以转换为权利质，而权利质有时可以转换为物上质。前者如因质物之毁减，出质人取得损害赔偿债权时，质权人即可依物上代位原则，于该损害赔偿债权上行使质权，于是以有体物为标的的质权遂转换为以债权为标的的质权。后者如权利质的质权人在行使其质权时，如所收取的标的物为有体物，其质权即存于该有体物之上，因此原以权利为标的的质权就转换为以有体物为标的的质权。可见，物上质与权利质在本质上并无异处。所以，那种坚持质权标的物为有体物，视权利质权为一种类似质权的特别质权，即准质权的观点毫无实益。[2] 柚木馨博士亦指出，那种历来认为凡质权即应以有体物为标的，权利质权实等于权利之让与，并非真正质权的见解，在今天已非通说。质权的目的在于取得其标的物之交换价值，因此以权利本身出质，从质权的本质来看，与动产质权并无差异。如果说对物的支配权才能称得上是物权，对权利的支配权只能称为准物权，物权编的规定系着眼于物之支配而设，那么权利上的权利当然不能适用上述规定。这种说法虽然言之成理，"但亦只是名称问题之争而已，并不能表示物之质权与权利质权

---

[1] 郑玉波著：《民法物权》，台湾三民书局1995年版，第320页。
[2] 参见 [日] 石田文次郎：《担保物权法论》下卷，第416页以下。转引自郑玉波著：《民法物权》，台湾三民书局1995年版，第322页。

在本质上应严加区别。"[1]

近年来,有关该问题的探讨在大陆可谓是众说纷纭,莫衷一是。有的学者认为权利质权为一种准质权,其理由在于权利质权除了一些特殊规定外,准用动产质权的规定。[2] 对此,越来越多的学者提出了质疑。其主要理由是将权利质权视为准质权的作法容易"导致在理论上仅将动产质权视为质权之正宗的意图"。[3]

笔者认为,我们在对权利质权的地位进行理论上和法律上的定位时不仅应从物权理论上来寻找原因,更主要的是应从权利质权的立法实践及其本身的发展规律来给予分析。

从历史上来看,权利质权制度的发展历经有三个阶段:

第一阶段:萌芽阶段。权利质权最初萌芽于古罗马法的占有质,当债权、不动产的用益权等权利可作为质押的标的时,就产生了一种新的质权――权利质权。尽管古罗马法未明确提出这一概念,但在事实上存在着该制度。从后世关于罗马法的研究资料来看,权利质权在设定和实行方面尚未形成其独立的规范,具体操作依赖于质权的相关规定。所以这种现状是不可能造就一种与动产质权相并列的权利质权的。

第二阶段:发展阶段。真正推动权利质权制度的发展的一个因素就是《法国民法典》中有关权利质权的规定。有关权利质权的规定存在于《法国民法典》第三卷《取得财产的各种方式》

---

[1] [日] 柚木馨:《担保物权法》,有斐阁昭和33年版,第120页。
[2] 参见钱明星著:《物权法原理》,北京大学出版社1994年版,第367页;张俊浩主编:《民法学原理》,中国政法大学出版社1997年版,第442页。
[3] 陈小君、曹诗权:"质权的若干问题及其适用",载《法商研究》1996年第5期。类似的观点还可参见徐武生著:《担保法理论与实践》,工商出版社1999年版,第472页。

第十七编《质押》第一章《动产质权》和第二章《不动产质权》中。[1] 该章不仅规定了设定于动产、不动产上的质权，而且还规定了设定于债权、有价证券等权利上的质权。该法典之所以未明确提出权利质权的概念，乃是因为它将各种财产权当作无体动产处理，"故各种财产权仍得以动产方式设质，可见仅是无权利质权之名而矣。"[2] 债权质、股权质、定期金质等权利质权被纳入动产质权的范畴。此外，一些设定于不动产上的用益物权仍可作为出质的标的，纳入不动产质权制度之中。可见，在权利质权的发展阶段，能够入质的财产权利的种类从单一的债权、用益物权演变为多种财产权利，其种类已大大增加。而且，在适用动产质权和不动产质权规则的同时，权利质权制度逐渐形成了自己的相对独立的规范。例如，《法国民法典》在第2073条至第2091条中用了相当大的篇幅对各种权利质的设定和实行作出规范，尤其是在债权质方面已形成了明显区别于动产质权的规范。同时，由于财产权利被视为一种动产或不动产，所以就形成了权利质权被隐含于动产质权和不动产质权之中的局面，这显然淡化了权利质权的功能，降低了权利质权应有的法律地位。

第三阶段：成熟时期。权利质权步入成熟是在19世纪末期，《德国民法典》的颁布标志着权利质权制度的正式形成。1900年生效的《德国民法典》第三编《物权法》第九章《动产质权和权利质权》一改陈规，将权利质权作为与动产质权相并列的一类质权予以规定，充分体现了对权利质权的重视。而且，第九章第二节《权利质权》部分以大量的篇幅详细规定了权利质权的

---

[1] 本处有关权利质权规定的介绍主要参照罗结珍译：《法国民法典》，中国法制出版社1999年版。
[2] 谢在全著：《民法物权论》下册，中国政法大学出版社1999年版，第803页。

设定和实行的行为规范,仅在法律无明确规定的情况下允许准用动产质权的相关规定,其立法体例显然已表明权利质权制度已成为一种与动产质权相并列的质权。[1]

权利质权和动产质权相并列局面之形成,原因颇多:其一,德国法在物的含义上与罗马法和法国民法迥然不同。在德国民法中,物仅指有形物———一切可把握的东西,权利则处于与物相对应的位置。[2] 所以在财产权上设定的质权不可能像罗马法或法国民法那样纳入动产质权或不动产质权之中,必须单独予以规定。其二,财产权类型的增多客观上促进了权利质权制度的发展。可转让的财产权利是权利质权的标的,其类型是否多样关系着质押的设定是否方便。在19世纪以前,可供质押的财产权利主要为债权和不动产的用益物权。但至19世纪后,证券制度的繁荣和知识产权制度的昌盛客观上为权利质权制度的发展提供了新的可供质押的标的。就证券制度而言,它发源于欧洲中世纪,18世纪后在资本主义国家迅速发展,成为资本主义经济发展的"催化剂"。[3] 股票、债券、仓单、提单、票据等证券的出现,实现了财产权利的证券化,谁持有证券,谁即持有证券上的财产权利,谁即享有该权利所指示的有形财产的价值。[4] 据此,在证券上设定质权与在有形财产上设定质权都不过是以其交换价值设定质权而已,所以,有价证券同样可作为权利质权的标的。而且,有价证券质权的设定,一方面可以免去质权人占有、保管质

---

[1] 谢在全著:《民法物权论》下册,中国政法大学出版社1999年版,第803页。
[2] [德]迪特尔·梅迪库斯著,邵建东译:《德国民法总论》,法律出版社2000年版,第875页。
[3] 参见王保树主编:《中国商事法》,人民法院出版社1996年版,第251页。
[4] 参见杨志华著:《证券法律制度研究》,中国政法大学出版社1995年版,第1页。

物之累，另一方面又使出质人可继续对有价证券所指明的财产予以使用、收益，促进了物的利用，同时，有价证券质权在设定和实行方面十分简便宜行，所以有价证券质权在当今社会得以脱颖而出，流行于金融领域，乃势之所趋。[1] 就知识产权制度而言，19世纪是各国知识产权制度大发展时期，世界上主要资本主义国家的知识产权制度都在此时形成。例如，美国、法国、德国、意大利、加拿大、日本等国颁布了著作权法，法国、荷兰、奥地利、俄罗斯、巴伐利亚、普鲁士、瑞典、西班牙、智利、巴西、印度、阿根廷、加拿大、英国等国家相继制定了专利法。而且，知识产权的发展十分迅猛，其法律体系具有开放性和不完整性的特点，一些为有形财产法律制度所不能调整的权利逐步纳入其视野并成为其不可分割的一个组成部分，客观上促进了知识产权制度的新发展，[2] 也为权利质权制度提供了更多的可供质押的标的。因此，有价证券质权和知识产权质权的迅速发展客观上丰富了权利质权的类别，也提高了立法者对其重要性的认识，立法者最终将债权质权、有价证券质权和知识产权质权单独从动产质权中解放出来，单列一节，可以说是顺应了时代发展的潮流，适应了经济发展的需要。《德国民法典》的这种立法体例也为其他发达国家所仿效，采取类似体例的还有日本、瑞士、意大利等国。

从权利质权的发展历程可以看出，权利质权在经历了多年的演变后，已逐渐从依附于有形财产质权的次要地位发展为与其并列的一种质权。在此情形下，一味地强调权利质权为一种准质权的观念就颇值推敲。根据《现代汉语小词典》的解释，"准"的

---

[1] 郑玉波："论有价证券质权"，载台湾《军法专刊》第26卷第2期。
[2] 参见拙文："论无形财产权的体系及其在民法典中的地位和归属"，载《法商研究》2001年第1期。

含义之一表示"程度上虽不完全够,但可以作为某类事物看待的:如准平原",[1] 我国台湾学者所言的"准质权"即采此义。显然,在权利质权日益受到重视的今天,立法上已将其与动产质权相并列,此时认为权利质权不完全够得上质权的说法自然已不合时宜。正如日本学者所指出的那样,权利质权准用动产质权的规定仅仅意味着有关动产质权的理论和规定已难以原封不动地适用于权利质,所以民法就规定准用动产质和不动产质的规定,[2] 但这决不意味着权利质权就比动产质权逊色、其地位低于动产质权。"准用"的意思应当解释为在法律未对权利质权进行专门规定时可以以动产质权的相关规定进行比照适用。所以,我们只有承认权利质权的独立地位,才能在立法上和实践中深化对其重要性的认识,促进该项制度的发展并进一步完善担保法制。

第四节 权利质权与权利抵押权
——制度比较研究(一)

一、权利抵押权概念的分析

通说认为,抵押权可分为一般抵押权与特殊抵押权,权利抵押权即属于特殊抵押权之一种。但何谓权利抵押权,各学者在表述时并不相同。有学者认为:"权利抵押权者乃以所有权以外之

---

[1] 中国社会科学院语言研究所词典编辑室编:《现代汉语小词典》,商务印书馆1980年版,第724页。
[2] [日]汤浅道男编著:《担保物权法》,成文堂1995年版,第49页。

不动产物权或准物权为标的之抵押权也。"[1] 该定义一方面确认权利抵押权为抵押权之一种，另一方面强调其标的之特殊性，即只能以不动产物权或准物权为标的，但不动产物权范围较广，哪些能作为其标的，不无疑问。还有学者则以列举方式来下定义："权利抵押权者，系指以地上权、永佃权、典权、探矿权、渔业权等权利为标的物，而设定之抵押权，因其系准用抵押权之规定（883），故又称为准抵押权。"[2] 该定义列举出了可用于抵押的若干权利，同时指出了其性质为准抵押权，概括较为全面。不过，仅列举的方法不足以对标的之品性予以归纳，因而不够抽象。实际上，可用于抵押的地上权、永佃权、典权、探矿权、渔业权等权利都属于不动产的用益物权范畴，为此，笔者认为似可对权利抵押权作如下定义："权利抵押权是以法律所允许的可转让的不动产用益物权为标的的抵押权。"权利抵押权与权利抵押一词有时通用，有时则表意各异。一般而言，权利抵押侧重于强调设定抵押的方式，而权利抵押权则侧重于强调其担保物权的品性。

据日本学者考察，权利抵押权的历史十分悠久，早在古罗马时期，地上权、永佃权等即被作为债权之担保而设定抵押权。[3] 及至近现代，权利抵押权制度逐渐在一些国家和地区的法律中确立下来。例如，德国《地上权条例》第 11 条、第 12 条规定，地上权可以独立地作为抵押权的标的。在土地上有建筑时，建筑应该随同地上权抵押。《日本民法典》第 369 条第 2 款也明确肯

---

[1] 郑玉波著：《民法物权》，台湾三民书局1995年版，第265页；陈华彬著：《物权的原理》，国家行政学院出版社1998年版，第680页。
[2] 谢在全著：《民法物权论》下册，中国政法大学出版社1999年版，第739页。
[3] 参见［日］原田庆吉：《日本民法典的史的素描》，创文社1954年版，第128页。

定地上权及永佃权也可为抵押权的标的，准用不动产抵押的规定。《法国民法典》虽在条文中虽未明确标示权利抵押权，但其肯定了不动产的抵押，而不动产用益权、地役权及土地使用权、旨在请求返还不动产的诉权也被视为不动产，故以上述权利为标的的抵押实质上是权利抵押权。[1] 目前，我国台湾地区"民法"、澳门地区的《澳门民法典》均确认了该制度。

我国在1986年颁布《中华人民共和国民法通则》时尚无有关权利抵押的明文规定。自1987年以来，上海、深圳、海南等地先后以地方性法规肯定了土地使用权的抵押。1990年，国务院颁布了《城镇国有土地使用权出让和转让暂行条例》，《条例》第32条规定："土地使用权可以抵押。"后来，国家在1994年7月颁布的《中华人民共和国城市房地产管理法》第47条第2款更加明确地肯定，以出让方式取得的土地使用权可以设定抵押权。1995年6月，《中华人民共和国担保法》（以下简称《担保法》）则更详细地规定了土地使用权的抵押。

从上述规定可以看出，我国法律所肯定的权利抵押权通常是指在不动产的用益物权上设定的一种抵押权；而权利质权的标的为除所有权外的可让与的财产权，该财产权不包括不动产上设定的权利。显然，权利抵押权和权利质权的共同点表现在二者均以可转让的财产权利为标的，只不过权利抵押权的标的仅为不动产的用益物权而权利质权的标的相对广泛得多而已，债权、证券上的权利、知识产权等权利均可作为权利质权的标的。同时，也正因为二者标的的不同，所以分别纳入抵押权和质权的范畴。

---

[1] 参见《法国民法典》第526条。

二、权利抵押权的标的

权利抵押权的标的为可转让的不动产用益权。为此，一项权利要成为抵押的标的，必须满足两个条件：①具有财产性；②具有可转让性。

从立法现状来看，不同的国家和地区所规定的权利抵押的标的并非完全相同。在法国，不动产用益权、地役权、土地使用权、旨在请求返还不动产的诉权之上可设定抵押。在德国，地上权可设定抵押。在意大利，不动产及其附属物的用益权、地上权、永佃权皆可成为抵押权的标的。[1] 在日本，权利抵押权的标的包括地上权和永佃权。在我国澳门地区，根据其《民法典》第684条的规定，地上权、用益权可成为抵押权的标的。在我国台湾地区，地上权、永佃权、典权、采矿权、渔业权均可以设定抵押。从我国《担保法》第34条的规定来看，权利抵押权的标的主要为土地使用权。从上述规定可以看出，权利抵押权的标的应为不动产的用益权。

我国《担保法》第34条规定了两类可用作抵押的土地使用权，一类为抵押人依法有权处分的国有土地使用权，另一类为抵押人依法承包并经发包方同意抵押的荒山、荒沟、荒丘、荒滩等荒地的土地使用权。我国法律所规定的土地使用权的含义是很不明确的，有时是指一切依法或依合同使用他人土地的权利，既包括物权性质的土地使用权，也包括债权性质的土地使用权，甚至

---

[1] 参见费安玲、丁玫译：《意大利民法典》第2810条，中国政法大学出版社1997年版。

是指土地所有权和土地使用权中的使用权能。[1] 事实上，土地使用权均包括了对土地的占有、使用、收益和一定的处分权能。此外，在设定抵押时，根据《担保法》第36条的规定，以依法取得的国有土地上的房屋抵押的，该房屋占用范围内的国有土地使用权同时抵押；以出让方式取得的国有土地使用权抵押的，应当将抵押时该国有土地上的房屋同时抵押；乡（镇）、村企业的土地使用权不得单独抵押。以乡（镇）、村企业的厂房等建筑物抵押的，其占用范围内的土地使用权同时抵押。对此，有学者提出异议，认为后一规定限制了应当随之抵押的建筑物等土地附着物的范围。其理由为：现代社会尤其是现代化城市，建筑不仅向空中发展，也向地下发展，土地使用权抵押时，应当同时将该土地范围内的建筑物而不仅仅是地上建筑物一并抵押。其次，建筑物不仅仅是房屋，房屋之外的其他建筑物都应属之。[2] 笔者认为该说法有一定的道理。

尽管我国《担保法》已确定了土地使用权的抵押制度，但从实践来看，适合于抵押的财产权决不仅仅限于土地使用权，房屋典权、采矿权、渔业权等用益权也符合权利抵押的标的的要求，但我国法律中尚无明确规定。显然，我国法律中的权利抵押的标的范围过窄，这种状况当然不利于抵押制度的发展。因此，有学者在分析了我国的权利抵押的标的后指出："《担保法》中规定的权利抵押，还不能视为一种现代意义上的权利抵押。"[3]

---

〔1〕 参见梁慧星主编：《中国物权法研究》下册，法律出版社1998年版，第612页，第823页。
〔2〕 屈茂辉："论权利抵押权"，载《法商研究》2001年第2期。
〔3〕 邓曾甲著：《中日担保法律制度比较》，法律出版社1999年版，第160页。

三、权利抵押权的设定、效力和实行

权利抵押权在设定方面，一般准用普通抵押设定的规范，这是多数国家和地区民法典所确立的基本原则。例如，《日本民法典》第369条第2款规定"地上权及永佃权亦可为抵押权的标的。于此情形，准用本章的规定。"即准用《抵押权》一章的普通规定。我国台湾地区"民法"第883条也有类似的规定："地上权、永佃权或典权为标的之抵押权的成立，准用一般抵押权之规定。"

权利抵押权在设立时与普通抵押一样，由当事人以合同形式设立。关于抵押合同的形式，根据我国《担保法》第38条的规定，当事人应当以书面形式订立抵押合同。这种书面形式既可以是独立于债权合同之外的抵押协议，也可以是主合同中的抵押条款。其内容一般应当包括：被担保的主债权的种类、数额；债务人履行债务的期限；抵押物的名称、数量、质量、状况、所在地、所有权权属或者使用权权属；抵押担保的范围；当事人认为需要约定的其他事项。

关于抵押合同的生效时间，我国《担保法》第41条规定："当事人以本法第四十二条规定的财产抵押的，应当办理抵押物登记，抵押合同自登记之日起生效。"据此，以土地使用权抵押的，其抵押合同应自办理了土地使用权登记后生效。对于该条规定，我国大多数学者持否定态度，均认为该规定将抵押权的设定和生效混为一谈，没有区分物权变动的原因和结果。[1] 实际上，

---

[1] 参见梁慧星主编：《中国物权法草案建议稿：条文、说明、理由与参考立法例》，社会科学文献出版社2000年版，第613页；屈茂辉："论权利抵押权"，载《法商研究》2001年第2期。

抵押合同的订立与抵押权的设定分属不同的事实：抵押合同的设立旨在确立当事人之间关于抵押的权利义务关系，是物权变动的原因行为，属于债权法的范畴；而抵押权的设定，是合法有效的抵押合同的结果，属于物权变动的范畴。按照物权变动的一般原则，抵押权的设定，除抵押合同外，还须符合公示原则的要求。可见，抵押合同的生效，在当事人之间发生相应的权利义务关系，为抵押权的设定奠定法律基础。所以，按照合同法的一般原则，只要当事人之间签订的抵押合同符合合同法的有关规定，即应认为该合同从其成立时生效。当然，当事人之间另有约定的除外。所以，只有否定抵押合同自登记之日生效，而采纳签订之日生效的理论，才能保护合同当事人之间的利益，避免一方当事人随意违约的行为。所以，权利抵押权合同应当修改为从成立时生效，如果法律、行政法规规定应当办理批准、登记手续的，从其规定，其设定应当修改为从登记之日起设定。

权利抵押权设定后，在当事人之间发生设定的法律效力。这些效力与一般抵押权的效力类似，但也有其特殊性，例如我国台湾地区就对其效力作了专门的规定：以地上权、永佃权或典权为标的之抵押权，其效力，法律别无规定，应准用一般抵押权之规定（"民法"第883条）；以采矿权为标的之抵押权，其效力，"矿业法"中有特别规定者为：①抵押权设定后采矿权者如欲将矿区分割合并减少或增加时，须经抵押权者承诺（同法第46条）；②采矿权因满期消减时，不受抵押权之拘束（同法第47条）。除此之外，准用"民法"的一般抵押权的规定。至于渔业权，"渔业法"第6条仅就其标的的范围作了特别规定："以渔业权为抵押者，其定着于该渔场之工作物，除契约别有约定外，视为附属渔业权，而成为一体之物。"此外之效力应准用"民法"之一般抵押权的规定。

我国《担保法》和《房地产管理法》仅对土地使用权抵押的效力作了若干特殊的规定。例如,《担保法》第55条和《房地产管理法》第51条规定,城市房地产抵押合同签订后,土地上新增的房屋不属于抵押物。需要拍卖该抵押的房地产时,可以依法将该土地上新增的房屋与抵押物一同拍卖,但对拍卖新增房屋所得,抵押权人无权优先受偿。当然,如果抵押权设定时土地之上存在着建筑物,抵押人以土地使用权和建筑物共同抵押的,抵押的效力当然及于建筑物及其从物,即抵押权人可以就土地使用权和建筑物的变价优先受偿。

权利抵押权在消灭和实行方面与普通抵押也相近似。根据我国《担保法》的规定,当债务人履行债务后,受担保的债权消灭,抵押权也消灭。当受担保的债权到了履行期限而债务人不履行债务,则抵押权人可以与抵押人协议以抵押的财产折价或者以拍卖、变卖该抵押财产所得的价款受偿;协议不成的,抵押权人可以向人民法院提起诉讼。抵押财产折价或者拍卖、变卖后,其价款超过债权数额的部分归抵押人所有,不足部分由债务人清偿。就土地使用权的抵押而言,当债务履行期限届满而抵押权人未受清偿的,抵押人可以与抵押权人协议将该土地使用权予以拍卖,以所得的价款来清偿债务。在清偿时,如果同一财产向两个以上的债权人抵押的,拍卖所得的价款按照抵押登记的先后顺序清偿;顺序相同的,按照债权比例清偿。其中,拍卖划拨的国有土地使用权所得的价款,在依法缴纳相当于应缴纳的土地使用权出让金的款额后,抵押权人有优先受偿权。此外,为债务人抵押担保的第三人,在抵押权人实现抵押后,有权向债务人追偿。

从上述规定可以看出,权利抵押权和权利质权在设定和实行方面有时都要准用有形财产方面的法律规范,但同时也应遵循权利让与的相关规定。不同的是,权利抵押权在设定时更强调登记的公示的作用，因为其标的一般为不动产用益权，而不动产权属在转移时通常应予登记，故不动产用益权在设定抵押时也应以登记为原则。而就权利质权而言，某些权利如股权、知识产权在出质时应予登记，而以汇票、本票、支票、债券、存单、提单、仓单出质的，则一般不需登记。所以，权利抵押权在设定时更注重公示制度的作用。

第五节　权利质权与让与担保
——制度比较研究（二）

一、让与担保的含义和由来

关于让与担保的含义，学说上历来有广义、狭义之分。广义的让与担保是指一切以移转担保标的物之所有权或其他权利来保障债权清偿的担保方式，它包括狭义的让与担保与卖渡担保两种。[1] 狭义的让与担保一般是指债务人或者第三人移转标的物的权利于债权人，在债务清偿后，标的物返还于债务人或者第三人；在债务人不履行债务时，担保权人可就标的物取偿的非典型担保。[2] 而卖渡担保是指"以买卖形式移转权利，而信用授与人不复留有其所受信用返还请求之债权，惟信用受取人得返还信用而取回其标的物。"[3] 我们通常所说的让与担保即指狭义的让

---

〔1〕　［日］松坂佐一：《民法提要》（物权法），有斐阁1980年版，第435页。
〔2〕　参见邹海林、常敏著：《债权担保的方式和应用》，法律出版社1998年版，第399页。
〔3〕　史尚宽著：《物权法论》，中国政法大学出版社2000年版，第423页。

与担保。

让与担保制度并非是一项晚近才产生的法律制度。据学者考证，其源流最早可以追溯到古罗马法的信托质（fiducia）制度，当事人一方用市民法转让的方式（要式买卖或拟诉弃权），将标的物的所有权移转于他方，他方则凭信用，在约定的情况下把原物归还于物主。这种移转标的物的权利以担保债权的方式恰与现代让与担保制度类似。不过，由于近现代各国担保制度大都经历了从信托质到占有质再到抵押的发展历程，具有信托性质的让与担保制度并未在各国推行开来。例如在法国，倘若当事人采取"权利移转"的动产让与担保方式来担保债权实现，即构成脱法行为而被判为无效。[1]

与法国法的立场不同，权利担保制度以其内在的优越性在德国和日本获得了立法者的垂青，从而使它在上述两国得以迅速发展。在德国，早在民法典颁行前，判例即肯定让与担保的法律效力。《德国民法典》虽未明确规定让与担保制度，但《民法典》施行后的判例均承认其合法性。德国的先例也影响到了日本的判例和学说，经过长期的争论之后，让与担保最终为日本学界和实务界所普遍采纳。目前，让与担保制度已在德国和日本获得了十分广泛的应用。

从各国的立法实践来看，让与担保根据其标的物之不同，可大抵分为以下类型：

1. 动产让与担保。即以动产的权利移转而设定的担保，包括一般的动产让与担保与特定的动产让与担保。动产让与担保在设定时，设定人一般都保留了对标的物的现实占有，从而可以继

---

[1] 参见［日］柚木馨编辑：《注释民法》（9），有斐阁1981年版，第318页；转引自陈华彬著：《物权法原理》，国家行政学院出版社1998年版，第763页。

续利用标的物,正因为如此,该制度有时就成为动产抵押的替代方法。

2. 不动产的让与担保。即以不动产的权利移转而设定的担保,该担保在设定时一般以登记为必要。

3. 集合的让与担保。包括集合的债权的让与担保与流动集合动产的让与担保。集合债权的让与担保是指企业以现实已有的债权及将来可能取得的债权一起向金融机构融资的担保。所谓流动集合动产的让与担保是指以一定仓库或特定场所的不断变动的商品或原材料为标的而设定的让与担保。

4. "让与质型"让与担保与"让与抵押型"让与担保。在"让与质型"让与担保中,对标的物的直接占有由债权人为之;在"让与抵押型"让与担保中,对标的物的直接占有由设定人为之。

二、让与担保的社会功用之分析

让与担保制度之所以能在近代得以复苏并盛行,其根本原因在于该制度具有其他典型担保所不具有的特殊功用,能够在一定程度上弥补其他典型担保所存在的缺憾。

(一) 二者的共同点

1. 现代社会的动产担保虽然包括动产质权和动产抵押,但二者在适用时存在缺陷。动产质权之成立须以移转标的物之占有,且该移转一般不能通过占有改定方式来实现,所以有碍动产的利用。动产抵押虽然不需要移转标的物的占有,但其标的物的限制十分严格,因而也难以满足现代社会经济发展的需要。比较而言,动产让与的标的物只要具有可让与性即可,所以标的物的范围甚广；另一方面，让与担保设定后，标的物仍由设定人占有，继续使用并收益，因而不会妨碍物的利用。由此可见，让与担保制度可以明显弥补传统担保制度的缺陷。

2. 让与担保可为不能设定典型担保的标的物及集合财产，提高最佳融资渠道，以发挥其担保价值。[1] 目前社会上诞生的各种新型财产层出不穷，例如集成电路布图设计权是否为法律上所确定的财产权利，以及是否可为担保之标的物，往往需要经过一个相当长的时期才能确定，而法律的这种缓慢发展与经济的增长明显不符。另外，基于一物一权与物权特定之原则，典型担保物权仅能就单个独立物来设定，而不能成立于数个动产、不动产乃至权利所组成的一个集合物上。典型担保的这一缺陷正好可由让与担保制度来补足，即当事人不仅可以就单个物设定让与担保，而且可以就集合动产甚至是集合债权设定让与担保，从而适应了市场经济的要求。

3. 让与担保可节省抵押权与质权实行的劳费并避免因拍卖而可能导致的标的物被换价过低的弊害。按照现代各国法律的规定，各种典型担保在实行时均有一定的程序，既费时又费钱，而且在拍卖程序中，由于各种因素的影响，标的物的拍卖价格与市价有相当大的差距，这一方面损害了设定人的利益，对担保权人而言，也无益处，因为他不能获得完全的清偿。而采取让与担保方式后，换价程序可由当事人根据约定的方法来实行，十分便捷，变卖或沽定的价格较高，正好可以弥补典型担保的缺陷。

尽管让与担保的优点十分明显，但其缺点也同样显而易见。首先，该制度的目的——债权担保与所采取的方式——所有权或其他权利的让与显不相符，因此它存在着相当大的危险。其次，

---

[1] 谢在全著：《民法物权论》下册，中国政法大学出版社1999年版，第899页。

就债权人而言，若标的物由债务人占有，如果债务人失信，擅自处分标的物，则担保权人即有丧失担保的危险。就债务人或第三人而言，虽然他们与担保权人有信托条款来规范当事人之间的权利义务，但如果担保权人丧失诚信，擅自违约处分标的物时，则设定人将丧失标的物的权利。而且，由于标的物的权利在担保权人手中，担保权人很易迫使债务人订立不公平的苛刻条款，甚至利用其急需而迫使其订立高利贷，这对于债务人十分不利。正因为如此，我国有学者明确指出，动产让与担保实质上是一种变相的流质契约，因为"债务人和第三人将担保标的物的权利事先移转给债权人，这与事先将标的物的所有权移转给债权人并没有本质上的差别。"[1] 最后，让与担保在设定时，无法从外在表现来确定其担保债权额，且在当事人之间极易就债权额或标的物来估价造假，因而第三人即设定人之一般债权人极易受不测的损害。如果设定人和债权人之间通谋而虚伪移转所有权，则极容易导致债务人利用该方式逃避债务。因此，对让与担保这种非典型的担保方式必须尽快通过立法予以规范，以扬长避短，促进经济的发展。

三、让与担保的设定、效力和实行

让与担保的设定通常由当事人通过契约来设定。提供担保标的物的一方为设定人，包括债务人与第三人；债权人一方为让与担保标的物的财产权的取得人。让与担保以标的物的财产权利移转于债权人为表征，当债务不获清偿时，财产权将被用来充抵债权。因此，让与担保的标的物可由设定人保留，仅移转标的物的

---

[1] 王利明："抵押权若干问题的探讨"，载《法学》2000 年第 11 期。

财产权，由于该担保方式类似于抵押，故有时也称为让与抵押。当然，也有由债权人占有标的物的"让与质型"让与担保。

让与担保既以担保债务清偿为目的，所以让与担保的设定须以债权的存在为前提。债权的范围，既包括金钱债权，也包括非金钱债权、将来债权、甚至是将来变动中的非特定债权，其范围十分广泛。让与担保的标的物，包括动产、不动产所有权、其他物权、债权、无体财产权及其他正在形成中的权利，等等。[1] 由于让与担保须以财产权的移转为表征，所以用以担保的标的物必须是可转让的财产权。在通常情况下，当事人应当通过签订让与担保契约来设定担保，同时当事人应当另为移转标的物的所有权或其他权利的行为。如果标的物为不动产，当事人一般应为不动产的所有权的移转登记。

让与担保设定后，即在设定人和担保权人之间产生权利和义务关系。此当事人之间的关系具有信托行为的性质，有关债权和标的物的范围、标的物的利用关系、让与担保的实行方式及标的物的保管责任等，悉由当事人自由约定，其约定只要不违反法律和社会公共利益即属有效。就担保权人而言，仅能在担保标的范围内取得标的物之权利，且权利之行使不能超过该标的的范围。就设定人而言，如标的物由设定人占有，设定人应负保管义务，如擅自处分标的物或因保管不善致标的物毁损、灭失，则应负损害赔偿责任。如标的物由债权人占有，则在担保债权清偿期届满前，不能处分所占有的标的物。如债权人擅自将标的物转让于第三人，则对设定人负有损害赔偿责任，损害赔偿额为标的物的价值。债权人如因未尽保管义务而致标的物毁损、灭失，也与此相同。

---

[1] [日] 米仓明：《让与担保》，弘文堂1985年版，第3页。

当债权届至清偿期限而未获清偿时，依据法律的规定，担保权人即得实行其担保权，以标的物换价获得清偿，此即让与担保的实行。具体而言，让与担保的实行方法可分为两种：一为处分清算型。依此方式，担保权人可将标的物予以变卖，以卖得价金优先受偿，并将剩余价款返还给设定人。二为归属清算型。依此方式，担保权人将标的物予以公正估价，如估得的价额超过担保债权额时，超过部分返还于设定人，而标的物的所有权由担保权人取得，以清偿债权。在采取此方式时，担保权人应当对设定人发出实行让与担保权的通知后，始能发生此效果。

引起让与担保消灭的事由通常有以下几种：①让与担保所担保的债权消灭。让与担保的目的在于担保债务的清偿，如果让与担保所担保的债务因清偿、抵销或其他原因而消灭时，则让与担保也归于消灭；②标的物灭失。让与担保以标的物的财产权的移转为表征，在担保关系存在期间，如果标的物发生灭失致所有权发生消灭，则让与担保也随之消灭。但是，如因灭失而取得赔偿金，则应以赔偿金来清偿债务；③让与担保的实行。当让与担保实行时，让与担保即归于消灭。

四、让与担保与权利质权之比较

让与担保与权利质权同为债权担保的一种方式，二者既具有很多相同点也有很多差异。

（一）二者的共同点

1. 二者同为债权担保方式，均具有物权的特征。无论是让与担保抑或是权利质权，其设定的目的均在于担保主债权的实现而非让与权利，因此二者在本质上应属于物权。例如，让与担保设定后，担保权人即取得担保标的物的财产权，其处分标的物的行为在法律上对第三人有效。而且，当债务人到期不履行债务时，债权人能够对标的物予以变价以实现其债权，这些均为其物上支配性的表现。对此，日本学者总结说，让与担保的目的在于担保债权，债权人所获得的权利并非是所有权，而是在被担保的债权的范围内，支配标的物的价值的一种权利，因此债权人所获得的权利为担保物权。依此说，让与担保权并非是所有权，而是一种以对标的物的价值的支配为内容的限制物权，类似于质权和抵押权。[1]

2. 二者均以可让与的财产权利为标的。权利质权的标的为除所有权、不动产用益权外的可让与的财产权，而让与担保的标的几乎包括一切可让与的财产权，如所有权、其他物权、无体财产权及正在形成的财产权利等。二者的标的均具有财产性和可转让性的特点。

3. 二者在设定、实行和消灭方面也具有共同之处。无论是权利质权还是让与担保，其设定主要采取合同形式，且都有权利的移转。就实行而言，二者均是在债务人不履行债务时予以实行，且主要通过清算方式来实行。就消灭而言，引起二者消灭的原因主要有清偿、抵销或其他原因。

(二) 二者的区别

1. 归属类型不同。权利质权在多数国家属于一种典型担保，在其民法典中有所规定；而让与担保在多数国家属于非典型担保，在其民法典中无反映，是通过判例来确认的。

---

[1] [日] 高木多喜男：《担保物权法》，有斐阁1993年版，第312页。

2. 标的不尽相同。权利质权的标的为除所有权、不动产用益权外的可让与的财产权，而让与担保的标的几乎为一切财产权，如动产、不动产的所有权、其他物权、无体财产权、正在形成中的各种财产权等等，其范围相当广泛，这也正是让与担保在德、日等国广受欢迎的原因之一。

3. 标的移转方式的法律效果不一样。权利质权是以可转让的财产权来设定担保，该财产权如同动产一样应移转给债权人才能设定担保，权利移转是担保成立的必要条件，若无权利的移转则合同不能成立。而在让与担保中，债务人或第三人将可让与的财产权移转给债权人，这种移转是基于当事人之间的一种信托关系，权利的移转是合同成立后的一种履约行为，而非合同成立的必要条件。

4. 有关标的物保管的义务不同。在动产让与担保中，如当事人约定移转动产的所有权来担保债权，则会涉及对动产的保管问题，负有保管义务的一方如保管不善致使财产毁损均应承担相应的法律责任；而在权利质权中，因出质的对象为可让与的财产权，因而不涉及对有形财产的保管问题，仅在特殊情况下涉及对权利的价值的保全问题。

第三章 权利质权的价值取向

第一节 一个难解的谜：
担保为何会存在？

研习担保法的人常常以为，担保制度的诸多优点会促使当事人在借贷时优先选择担保，然而现实并非如此。美国学者 Ronald 副教授在采访了资本借贷市场上 23 位来自于不同企业的管理人员后发现，债权担保虽然是美国经济生活中的一个突出特点，但在借贷市场上，不仅有许多大企业选择了无担保之债，而且也有为数众多的小企业步其后尘。可见，担保之债并非在借贷关系中占据绝对的统治地位。[1] 同期的美国学者 Schwartz 先生也感慨说，"令人困惑的是，债权担保看起来有价值但却并不普遍。"[2] 那么，人们选择担保之债的目的是什么，各种担保设定的价值取向又是什么呢？

---

[1] Ronald J. Mann, Explaining The Pattern of Secured Credit, Harvard Law Review, Vol. 110, (1997).
[2] Barry E. Adler, An Equity – Anency Solution to the Bankruptcy – Priority Puzzle, 22 J. Legal Stud. 73, 74 (1993).

一、现实理论对担保设定的解释

尽管古往今来有许多学者曾对担保之债的设定原因作出解释，但迄今为止，尚无一种解释能十分圆满地回答该问题。[1] 详而言之，其代表性观点主要有以下几种：

1. 风险理论。坚持风险理论的学者通常认为，由于市场竞争的非完全性、市场信息的非对称性、市场交易的磨擦性等因素的存在，整个市场经济中蕴含着巨大的商业风险。这种风险的存在，导致了市场中诸多不确定因素的存在，使市场成为孕育风险的温床。"从法律的角度观之，上述诸因素所引发的市场不完美性，最终导致交易当事人双方所缔结之契约的不完全性，而这种契约的不完全性正意味着风险的存在。"[2] 由于风险的存在可能影响当事人预期收入，为了规避现实社会中的风险，人们可能会通过搜寻未来的信息、选择风险较小的投资方案、将风险分担给他人等方法来分担风险。[3] 这种分担风险的方法，在民法领域中就表现为债权担保。当事人通过设定担保，以第三者的信用补充和责任财产分离的形式，从交易的静态层面上最大限度地减少乃至消除债务不履行的债权风险，使担保法成为化解市场风险的法律手段。[4] 第三者的信用补充形式，在法律上一般表现为保证这种人的担保形式，而责任财产分离的方式则表现为物的担保

---

[1] Alan Schwartz, The Continuing Puzzle of Secured Debt, 37 Vand. L. Rev. 1051, 1068 (1984).
[2] 王闯著：《让与担保法律制度研究》，法律出版社2000年版，第4页。
[3] 张五常："交易费用、风险规避与合约安排的选择"，载［美］R. 科斯等著：《财产权利与制度变迁》，上海人民出版社1994年版，第138页。
[4] 梁慧星："日本现代担保法制及其对我国制定担保法的启示"，载《民商法论丛》第3卷，法律出版社1995年版，第172页。

形式。

　　风险理论对担保设定的解释在国外也有着广泛的影响力。J. White 先生认为，人们对信息的占有一般来讲是不完全的，他们对风险的厌恶程度也有所区别。况且，债权人愿意从事的调查和监督行为的能力也大小各异。正是在这样的条件下，当将来的信息不能完全拥有时，对风险感到厌恶的债权人只会在存在物的担保的情形下才会提供借贷。[1] 显然，担保之债弱化了风险对交易的消极影响，从而扩大了交易的种类和范围，这也正是许多银行和大企业倾向于采用担保之债的一个主要原因。

　　笔者认为，风险理论的假设前提是市场中广泛存在的竞争风险。这种风险用法律的语言来描述即是交易的不安全性，而交易的不安全性又常常会破坏市场经济的信用基础。有基于此，为了保障债权的安全，当事人常常会选择担保之债。所以风险理论可以有机地将经济学中的风险理论与法学中的安全价值相结合，这正是其优点所在。不过，风险理论不能解释市场经济中为什么有的债权人如银行既选择担保之债又选择非担保之债，也不能解释为什么有的企业乐于适用非担保之债的问题。因此，当有的学者断言"风险理论就可谓是担保物权的创设根源"[2] 时，我们应清醒地认识到它的局限性。

　　2. 担保协商理论。提出担保协商理论的学者认为，如果不存在担保之债，则债权人的各种债权在法律地位上一律平等，其清偿顺序也无差异，这对于先设定债权的当事人显然不利。有基于此，一些债权人往往会与其他债权人积极协商以维护其债权的

---

[1] J. White, Efficiency Justifications for Personal Property Security (1984) 37 Vand. Law Review 473.

[2] 王闯著：《让与担保法律制度研究》，法律出版社2000年版，第6页。

优先清偿。然而这种协商的成本十分巨大,既需要有足够的成本来了解各债权人的信息,又需要花费高昂的代价来说服他们尊重先设定人的利益。为了避免这些昂贵的交易成本,其他债权人在假想上会授权该债务人向特定的债权人提供物的担保。[1]

担保协商理论是从假设的角度出发来推测在无担保的情形上当事人的心理状态,其主观臆断色彩十分浓厚。虽然它能够解释债权人在债权清偿顺序上的不同态度,但其过多的主观性使该理论缺乏推广的可行性。从事前来看,在非担保之债中,各债权人很难得知哪些人将是债务人的未来债权人;从事后来看,各债权人追求其利益最大化的倾向也很难使他们同坐一桌来协商债权的清偿顺序。所以,担保协商理论从头到脚都缺乏实现的可能性。

3. 调查和监督成本理论。坚持调查和监督成本理论的学者从调查和监督债务人的经营状况的角度提出了债权设定的原因。其中,Jackson 教授和 Kronman 教授认为,债权人在借贷活动中为了保障其债权得到清偿,常常需要对债务人的经营状况进行监督。老练的债权人由于其经济上的优势和经验上的丰富常常会提供无担保的信贷,而低效的债权人常常会采纳有物的担保的信贷。[2] 对此,Levmore 先生则持相反的观点,他认为老练的债权监督人更倾向于提供有物之担保的信贷,因为这种监督行为的成本相对低一些。[3] 我国学者郁光华先生则不同意这种看法,他认为,这些理论未能解释为什么有些债权人如银行也提供了大量

---

[1] T. Jackson and A. Kronman, Secured Financing and The Priorities Among Creditors (1979) 88 Yale Law Journal 1143.

[2] T. Jackson and A. Kronman, Secured Financing and The Priorities Among Creditors (1979) 88 Yale Law Journal 1143.

[3] S. Levmore, Monitors and Freeriders in Commercial and Corporate Settings (1982) 92 Yale Law Journal 49.

的非担保的信贷,而且该理论也不能够区分事前的逆向选择问题和事后的道德危机问题。[1]

从经济效率的角度而言,调查和监督成本理论回答了担保债权的成本问题,在一定程度上揭示了人们在借贷时对各种经济成本的考虑,因而这种思考方法有一定的新颖之处。但其不足之处在于,仅仅从调查和监督成本的角度来分析担保设定的原因,是不能圆满解释担保之债的复杂性和多样性的,更不能准确地解释非担保之债存在的根本原因。

二、担保设定的综合分析

笔者认为,债权市场上的担保不仅仅是一种单纯的法律行为或经济现象,担保之债的背后有着复杂的文化和社会背景。因此,在解释担保之债时必须结合多方面的因素予以综合分析。

1. 安全因素。维护债权的安全往往是促使人们采取担保方式的直接动因。著名的担保法专家 Philip R Wood 先生曾经指出,担保法蕴含了深厚的理念:在债务人支付不能时来保护债权人;限制虚假的赖债行为;促进企业资金的流动;鼓励自我救济以保证银行的安全,等等。[2] 简言之,担保的一个最为重要的目标就是保障债权的实现。如果债权不能安全地得以实现,势必会影响社会正常的交易秩序,动摇社会存在的经济基础,妨碍国家的对外交往。20世纪90年代初期波兰的经济发展状况恰好印证了这一道理。波兰在90年代初,实行了大规模的私有化运动,其经济的迅速发展迫切需要引进外国的资本。但外国银行在决定是

---

[1] 郁光华:"论物的担保之债的经济意义",载《比较法研究》1997年第1期。
[2] Philip R Wood, Comparative Law of Security and Guarantees, Sweet & Maxwell, London, 1995, p. 3.

否进入波兰的金融市场时,首先考虑的因素是法律对债权人的保护问题,因为在资金交易中,借款人更倾向于安全的借款。由于波兰的现有法律不能充分保护债权人的利益,所以波兰进行了大规模的法律修订工作,在司法部之下设立民法改革委员会对其担保法予以修订,增强对债权人的保障,以适应日益增长的引资需要。[1] 对于我国而言,如果在 21 世纪希望在经济上取得超强的地位,那么,我们必须培养一个极其富有竞争力的资金市场来更有效地分配信用以促进资金的流通,这对于我国经济的长期繁荣至关重要,"就此而言,担保法就是中国经济改革的一个标志。"[2]

不过,在实际生活中,并非所有的人都对担保制度的这一目的给予充分的理解。在相当一部分国家,抵制虚假财富的理论构成了对担保制度予以限制的理论基础。[3] 该理论认为,设定担保后,由于缺乏完善的登记和公示制度,一部分债务人表面上占有很多财产但实际上可支配的极少(比如在动产质押中,出质财产由债权人所支配),那么,未受担保的债权人的权利很难实现,这显然会损害债权的平等性。而且,担保的存在会扰乱正常的商业交易的安全性,因为担保改变了债务清偿的顺序,未受担保的债权人不可能与担保债权人同时得到清偿。所以因担保所引起的虚假的财富常常会扰乱正常的信用秩序。对此,笔者认为,

---

[1] see Lech Choroszucha, Secured Transactions in Poland: Practicable Rules, Unworkable Monstrosities, and Pending Reforms. Hastings Int'l & Comp. L. Rev. Vol. 17. 1994.

[2] Brian Y. Lee, Taking Mortgage Interests in Real Property Under the Guarantee Law of the People's Republic of China, Hastings Int'l & Comp. L. Rev. Vol. 21. 1998.

[3] Philip R Wood, Comparative Law of Security and Guarantees, Sweet & Maxwell, London, 1995, p. 4.

在登记和公示制度不够完善的情形下,担保债权难免会产生一些较为消极的后果。然而,随着担保制度的完善,登记和公示程序日益规范,其消极作用将会减少,在此情况下,我们决不能因其外在的缺陷而因噎废食,而应从程序上来完善相关制度,以发挥担保法的最大功用。另外,就债权的平等性而言,担保债权的优先受偿性来源于法律的直接规定,而法律允许任何一个债权人来自愿选择适用担保之债或非担保之债,所以债权的清偿顺序是由各债权人自己选定的,因而担保之债的优先清偿性并不违反债权的平等性原理。

2. 公平因素。美国学者 Philip R Wood 先生在谈到担保法的作用时曾指出,在历史上一直存在着反对担保法的观点,但在近期,这些观点又重新复活了。对担保制度持异议的人认为,担保法侧重于保护债权人的利益而忽视了对债务人的保护;担保侧重于对担保债权人的保护而忽视了对普通债权人的保护。正是基于以上原因,一些国家在适用担保法时往往半心半意,例如,他们在破产还债程序中将担保债权与普通债权一起予以冻结而不分清偿的顺序。[1]

从上述观点可以看出,相当一部分国家在设定担保时并非仅考虑对债权人利益的保护问题,债务人的利益同样也是法律所应关怀的对象。一般而言,债权人和债务人在借贷关系中的现实地位相差甚远,债权人常常处于优越的地位,而债务人常常处于劣势,而债权人为了保障其债权的实现往往会在合同中增加一些不公平的条款。例如,在质押合同中,一些债权人事先与债务人约定,如债务人到期不履行债务,则由债权人取得出质物的所有

---

[1] Philip R Wood, Comparative Law of Security and Guarantees, Sweet & Maxwell, London, 1995, p. 3.

权,这即是人们通常所称的"流质"条款。[1] 流质条款之存在,往往系债权人利用其经济上的优势地位而逼迫债务人以价值高的质物来担保小额债权,希冀债务人届期不能偿债,取得质物的所有权。基于民法的公平原则及对等正义等理念,为了保护作为弱者的债务人的利益,近代各国的民事法律大多都禁止流质条款的存在。所以,担保的设定是否会对债务人的利益产生一些不公平的影响,往往也是债务人选择担保之债所考虑的一个重要因素。

3. 效率因素。效率因素是债权人在贷款时所考虑的一个极为重要的因素,即以最小的成本来获取最大的经济利益。在实际生活中,影响债权实现效率的诸因素可谓十分丰富,在此我们不妨先比较一下担保之债和非担保之债的设定成本。

在决定是采用担保之债还是非担保之债时,债权人首先考虑的不是贷款的现实回报,而是贷款的预期收益。[2] 债权人在考虑预期收益时,往往要将贷款的各种成本考虑进去。一般而言,债权人会对担保之债和非担保之债的设定成本及其优点给予充分的权衡比较。

根据担保的理论和实践,担保之债的优点可分为直接的优点和间接的优点两类。其直接优点是担保之债可以有力地促使债务人及时还款。对此,多数学者在其著作中都明确指出,"对贷方而言,担保之债最明显的优点就是能够增加还贷的可能性,即在借方不主动还款时贷方能够强制收回贷款的可能性。"[3] Lynn

---

[1] 梁慧星、陈华彬编著:《物权法》,法律出版社1997年版,第359页。
[2] RonaldJ. Mann, Explaining The Pattern of Secured Credit. Harvard Law Review. Vol. 110. (1997).
[3] Alan Schwartz., Security Interests and Bankruptcy Priorities: A Review of Current Theories, 10 J. Legal Stud. 1, 7-30 (1981).

M. Lopucki 先生从三个方面作了阐述，即担保之债可以通过有阻却力的抵押等方式来维护贷方对特定的资产的持久利益；通过授予优先权而确保贷方能优先于其他人而受偿；通过增强贷方的救济而使贷方能较未担保之债的债权人及时获得清偿。[1] 笔者认为，担保之债的强制力在人的担保和物的担保之中的表现各具特色。在人的担保之中，由于债务人和保证人之间的特殊的信任关系，债务人往往会碍于保证人的情面而主动还债。当债务人不履行债务时，法律规定了保证人的补充还贷义务，从而通过这一连带责任而维护了债权人的合法利益。在物的担保之中，债权人有权对用于担保的物给予一定的支配，从而使债务人产生一定的心理压力，促使其早日还贷。债务人的及时还贷，恰恰维护了资金的安全，确保了贷款的经济效益。另外，担保之债的清偿时间优先于未担保之债，从此提高了担保之债的经济效率。

担保之债的间接优点主要表现在担保之债能够对借款人的不当行为施加影响，增强借款人的还款动机。[2] 详而言之，担保之债的间接优点表现在以下几个方面：

（1）限制随后的借款。借款人在经济交往中常常倾向于大量借款而增加企业的流动资金来扩大再生产，当然也有些借款人为躲避债务而拆东墙补西墙，所有这些行为都会增加债务人的负债，影响债务人的还贷能力。作为贷方而言，他出于维护其经济利益的角度，往往希望债务人能尽量少借款，而这种限制借款的意愿又很难寻找到法律的依据。然而，担保之债可以减少债务人

---

[1] Lynn M. LoPucki, The Unsecured Creditor's Bargain, 80 Va. L. Rev. 1887, 1892 - 96 (1994).

[2] Robert E. Scott, A Relational Theory of Secured Financing, 86 Colum. L. Rev. 901, 902 (1986).

的借贷能力,因为债务人一旦设定担保,其能够用于设定担保的筹码即担保物或保证人越来越少,对随后的贷款人而言,自然会减少放贷的吸引力。最终,债务人取得贷款的成本会大大提高,而迫使其放弃或延缓借贷。那么,债务人是否会为迎合随后的债权人的需要而与之约定优先还款呢?一般而言,这并不可能,一方面贷款方会对借款方先前的借款现状予以调查,另一方面这种条款会因违反法律的规定而失效,贷款人当然不会自寻烦恼。

(2)激发借款方的还款动机。一旦形成担保之债,当借款人逾期不还款时,债权人会利用其担保权而对担保物予以法律上的处分。以抵押为例,如果债务人逾期不清偿债务,则债权人将依据法定的程序对抵押物予以变卖,以卖得的借款优先清偿债务。一旦债权人实施该行为,债务人所受的损失决不限于赔偿债权额的损失,其损失还包括估算抵押物的款项、拍卖抵押物的款项、法院扣押抵押物的款项、因使用抵押物而给企业创造的经济效益损失,等等。所以,倘若因债务人的不当行为而使其陷入清算程序,债务人所受的损失将对其构成巨大的心理压力。所以,设定担保后,常常会激发借款人的还款动机,促成他按时还款。

(3)防止债务人参与过于冒险的事业。就借款人和贷款人而言,他们对所借款项关心并不完全一致,因而对即将从事的事业也有不同的看法。借款人为了实现其利润的最大化,常常倾向于从事冒险的经营,因为风险越大,其收益往往越大。而对债权人来讲,他更关心债权的安全性,如果听凭债务人从事冒险的事业,则债务人在获得较高利润时,"贷方从投资中得到的不会增加,如果商业失败了,则会增加贷方的损失",[1] 这对于贷款人

---

[1] Ronald J. Mann, Explaining The Pattern of Secured Credit. Harvard Law Review. Vol. 110. (1997).

而言，显然十分不公平。然而，如果贷款人在贷款时设定了担保，则情形将大不一样。设定担保的债权人可以通过对债务人行为的监管来保障其债权的安全。由于担保债权人对担保物有法律上的支配力，因此他在监管债务人的行为时往往有充分的发言权，其监管成本也相对少得多。担保债权人甚至可以在借款合同中与借款人约定监管条款，如要求债务人定期汇报企业的经营信息，要求对某些风险行为予以调查，禁止债务人从事某些不正当的交易，等等。总之，担保之债的债权人较之未担保之债的债权人而言，在监管债务人行为上有着更强的威力，因此其监管常常富有效率，从而维护了债权的安全。

（4）减少贷款人的监管成本。贷款人为了保障其债权的安全，常常需要对债务人的经营行为给予必要的监督。在设定担保的情况下，债权人的监管的成功性往往高于未设定担保之债，从而提高了监管的效率，也维护了贷款的安全。例如，在设定人的保证的情形下，由于保证人和债务人的特殊关系，债务人往往碍于保证人的情面而自觉还贷；保证人的加入使债权人认为保证人对债务人的负债能力比较了解，从而可以降低其调查债务人资信的成本；保证人为了不使自己陷入债务陷阱，也会对债务人予以一定的监管，此时原本由债权人承担的监管义务就转嫁给保证人，从而节约了债权人的监管成本；退一步讲，即使债务人到期不还贷，也有保证人来补充还债，债权人的债权也可能得以实现。因此，"担保制度具有分散违约风险的作用，可以将监管成本和实行义务的成本风险转嫁给另一当事人。"[1] 在设定物的担保的情形下，由于债权人根据法律的规定对担保物具有一定的支

---

[1] Avery Wiener Katz, An Economic Analysis of the Guaranty Contract, The University of Chicago Law Review, Vol. 66: 47, 1999.

配力,提供担保物的债务人或第三人会受到心理上的压迫,其经营行为自然会顾忌到担保人的监管,所以债权人常常可以以较小的监管成本来取得较好的监管效果。

既然担保之债有着诸多的优点,为何在实践中却有相当一部分债务人选择了非担保之债呢?其根本的原因在于担保之债的成本费用问题。一部分债务人以为担保之债的成本高于未担保之债的成本,降低了其借款的效率,因而倾向于选择未担保之债。

Avery Wiener Katz 先生认为,在未担保之债中,债务人的贷款成本由利息成本、资产本金化的成本、监管成本、讨债成本等费用所组成。[1] ①贷款人为了筹集放贷资本需要给资金的提供方支付利息;②贷款人在筹集放贷资本时有时需要将自己的一部分固定资本变卖而转换为资金,为此需要支付大量的资产评估、保险、调查和变卖费用;③债权人为了贷款的安全需要对债务人的行为予以监管,为此需要支付资产的监管和调查费用;④假若进行监管后,仍然不能避免借款人的破产和违约后果,则贷款人需要支付追讨债权的清算成本。当然,债权人不会自行承担上述成本,这些成本最终会通过贷款的形式而转稼到债务人头上。

相比之下,担保之债除存在上述成本外,尚在两个方面增加了贷款的成本,即达成贷款协议的成本和管理贷款的成本,这些都由担保而引起。借款人和贷款人在缔结贷款交易的过程中,增加了三个方面的成本,即信息成本、文件成本和登记成本。①借贷双方在达成贷款协议的过程中,双方当事人都必须付出信息成本。借方要分析其产品在市场上的销售情况,而贷方则要考察借

---

[1] Avery Wiener Katz, An Economic Analysis of the Guaranty Contract, The University of Chicago Law Review, Vol. 66: 47, 1999.

方的还款能力。在设定担保的情况下，担保借款的信息成本要远远高于未担保借款。Ronald J. Mann 先生在调查了一个不动产信托投资公司后发现，该公司为取得一笔1000万美元的非担保的借款而花费的费用为借款额的7.5‰，而如果是担保借款，则会花掉其15‰-20‰的费用，其中多出的费用是因公司的资产评估而引起。而在非担保之债中，债权人基于借款人的信用而放贷，自然可以省去担保资产的评估费用。[1] ②由于双方设定的是担保之债，借贷双方会因担保问题而增加相当多的文件谈判和签约费用。③担保之债签订后，有时需要依法对担保物的抵押或出质予以登记，这无疑又增加了额外的费用。就债权的管理成本而言，贷方出于维护债权安全的动机而常常苦口婆心地劝阻借方从事高风险的经营，而借方则认为贷方的干预妨碍他获得高收益，降低了借方对资金的最有效的利用，最终增加了交易的成本。那么，人们也许会问，借方和贷方为什么不能通过协商来解决因监管所产生的矛盾呢？实际上，由于双方的出发点并不相同，贷方总会利用其优势地位对借方的行为指手划脚，这难免会增加借方对其借款成本的预算。正是由于上述原因的存在，借方往往会借口说担保之债的成本太高，优点太少。

通过对借贷双方借贷心理的分析及借贷成本的比较，我们不难发现，借贷双方最为关心的因素是借款活动中的效率问题，即投入成本与产出收益之间的比率问题。债权人为了维护其借款的安全，常倾向于设定担保之债，而债务人有时为了节约贷款的成本而选择未担保之债。所以，因担保而产生的额外成本问题，是制约担保发展的一个最关键的因素。要扩大担保的适用范围，必

---

[1] Ronald J. Mann, Explaining The Pattern of Secured Credit. Harvard Law Review. Vol. 110. (1997).

须从削减担保成本入手。

综上所述，影响担保设定的因素主要有三个：安全因素、公平因素和效率因素。其中，追求债权的安全是债权人选择担保之债的最为重要的动机，也是决定债权担保的根本性因素；公平因素是债务人是否接受担保之债所应考虑的一个重要因素，如果担保的条款违反了公平原则，则债务人不会倾向于担保之债；效率因素是决定债权人和债务人是否采用担保之债的一个十分关键的经济因素，无论是债权人还是债务人，追求其经济效率的最大化都是其从事经营活动的直接动机，担保之债只有在经济效率优于非担保之债的情况下，才会促使当事人选择担保之债。考虑到三个因素的作用，如果要充分发挥担保之债的功能，必须从制度上完善担保之债的安全保障机制，确保在债务不履行情形下，发挥担保的补充还债功能；必须完善担保合同条款，维护当事人之间的利益均衡；必须修改相关制度，减少担保设定的成本，提高担保制度的效率。

第二节 安全性价值——权利质权的价值取向之一

所谓价值，一般是指客体满足主体需要的积极意义或客体的有用性。[1] 正如马克思所说，"'价值'这个普遍的概念是从人们对待满足他们需要的外界物的关系中产生的"，[2] "它们最初无非是表示物对于人的使用价值，表示物的对人有用或使人愉

---

[1] 张文显著：《法学基本范畴研究》，中国政法大学出版社1993年版，第253页。
[2] 《马克思恩格斯全集》，人民出版社1963年版，第19卷，第406页。

快等等属性。……实际上是表示物为人而存在。"[1] 法律制度作为人所创造的对象,当然与人之间存在着一种价值关系,它一方面体现了作为主体的人与作为客体的法之间需要和满足的对应关系,另一方面又体现了法所具有的、对主体有意义的、可以满足主体需要的功能和属性。当法律越能满足人的各种需要,便越具有价值,反之则呈零价值或负价值。就此而言,法律价值一般可以表述为在人和法的关系中所体现出来的法的积极意义或有用属性。古往今来的思想家曾提出过各种各样的法律价值,归纳起来,主要有自由、平等、安全、秩序、效益等价值。

权利质权制度作为法律制度的一种,当然具有法律制度的基本价值取向。在其价值取向中,结合债权担保设定的原因来分析,安全性应为该制度的首要价值取向。所谓安全性,一般是指人们保持其生命、财产、自由和平等等价值的状况的稳定化和持续化的一种属性。[2] 对安全的渴望是人们的一种本能反映,人们要求在生命、肢体、财产和自由在方面得到保护,而且这种需要会在他的整个一生中一直以某种形式伴随着他。[3] 那么,在法制社会,实现这种安全价值的工具便是法律,它作为一种社会关系的稳定器,能够确立一定的秩序来保障人们通过正当的法律预设的途径而实现其追求的目标。

合同法的制定即是人们寻求债权安全的体现。按照经济分析法学家的观点,如果当事人订有合同,那么,自愿交换会促进资源更有效的利用。但是,自愿交换的实现仰赖于双方当事人同时

---

[1]《马克思恩格斯全集》,人民出版社1963年版,第26卷,第326页。
[2][美] 博登海默著,邓正来译:《法理学:法律哲学与法律方法》,中国政法大学出版社1999年版,第293页。
[3][美] 博登海默著,邓正来译:《法理学:法律哲学与法律方法》,中国政法大学出版社1999年版,第294页。

依约履行。然而，在实际生活中往往会存在契约机会主义和未能预料到的突发事件，它们都将影响债权的实现。[1] 契约机会主义往往产生于经济活动的相继性。如果契约中的交换义务同时发生，则对契约权利的法律保护的需求不会那么强烈，但实际生活中当事人往往并非同时履行义务，因此一些人往往会违反约定，所以"人们通过制定契约法来阻止当事人一方采取机会主义，以促进经济活动的最佳时机选择，并使之不必要采取成本昂贵的自我保护措施。"[2] 此外，风险的存在也是妨碍合同实现的一个重要因素，由于自然界和社会中常常存在一些人们无法预料的风险，这些风险往往会阻碍合同的履行。所以，人们需要通过制定契约法来对当事人的权利和义务予以规范，并对不履行义务的行为规定明确的法律责任以督促债务人履约。不过，合同法的规定并非在任何情况下都十分有效，如果债务人无清偿能力，则债权人的权利最终会落空，所以当事人必须寻求更有效的途径来保护其债权的安全。

　　债权担保的设定是维护债权安全的一种有效的法律途径。维护债权的安全即是维护交易的安全，这种交易的安全在民法上称为"动的安全"，即法律对人们的取得利益的行为予以保护和认可，并使交易得以有效成立。人们通过设定债权担保制度，对债务人产生物质上和心理上的双重压迫，提高了债务人履约的自觉性，并能够救济因债务人不履行所造成的经济损失，维系了债权的顺利实现。所以，正如有的学者所指出的那样，商品交易关系

---

〔1〕［美］理查德·A·波斯纳著，蒋兆康译:《法律的经济分析》上册，中国大百科全书出版社1997年版，第115页。

〔2〕［美］理查德·A·波斯纳著，蒋兆康译:《法律的经济分析》上册，中国大百科全书出版社1997年版，第117页。

主要是一种债权债务关系,而债权担保制度乃是以促进债权的实现为己任,这正是保障债权安全的法律体现。[1]

权利质权制度作为债权担保的一种,当然应以促进债权的安全为己任。那么,权利质权制度如何来实现债权的安全呢?笔者认为,权利质权在维护债权的安全上有以下一些特点:

第一,权利质权的标的对于维护债权安全的影响。保障债权的实现是债权担保设定的主要目标,动产质权是通过对债务人或第三人财产的占有来达到督促其履行义务的目的,所以质权具有留置债务人或第三人财产的效力,通过这种支配力在心理上对债务人产生压迫,促使其履行债务。而在权利质权中,债权人往往要求债务人或第三人将债权证书、股权的权利证明文件、有价证券等移交债权人占有,这种权利的占有如同动产的占有一样,同样可以起到压迫债务人心理的作用,促成债权的实现。[2]此外,债权能得到保障还与担保物的价值密切相关,如果担保物的价值较大,则对债务人的心理压迫较大,在债务人不履行债务时也易通过变卖而得到充分的救济。就权利质权而言,其标的物为可转让的债权、有价证券、知识产权等权利,它们同样构成债务人或第三人财产的一部分,其价值较大,在质押时可以对债务人的心理起到压迫作用,促成其履行债务。此外,如果债务人到期不履行债务,则担保物是否能顺利变卖而使债务得以清偿也关系着债权人的利益。在以权利出质的情况下,如果出质的是可让与的有价证券,则债权人可以依法直接将其让与而获得清偿;如果出质的是债权,则债权人需要代位行使原本属于债务人或第三人的债权,以该债权的价值来实现债权人的权利,此时其风险性较动

---

[1] 董开军著:《债权担保》,黑龙江人民出版社1995年版,第36页。
[2] 杨与龄著:《民法物权》,台湾五南图书出版公司1982年版,第214页。

产质权大，因为它涉及到出质的债权的债务人能否履约的问题；如果出质的是知识产权，则债权人可以依法将该知识产权予以变卖而取得救济。尽管权利质权在实行时可能较动产质权复杂，但这种担保方式总体而言还是能够保障债权的安全实现。

多数权利质权是以财产的价值予以担保，这种价值一般不会随市场剧烈波动，不会危及债权的安全，但是，也有部分出质的财产权的价值会随着市场变化经常波动，从而不利于市场的安全。例如，在以股权质押时，由于股票的价值经常随市场行情而波动，当股票价值出现大幅下挫时，将会影响担保的效果，危害债权的安全。为此，当股票价值出现异常波动时，就需要采取适当的措施予以补救，以维护债权人的利益。在实践中，各国一般都规定，当股价下挫幅度超过预先设定的安全线时，债权人有权将其及时变卖，以提存的资金来保护其债权的安全。还有，当以知识产权设定质权时，如果知识产权有可能出现大幅缩水情形，也应允许债权人采取相应的措施来保障债权。

第二，权利质权的设定对维护债权安全的影响。债权人和债务人或第三人一般通过签订担保合同来设定权利质权，该合同应当遵循合同法的规范来订立，在债务人到期不履行债务时权利质权才能发挥其补充作用。权利质权的标的为可转让的财产权而不同于普通的动产，因而权利质权在设定上也区别于普通的动产质权。根据法律的规定，质权在设定时除要求当事人之间订有合同外还必须以质物的交付为合同成立的条件。各类权利质权的标的不同，因而在交付上也形态各异。如果是有价证券，则可直接交付于债权人；如果是债权，则应将债权证书交付于债权人；如果是股票，除交付于债权人外，还应在证券登记机构办理出质登记；如果是知识产权，应在相关管理部门办理出质登记。总之，权利质权在设定时，法律规定了特殊的设定方式，同时为了保护交易第三人的安全，要求某些权利在出质时应在国家相关部门办理出质登记，以维护交易的安全。

第三，权利质权的实行对维护交易安全的影响。设定权利质权的一个重要目的就在于当债务人到期不履行债务时能够通过对出质财产的变卖而获得对债权的救济，所以权利质权能否顺利得以实行，直接关系着所担保的债权的安全。而权利质权的实行需通过一定的法定程序，法定程序是否完善，直接关系着债权人的债权是否安全，这是因为规范的程序可以排除交易中的不确定因素，促使当事人在程序的引导下积极履行义务来达到共同的目的，实现交易安全与效率的完美结合。[1] 与动产质权相比，权利质权在实行时也有其自身的特点。就有价证券而言，债权人可以将其通过法定程序予以拍卖或变卖而得到清偿，但是，对于股票，当市场上股价急速下跌时，质权人一般应将其及时卖掉以保全其价值。就债权而言，如果出质的债权的清偿期早于被担保的债权，则质权人可以要求第三债务人提存其金额；如果出质的债权的清偿期晚于被担保的债权，则质权人可以在该债权到期后向债务人追索。就知识产权而言，质权人可以通过法定程序将其予以拍卖或变卖而取得清偿。总而言之，债权人可以通过法定的程序来处分出质的财产权而使其债权获得清偿。

---

[1] 许翔："交易安全制度的主要特性"，载《扬州大学商学院学报》1996年第4期。

第三节 公平性——权利质权的
价值取向之二

古往今来,公平一直是一种重要的法律价值。许多年以前,亚里士多德就在其《伦理学》巨著中对公平问题进行了分析,他认为公平有两种含义,有时被用作一切美德的同义语,说某人"公平",即说此人有德行;有时又是指一种品德,如有勇气、慷慨等。[1] 可见,公平在西方最初是指一种美德,这与中国古代对公平的看法有着异曲同工之处。在我国,《论语季氏》中曰:公平,"丘也,闻有国有家者,不患寡而患不均;不患贫而患不安;盖均无贫,和无寡,安无倾。"这即是中国古代公平观的鲜明写照,它表明公平就是平均、谦和、谦让、相处为安。

那么,亚里士多德的公平观的具体内容是什么呢?他认为,公平包括"分配的公平"与"矫正的公平",前者是指利益、责任、社会地位等在成员之间的合理分配,这种分配与人的功德大小相适应;后者是指在权利受到侵害时应根据损失的大小来获得赔偿。[2] 所以,亚里士多德的公平观是一种分配上的公平观,强调当事人之间应当合理分配,不偏不倚。这种公平观发展到现代即为约翰·罗尔斯所发扬广大,他的正义观就是有关公平的理论,具体包括:①每个人都应有平等的权利去享有人人享有的类

---

[1] R. 班布拉夫:《亚里士多德论公平:一个哲学范例》,转引自斯坦、香德著,王献平译:《西方社会的法律价值》,中国人民公安大学出版社1989年版,第75页。
[2] 斯坦、香德著,王献平译:《西方社会的法律价值》,中国人民公安大学出版社1989年版,第76页。

似的自由权体系相一致的最广泛的、平等的基本自由权总体系；②社会和经济不平等的安排应能使它们符合地位最不利的人的最大利益。[1] 也即，社会的自由权、财产、机会等利益应当向每个人平等地分配，这即是现代社会的公平观。这种公平观在私法领域一般表现为，主体之间应当公平对待，交换应是有偿互利；经济利益的分配应当合理兼顾，应得收入与贡献成正比；财产责任应当合理分担，当权利人的财产利益受到损害时，应该得到同等价值的补偿。

公平观在合同领域表现为对合同当事人的均等保护，即"强调当事人在订约过程中的法律地位的平等和在订约过程中的意志自由，以及通过合同实现等价交换，强调当事人应以公平、正义的观念指导自己的行为，并在合同的订立和履行中尊重他人和社会的利益。"[2] 权利质权的设定一般由当事人通过订立担保合同来完成，因而权利质权制度也应体现对当事人的平等保护，兼顾当事人双方的利益。具体而言，公平观在权利质权制度中的体现表现在以下几个方面：

第一，权利质权标的的妥当性。权利质权标的的妥当性是指权利质权的标的应当属于财产权的范围，且这种财产在利用时不得违反社会公认的善良风俗原则。对此，我们可以从历史上的实例来解释。在很久以前，古希腊的历史学家希罗多德曾在其著作《历史》一书中记载说，古埃及人为了借款曾将其父亲的木乃伊移交给债主作质押，由于木乃伊宗教色彩浓厚，债务人当然愿意

----

[1] [美]约翰·罗尔斯著，谢延光译：《正义论》，上海译文出版社1993年版，第330页。
[2] 王利明、崔建远著：《合同法新论·总则》，中国政法大学出版社1996年版，第74页。

履行债务来赎回质物。而在古雅典和古罗马，债权人和债务人也曾作过这样的约定，一旦不偿还借款，债务人就会沦为债权人的奴隶，除非债务得以清偿。[1] 无论是以父亲的木乃伊还是以债务人的人身来出质，从本质上讲都是债权人利用其优势地位对债务人的一种欺压，同时也违反了社会公认的善良风俗原则，是一种十分不公平的担保方式。所以，当社会步入文明之时，以人身或以木乃伊作质押的方式受到禁止，只有那些可转让的财产才能作为质押物。就权利质权而言，用以质押的对象是一种权利，考虑到对债务人的法律保护，各国法律都毫无例外地规定，出质的权利必须是可转让的财产权，人身权利不得作为质押的对象。[2] 这种变化，反映了现代文明社会对公平理念的渴望。

第二，权利质权设定程序的公平性。权利质权的设定一般通过当事人订立合同而完成，因此这种合同同样应当遵循合同法的基本原则，即当事人应当平等协商，讲诚实守信用，合同内容应当公平无欺，不损害他人利益。具体而言，债权人一方不得利用其优势地位强迫债务人接受不合理的条款，债务人也不得提供虚假的财产来担保。

第三，权利质权实行上的公平性。权利质权实行上的公平性是指当债务人不履行债务时，债权人在通过法定程序对债务人的财产予以处分时应当遵循公平原则，而不得滥用权利。具体而言，当债务人不履行债务时，债权人如需处分质押物来清偿债务，则应通过法定的程序来变卖质物，以保证质物变卖的价格的公平性，使债务人的利益不受损害。此外，债权人在与债务人签

---

[1] Valerie Seal Meiners, Formal Requirements of Pledge Under Louisiana Civil Code Article 3158 and Related Articles. Louisiana Law Review, 1987.
[2] 参见《德国民法典》第1274条，《日本民法典》第362条。

订担保协议时,不得在合同中规定"流质"条款。所谓"流质"条款,即债权人与债务人在合同中约定,如果债务人到期不履行债务,则由债权人取得质物的所有权。流质条款之所以被各国法律否定为无效,乃是因为债权人的经济地位远较债务人为优,如果债权人利用债务人一时的窘迫而借助契约自由主义,迫使债务人订立流质条款,以价值较高的质物来担保价值较小的债权,则可趁债务人不能还债之机而取得质物的所有权。这种情形显然有违各国公认的公平原则与正义的观念,不利于保护弱者的利益,所以,近现代各国的民法大多都禁止流质条款的存在。

第四节 效率性——权利质权的价值取向之三

效率,又称为效益,一般是指从一个给定的投入量中获得最大的产出,即以最少的资源消耗取得同样多的效果,或以同样的资源消耗取得最大的效果。[1] 现代社会发展的历史表明,整个经济领域一直是以追求效率最大化为其价值取向。那么,法律学在对社会经济问题进行研究时,应当将效率观点导入研究方法中,自觉地以效率原则来指导立法和实践,并使之上升为指导市场和市场行为的准则。反之,如果"没有合适的法律和制度,市场就不会体现任何价值最大化意义上的'效率'"。[2]

那么,如何实现效率的最大化呢?美国芝加哥大学法学院的

---

[1] 张文显著:《法学基本范畴研究》,中国政法大学出版社1993年版,第273页。
[2] [美]罗伯特·库特:"科斯的成本",载《法律研究杂志》第11期(1982年1月)。

教授科斯创立了著名的科斯定理。该理论包括三个方面的内容：①如果存在"零交易成本"，不管选择法律规则，有效率的结果都会出现。②如果存在着"实在交易成本"，有效率的结果就不可能在每个法律规则下发生。③产权的界定、安排和重新安排都存在交易成本，并且都有可能被过高的交易成本所妨碍。[1] 就现实世界而言，不可能存在"零交易成本"，只存在"实在交易成本"，这种交易成本包括获得准确的市场信息所需的成本、讨价还价与签订合同所需的成本以及监督合同执行的成本。在上述情形下，有效率的结果不可能在每个法律规则之下发生，有效率的法律规则应为使交换的成本降为最低的规则。

上述理论启示我们应根据效率原理来分析和评价权利质权制度。一般而言，法律应当在权利界定上使社会成本最低化，因此法律应当选择一种成本较低的权利配置形式和实施程序。所以，权利质权制度，应当遵循交易成本最低化的原则，协调债权人与债务人及第三人之间的利益，以实现社会资源的最优配置，推动社会经济的进步。

如前所述，对借款中，债权人的贷款成本主要由利息成本、资产本金化的成本、监管成本、讨债成本等费用所组成，如存在担保，那么，贷款成本还应包括达成贷款协议的成本和管理贷款的成本。上述这些成本，一般会由借款人和贷款人来分担，从实际情况来看，贷款的成本往往以利息的方式转稼到债务人头上。所以，债务人常常因高昂的担保成本而倾向于寻求非担保之债，这对于发挥担保制度的功能而言，相当不利。权利质权作为担保方式的一种，其最终目的仍然是通过对债权的担保，促进债权的

---

[1] 张文显著：《二十世纪西方法哲学思潮研究》，法律出版社 1996 年版，第 214 页以下。

实现，保障债权的安全，但这种制度在设定时仍应遵从市场经济的基本规律，讲求效率价值。具体而言，权利质权制度应从以下几个方面来实现效率目标：

第一，通过财产权与物质实体的分离而降低债务人的担保成本。在动产质权中，债务人或第三人应将出质的动产移交给债权人作为质押，这种质押方式会对债务人的生产造成较大的影响。对此，Williamson 先生认为物的担保之债对债务人的间接代价主要有四种。①担保之债限制了债务人将来对担保物的处分；②对特定资产设定担保可能会威胁到债务人在无力清偿到期债务时失去这种特定资产的价值；③在债务人无力清偿到期债务时，担保债权人能迅速处分担保物的能力限制了债务人改善和调整能力的发挥；④担保债权人对担保物的控制能力会影响债务人的经营决策权。[1] 具体而言，动产质权的标的一般为生活用品和生产工具，它们在设质时非常方便，且能发挥留置的效力，适应广大民众金融周转的需要。正因为如此，动产质权在消费性融资领域，一直是"消费性融资之主要手段，自古迄今，一直占有王者之地位"。[2] 但是，动产质权的设定以占有标的物为成立要件，而标的物的占有会剥夺出质人对质物的利用权，与抵押权相比，这正是动产质权所存在的致命弱点，所以动产质权的设定会对质物的利用和处分造成障碍。此外，用于出质的质物对债务人而言，其价值可能远远大于在市场上变卖的价值，但在债务人无力清偿债务时，债务人会失去该特定财产，这对他而言无疑是一个损失。还有，债务人在资产上设定的担保之债会降低该资产出售的

---

[1] O. Williamson, " Credible Commitments: Using Hostages & Support Exchange" (1983) 73 American Economic Review 519.

[2] 谢在全著：《民法物权论》下册，中国政法大学出版社1999年版，第756页。

可能性，使债务人很难调整投资和生产策略。同时，当债务人无力清偿债务时，债权人处分担保物的可能性会减少债务人调整和改善经营的时间。最后，当债务人不能到期清偿债务时，提供担保物的企业的经营人员因丧失了对质物的处分权而常常在企业失去了发言权，从而失去了许多经营决策权。所以，提供质物来担保常常会给债务人带来较多的代价。

从财产制度的发展来看，现代财产法注重和强调对财产的利用而不仅仅是保护财产的所有权。在传统罗马法中，所有权在经济运行活动中被视为法律调整的重心和出发点，所有权静态的归属性和本体的完整性被置于至高无上的地位，因为罗马法"基本的出发点是解决财产归属的问题。"[1]而在现代社会，受社会的所有权观念和个人与社会调和的所有权思想的影响，人们普遍要求所有权的行使应顾及社会公共利益，应当充分发挥物的效用以增进社会福利。受此影响，"非所有人利用他人财产活动的日益普遍和自主，使财产归属对财产利用的支配力日趋减弱，财产利用逐渐回归其本身的客观属性并表现出独立的实际意义。"[2]所以，现代财产权制度的立法目的，不仅在于确认权利主体对财产的占有支配，而且意在促进财产的动态利用，以求最大限度地发挥资源的效用。而在动产质权中，质权的设定以质物的交付为设定要件，这在某种程度上会极大地妨碍对物的有效利用，所以动产质权不太利于发挥资源的利用价值。

就权利质权而言，其标的为可转让的财产权而非物质形体，

---

[1] 孟勤国："中国物权制度的基本构思"，载杨振山主编：《罗马法·中国法与民法法典化》，中国政法大学出版社1995年版。
[2] 孟勤国："占有概念的历史发展与中国的占有制度"，载《中国社会科学》1993年第4期。

从而实现了财产权与物质实体的分离。尤其是在商品证券化和权利证券化的潮流下，多数财产及财产权都可通过证券化方式实现权利与物质实体的分离。例如，储存或运送中的货物可因仓单、提单等证券的发行而证券化，债权、股权可通过债券、股票等形式证券化，金钱可通过票据而证券化，甚至是知识产权也可实现证券化。上述种种迹象表明，当以权利质权来设定质权时，透过对证券或债权书据的占有，已能产生占有标的物的功能，其实质是占有标的物的交换价值。这种占有不仅能发挥留置的效力，而且与质权所需要的公示作用相一致。对出质人而言，由于质权人仅占有证券，所以证券所表示的物品仍可继续运送或储存，从而可以节约出质人的担保成本，也与现代民法的重视物的利用的观念相一致。此外，由于权利质权人所占有的股票、公司债等物通常非出质人生活必需之物，因而动产质权留置所引起的严重妨碍出质人利用权的弊端在权利质权中几乎隐而不见，所以该制度广受社会民众所欢迎。对此，我国台湾地区的学者谢在全先生感叹说，"权利质权势将在投资性融资领域中占有一席之地，甚至与抵押权并驾齐驱，成为投资性融资手段之宠儿。"[1]

第二，权利质权在设定上的特殊性可节约债务人的担保成本。动产质权在设定时不仅需要当事人之间的合意，而且需要出质人将质物移交质权人占有，从而增加了质物的移转成本。而权利质权在设定时，不需要移交实物，只需移交表示权利的凭证，从而可以节约一定的移转成本。当然，对于一些特殊的权利的出质，如知识产权的出质，往往需要在国家机关相应部门登记，这会增加一些设定成本。

第三，权利质权的设定可节约债权人的监管成本。债权人在

---

[1] 谢在全著：《民法物权论》下册，中国政法大学出版社1999年版，第757页。

借贷交易中为了保护债权的安全,通常需要对债务人的经营状况进行监管,以提高借贷资金的利用效率。在设定权利质权的情况下,虽然债权人仍然需要监管债务人的经营活动,但由于有担保的存在,债权人可以以法律规定的形式"占有"出质的财产权或表示权利的凭证,从而对债务人形成类似于"留置"的压力,迫使债务人按时履行债务。所以,在设定了权利质权的情形下,债务人履行义务的积极性会大幅提高,债务人资金的投向比较安全,从而可以大大减轻债权人的监管成本,提高债权人的经济效率。尽管与动产质权相比,对权利的"占有"似乎不如对动产的占有的留置效力大,但"占有"权利相当于占有了财产的交换价值,同样可以使债务人产生一定的心理压力。

第四,权利质权在实行上可以节约债权双方的清算成本。权利质权同其他担保制度一样,具有补充性,当债务人到期不履行债务时,债权人可以通过对出质财产权的实行来满足其债权,这是保障债权安全的最后一道屏障。与动产质权相比,权利质权的特殊性有时可为双方节约一定的清算成本。例如,当出质的对象为股票、债券、汇票、本票、支票等有价证券时,质权人可以直接将其予以变卖或直接兑现而取得其价值,这较动产的拍卖要节省成本。不过,对于有些财产权如普通债权、知识产权等权利,在实行时不一定比动产质权方便。就普通债权而言,一般由第三债务人向出质人履行债务,出质人再向债权人履行债务。如果第三债务人违反了义务,则出质人需花费成本向第三债务人追偿。如果出质人不追偿,则债权人需花费成本向第三债务人代位追偿。所以,只有在第三债务人和出质人都主动清偿债务的情况下,才会节约债权人的担保成本。就知识产权而言,由于其权利的特殊性,它在设定和实行时一般都要进行登记,从而增加了交易的成本。而且,知识产权在评估时极为复杂,其价格确定方法被会计学界公认为"资产管理和资产评估中最难解决的问题之一"，[1]这些都成为制约知识产权设质的"瓶颈"，都在一定程度上增加了债权人的担保成本。

虽然权利质权在一定程度上可为债权双方节约经济成本，但实践中仍存在诸多的影响权利质权效率的因素。例如，股权质权、知识产权质权在设定时一般应在国家相应的主管部门进行出质登记，而某些部门在办事时效率低下会影响质权的设定，加大当事人的经济成本。此外，权利质权在设定时常常需要进行评估，而我国的无形资产评估业出现于20世纪80年代后，1993年全国才开始正式的无形资产评估，起步较晚。而且，据许多学者的调查，我国目前在无形资产评估方面问题的确不少，①执业主体对行政机关依附性强。多数无形资产评估机构都由行政机关发起创立，分属不同的行业主管部门，评估业务的受理多由行政机关指派或变相指派，缺乏面向市场、独立评估的能力，因此其在设立上存在"先天不足"；②执业人员素质差。目前的评估人员多为从行政机关分流出来或离退休人员及部分聘用人员，工作上"半路出家"，业务生疏甚至常发生错误，因而其设立后"营业不良"；③评估行为不规范。目前我国无形资产的评估缺乏统一的执业规则，没有统一的口径和标准，许多评估的技术鉴定不科学，评估结果堪忧。[2]引起上述问题的原因主要有法律不健全、行政干预严重、评估机构设立不规范等因素。这些问题的产生都会对出质权利的评估带来很多负面影响，不利于权利质权的

---

[1] 刘京城编著：《无形资产的价格形成及评估方法》，中国审计出版社1998年版，第1页。

[2] 参见卢平等："对我国无形资产评估立法问题的思考"，载《法商研究》1996年第3期。

推广应用，也加大了当事人的经济成本。所以，要提高权利质权制度的利用效率，使其真正成为一项基本的担保制度，必须改革权利质权的登记办法，提高设定和实行的效率，同时，我们也应健全相应的无形资产评估办法，规范资产评估市场，为权利质权的设定提供便利的条件。

第四章 权利质权的标的

第一节 财产形态的演变及启示

权利质权的标的也称权利质权的客体,通说认为,权利质权的标的为可转让的财产权。在整个权利质权制度中,标的问题是整个权利质权制度的基础,也是决定该制度区别于其他相关制度的最为关键的因素,并且是理解该制度的起点。所以,有关权利质权标的的研究应为该制度研究中的重中之重。鉴于理论界将权利质权的标的理解为可转让的财产权的现实,笔者认为,在理解权利质权的标的时应从财产形态的历史演变谈起,因为财产是民事权利的重要的客体,其形态的演变直接关系着人类社会经济生活的广度和深度。只有这样,方能充分认识到各种财产之间的关系,进而认清权利质权与动产质权之间的内在联系。

一、物应有体:有形财产制度的历史扫描

(一)罗马法的立法例

人们在分析财产制度的演变规律时,往往要追溯到古罗马的物权制度。在古代罗马,物(res)是用来表述财产权客体的基本概念,其含义有广义与狭义之分。广义的物是指除自由人之外存在于自然界的一切东西,包括对人有用的,无用的,甚至是有害的一切东西。狭义的物是指一切可为人力所支配、对人有用,并能构成人们财产组成部分的事物。[1] 最初,只有动产被看作是私人财产的重要组成部分,奴隶因不享有自由权而被当作牛马可以由主人自由处分。随着奴隶制经济和私有制的发展,不动产诸如土地、森林、牧场等重要的生产资料也逐渐被确认为私权的重要客体。概言之,罗马法以"物"为客体范畴,在其基础上设计出了以所有权为核心的财产权制度,进而为物权制度、债权制度的形成奠定了深厚的文化底蕴。

  罗马法时期的法学家们很早就开始了对物的分类,如非财产物与财产物,要式移转物与略式移转物、动产与不动产、有体物与无体物、特定物与不特定物,等等。其中,要式移转物与略式移转物的划分是罗马法的基础,但是,真正对后世立法影响最大的莫过于动产与不动产、有体物与无体物的分类。

  罗马法中的动产(res mobiles)一般是指能够自行移动或用外力移动而不改变其性质和价值的有体物,如用具、奴隶。不动产(res immobiles)是指不能自行移动也不能用外力移动,否则就会改变其性质或损害其价值的有体物,如土地或房屋。尽管这种分类在古罗马法中没有引起足够的重视,但在近代法中,该分类可以揭示物的本质和复杂性,其分类方法更具物理意义、更简单化。[2] 而且,动产与不动产的划分可以反映物的价值大小。一般而言,不动产的价值大于动产的价值,因此二者在权利的设定和移转方面总存在较大的差别。值得注意的是,古罗马法也曾

---

[1] 周■著:《罗马法原论》上册,法律出版社1994年版,第276页。
[2] 尹田著:《法国物权法》,法律出版社1998年版,第85页。

根据将这一划分方法适用于权利的分类上。除所有权外,地上权、永佃权、地役权、不动产抵押权等权利也根据其客体的性质而区分为动产和不动产。显然,这种区分具有高度的抽象性和概括性,但其分类依据似具有一定的机械性。

有体物与无体物的分类也是罗马法的一大特色。有体物是指按其性质能被触觉到的东西,如土地、奴隶、衣服、金银等。无体物是指不能被触觉到的东西,这些物是由权利组成的,如遗产继承权、用益权、使用权、债权等,也即它们是人们所拟制的物。[1] 当然,在无体物的分类中,仅有能以金钱来评价的权利才能作为无体物,而自由权、监护权等具有人身性的权利不能作为物。对于罗马法的这种分类,学者们褒贬不一。持反对意见的学者认为,罗马法的这种将物与权利相混淆的作法,确实有让人难以把握的弊病。[2] 对此,笔者认为,罗马法中的财产权制度主要以有体物为基础,其无体物不过是以有体物为标的的权利,因此有体物应为其财产的主要形态。不过,罗马法所提出的无体物的概念,昭示了权利与物之间的关系,为后世无形财产的提出作了理论上的铺垫。

(二) 大陆法系国家的立法例

与罗马法不同,法国很早以前就对动产与不动产的分类给予了充分的认识。在古代法国,土地是最基本的财富,它代表着经济权力和政治权力,是财富与王权的来源。由于土地总是被控制

---

[1] [罗马] 查士丁尼著,张企泰译:《法学总论——法学阶梯》,商务印书馆1989年版,第59页。
[2] 孙宪忠著:《德国当代物权法》,法律出版社1997年版,第3页。

于家族内部且代代相传，故将之称为"祖业"。[1] 正是基于土地的重要性，所以法国古代法将财产划分为动产和不动产。1804年颁布的《法国民法典》继承了法国古代法的体例，将动产与不动产作为财产（bien）的最重要的分类依据。根据该《法典》的规定，一切财产或为动产或为不动产。财产或依其性质，或依其用途，或依其附着客体而为不动产，包括地产、建筑物、不动产之用益权、地役权等。财产依其性质或由法律确定也可为动产，包括牲畜、债权、股权等。[2] 这种动产与不动产之间的分类是以财产的物理属性为标准，同时辅以法律的强制性规定。通过这种分类一方面可以揭示财产之间的物理属性，另一方面也便于人们认识到财产之间的价值差异，为在法律上对各类财产权的设定、转移规定不同的适用标准提供理论上的支持。但这种分类的弊端也很明显，即该分类所涉及的事物总是有限的，而且这种分类越精细就越僵化，以至于在一定时期便不能正确反映发生变化的社会经济现实。[3] 从上述分类中，我们还可以看出《法国民法典》的另一特色，即将财产划分为有体物与无体物。法国民法继承和发展了罗马法的传统，除继续采取这种分类外，还大大扩展了无形财产（即无体物）的范围。在法国法上，无形财产一般是指不具备实物形态，只能通过思维的、抽象的方式认识其存在的财产。其中，除了《法国民法典》第 529 条所规定的债权、股权、定期金等权利外，基于作品、专利技术、商标、商号等知识产品之上设定的"无形产权"（propriétés incorporelle），同样是现代法国社会财富中十分重要的组成部分。不过，在法国

---

[1] 尹田著：《法国物权法》，法律出版社 1998 年版，第 85 页。
[2] 参见《法国民法典》第 516 - 536 条。
[3] 参见尹田著：《法国物权法》，法律出版社 1998 年版，第 88 页。

社会，有形财产（即有体物）依然是法国社会经济生活中最为重要的财富。据法国学者的统计，不动产在法国现代家庭的财产价值中所占比例仍高达62.5%。[1] 法国民法的这种立法例也对意大利、奥地利等国的民法典产生了深远的影响。

德国民法在继受罗马法的过程中形成了不同于法国民法的风格，其民法上的物仅指有体物，也即具有外在形体可以为人所把握的物。据学者研究，德国民法的这一规定主要是对物权法具有意义。在德国民事诉讼法中，可以作为民事诉讼执行对象的物，是一切客体或者对象，既包括有体物，也包括无体物，甚至是权利。而且，在《德国民法典》的其他编章如债编中，物也不仅仅指有体物，它包括可以成为民法上财产的无体物。[2] 由此可见，德国民法上"物必有体"的原则主要运用于物权法。同法国民法一样，动产与不动产分类是德国民法上物的最重要的分类，由于其物的概念的特定性，动产之中不包含权利，但人们一般认为对权利也可适用动产的法律规则。因此，作为标的的权利具有类似动产的属性。此外，在德国民法中，权利物权制度包括权利用益权和权利质权两大部分，因而在法理上，财产权利本身可以当作物来看待。

在大陆法系各支系中，日本民法较接近于德国民法。1898年施行的《日本民法典》在物的概念方面采纳了德国民法的规定，对物仅取有形物的概念，排斥无体物的说法。[3] 但是，《日本民法典》对无体物问题也采取了较为务实的作法，依照罗马

---

[1] 尹田著：《法国物权法》，法律出版社1998年版，第88页。
[2] 参见孙宪忠著：《德国当代物权法》，法律出版社1997年版，第2页；[德]迪特尔·梅迪库斯著，邵建东译：《德国民法总论》，法律出版社2000年版，第889页。
[3] [日]田山辉明著，陆庆胜译：《物权法》，法律出版社2001年版，第10页。

法的规定创设了准占有制度,允许权利抵押、权利质押的存在,地上权、永佃权均可成为抵押权的客体。所以,就实质而言,日本民法还是将权利作为类似于物的客体来看待。

财产一词在荷兰中用"eigendom"一词来表述,其旧民法典第555条的规定与法国民法中的物的概念很类似。但是,其1992年的新法律效仿了德国法的规定,将eigendom限于土地或有形的动产。[1]

从大陆法系国家的立法例我们可以看出,物一般有动产与不动产之分,以法国为代表的国家采类似古罗马法的广义的物的概念,将物分为有体物与无体物,而以德国为首的国家则将物主要限于有体物,将权利比照动产来处理。总之,有体物在上述国家的民法制度中占据着十分重要的法律地位。

(三) 英美法系国家的立法例

英美法系国家在规范财产权利的客体时,没有采取大陆法系国家的物的概念,而是采取比较务实的作法去拓宽财产法的调控范围,从而形成了独具特色的财产制度。在财产的形态上,英美法在11世纪时期还曾将财产权看作是对物的绝对的统治,强调财产的"物质"属性,将物局限于有体物。[2]但随着历史的发展,这种观念已不合时宜,越来越多的人主张将财产扩大到债权、地役权、知识产权等非物质财富上,此时财产的范围发生了

---

[1] Wolfgang Mincke, Property: Assets or Power? Objects or Relations as Substrata or Property Rights, included in J. W. Harris, Property Problems From Genes to Pension Funds, Kluw Law International Ltd. London, 1999.

[2] Deborah Fisch Nigri, Theft of Information and the Concept of Property in the Information Age, included in J. W. Harris, Property Problems From Genes to Pension Funds, Kluw Law International Ltd. London, 1999.

深刻的变化。英国根据诉讼请求的结果将财产分为实产（real property）和属人财产（personal property）两类。前者是指可请求返还特定物的财产，而后者是指可请求给予损害赔偿的财产。其分类的理由在于，土地在历史上曾被看作是英格兰惟一可请求特定返还的财产，所以土地被认作是实产。而在动产诉讼场合，被告人既可以返还有关的动产，也可以给付损害赔偿，所以，动产被认作是属人财产，一般通过个人的诉讼行为来解决。这种分类在现代社会的意义不大。[1] 动产与不动产的分类是现代英美财产法关于财产的基本分类。其动产又可以分为两类，即有形动产（tangible personal property）和无形动产（intangible personal property）。所谓有形动产，是指实物动产，如汽车、家用电器、马匹等；无形动产则是指非实物财产，如银行帐号、有价证券、专利等。[2] 对于这种分类，Dicey 教授持批评意见，他认为，"动产和不动产的区分对于无形财产（intangible property）而言不太适用，因为不能触摸到的东西的当然不能移动。因此，从逻辑上讲，物应被分为两类：①有形物，包括可移动的和不可移动的；②无形财产。"[3] 笔者认为，有体物应为现代英美财产法中的最为重要的类别，人们可以根据物的可移动的属性将之区分为动产和不动产，以揭示各类财产之间的属性，确定适用于各财产的法律规范。对于无形财产是否属于动产的问题，诚如 Dicey 教授所言，讨论不能触摸到的东西的可移动性确实有些牵强附会，所以宜将无形财产从有形财产中独立出来，单独作为一个财产类别来

---

[1] Olin L. Browder, Jr. Roger, A. Cunningham, Allan F. Smith, Basic Property Law, West Publishing Co. 1984. 4th. edi.
[2] 李进之等著：《美国财产法》，法律出版社 1999 年版，第 22 页。
[3] Dicey & Morris, The Conflict of Laws (Collins, ed), 12th edn (Sweet & Maxwell, 1993). p. 506.

对待。不过，在具体适用法律规范时，可以在某些方面适用动产法律规范。

（四）现代社会有体物含义的扩充

在传统民法中，有体物是指具有外在形体能被人触觉到的物，它具有能被人支配性、非人身性和独立性的特征。[1] 然而，随着社会科学技术的发展，光源、电力、瓦斯、天然气等物质也为人们所控制并利用，成为市场交易的对象。这些物质既没有具体的外在形态，又不能为人们感官所感知，因此，罗马法的有体物理论无法给予其满意的回答。所以在人们认识有限的年代，有体物之"体"局限于它的外在之"形"。但进入近代社会以来，民事理论已摒弃了这种过时的观点，正如胡长青先生所言："所谓有体物，与定形之物不同，故有体物不必有具体之定形，凡占有一定空间之物体，皆为有体物。"[2] 在立法例上，瑞士民法、韩国民法已有类似的规定。[3] 总之，光源、电力、瓦斯等自然力具有客观实在性，是不依赖人们感觉而存在的，所以人们能感觉到其存在并予以控制，这与普通有体物的属性具有共同性，因此这些自然力也可视为"有体物"。从这种物的含义的扩充我们还可以看出，在物的属性中，人们更重视物的可支配的属性而淡化其形体的差异。

二、无形财产：权利之抽象化

如果说古罗马社会是无形财产的萌芽时期，那么近现代社会

---

[1] 王泽鉴著：《民法总则》，中国政法大学出版社2001年版，第208页。
[2] 胡长青著：《中国民法总论》，中国政法大学出版社1997年版，第153页。
[3] 参见《瑞士民法典》第713条；《韩国民法典》第98条。

则是无形财产获得大发展的阶段。这种财产不同于有形财产的一个本质特征就在于，它不是现实世界中原已存在的事物，而是人们主观拟制的产物。

(一) 古罗马法中无体物的特色

在古罗马法中，物有有体物与无体物之分。所谓无体物，一般是指不能被触觉到的东西，如继承权、用益权、债权等。据学者考证，关于有体物与无体物的区别是在罗马帝政时期出现的。[1] 罗马法中为什么会存在这种区别呢？英国分析法学派的奠基人约翰·奥斯丁认为，其惟一的可能是受斯多葛学派的影响。[2] 斯多葛学派是流行于古希腊和古罗马的一种哲学流派，其奠基人物是塞米特和芝诺，"自然"的概念被置于其哲学体系的核心地位。该学派对于罗马的文化和哲学都发生了深远的影响，有体物和无体物的区别即为一例。该学派认为，"现实世界中存在四种无体物 (incorporeal things)：时间、空间、虚无和含义 (lekta, 即词义或句义)。"[3] 这些无体物虽然不为人们所感知，但它们却能够维持下来，之所以得以维持的原因是因为人们通过思维的抽象而将它们反映在客观世界之中。而且，该学派认为，在现实世界中，仅有微粒存在，宇宙不过是由无体物来组成的，这些物纯系人们精神的想象。

那么，斯多葛学派的哲学观是如何影响了罗马法上无体物的形成呢？澳大利亚的 Peter 教授认为该学派所提出的"含义"

---

[1] W. W. Buckland, The Main Institutions of Roman Private Law. Cambridge at the University Press, 1931, p. 91.
[2] See J. Austin, Lectures on Jurisprudence, 5th ed., London, 1885.
[3] See J. M. Rist, Stoic Philosophy, Cambridge, 1969, pp. 152 – 153.

(lekta）这种无体物是衔接罗马法的关键。[1] 所谓含义,是指人们所表达的意思,比如戏剧中的词义。由于含义是思维的产物,所以它们在客观世界中没有外在的形体,但它们是构成人们观念的基本要素。就此而言,当无形的表达步入人们思维之中时,它就被赋予了有形的力量。当然,这种无体物应为一种形而上学意义上的物,它纯属人们思维的产物。尽管客观世界不存在该物,但一旦人们将之抽象出来,它就会对人们的行为施加影响,甚至成为法律所规范的对象。古罗马法正是在斯多葛学派的抽象的"无体物"的观念下发展了自己的无体物（res incorporals）概念,从而步入了形而上学的王国。罗马人将继承权、债权、用益权这些观念性的东西抽象为"无体物",因为它们与"含义"一样虽没有外在的形体但可以为人们所认识并在思维中存在,所以与有体物一样可为人们所控制。换而言之,无体物乃是人们对法律关系的一种高度的抽象。不过,罗马法中的无体物与有体物存在着天然的联系,即它们是由设定于有体物之上的权利形成的。[2] 后来在历史上,这种无体物的观念对后世各国的民事制度曾产生了积极的影响。

（二）英美法上诉体物观念的形成

古罗马法对英美民事制度的直接影响便是诉体物制度的形成。公元11世纪,欧洲的罗马法复兴运动如火如荼,客观上促

---

[1] Peter Drahos, A Philosophy of Intellectual Property. Dartmouth, Aldershot, 1996, p. 17.
[2] See Peter Drahos, A Philosophy of Intellectual Property. Dartmouth, Aldershot, 1996, p. 18. 我国学者吴汉东教授也认为,土地使用权等权利的客体为有体物。参见吴汉东:"无形财产权的若干理论问题",载《法学研究》1997年第2期。

进了罗马法走向世界,推动了欧洲的民法发展。直至今天,我们还可以从大陆法系和英美法系国家的财产制度中窥见罗马法中的无体物的痕迹。从某种意义上讲,罗马法上的无体物的观念是促成英美法系国家诉体物产生的催化剂。[1] 所谓诉体物,也被称为"诉讼中的动产"(choses in action),是指不能通过占有而取得的物,而必须通过诉讼才能享有的物,如债权即属于诉体物。[2] 由于有体物与无体物之间的区别并不明显,所以人们导入了诉体物的概念来揭示其性质。有体物一般可归于占有物,即需要通过占有而享有的物,不动产疆界的界定、有形动产物的利益的存在,根据其标的物本身即可划定;而无体物是由于其标的的非物质性不能通过占有来享有,必须通过诉讼方能享有利益。

诉体物的导入对英美财产法的结构产生了深远的影响。首先,诉体物以是否通过诉讼作为财产分类的标准,从而淡化了无体物与有体物之间的联系,削弱了无体物对有体物之间的依赖,使无形财产逐步演变为英美法上一项重要的财产类别。其次,诉体物的提出使人们能够更清晰地辨认出权利转让的对象。在英国古代法中,通行权的转让常常被归于土地权利的转让,从而产生了法律适用上的混乱。[3] 而在引入诉体物的概念后,通行权被作为一项诉体物转让,这促进了法律体系的完善。再次,诉体物是一个极具抽象性的概念,它可以将有体物体系所无法囊括的诸多的新财产尽收其中,有利于扩大财产法的调节范围。对此,

---

[1] See Peter Drahos, A Philosophy of Intellectual Property. Dartmouth, Aldershot, 1996, p. 19.
[2] 参见 [英] F. H. 劳森、B. 拉登著:《财产法》,中国大百科全书出版社 1998 年版,第 19 页。
[3] F. W. Maitland, The Mystery of Seisin, in Anglo‐American History. Cambridge at the University Press, 1909, p. 620.

Peter 教授满怀激情地指出:"通过罗马法中的无体物与英国法中的诉体物之间的联接,英国法发展了一种极富灵活性的财产概念",[1] 其概念的抽象性使其具有不确定性,使其在容纳社会上新产生的财产时游刃有余。通过这种转变,财产法发生了从具体的重物质到抽象的重利益的非物质化变革。

(三) 知识产权的涌现

英美法上诉体物概念提出的一个直接影响便是将知识产权整合到无形财产体系之中。所谓知识产权,一般是指人们对于智力创造性成果和经营管理活动中的标记、信誉等依法享有的权利,如著作权、专利权、商标权等权利。知识产权之所以能得到法律的保护并被作为一项财产乃在于其权利对象的价值性。对此,黑格尔先生曾作了十分精辟的论述,他指出,精神技能、科学知识、艺术、发明等等,都可成为契约的对象,而与在买卖中所承认的物同视。尽管将之称为物会令人感到踌躇,因为它们是内部的精神的东西,所以理智上对其法律性质会感到困惑。但是,"精神同样可以通过表达而给它们以外部的定在,而且把它们转让,这样就可把它们归在物的范畴之内了",这个过程是通过精神的中介将内在的东西降格为直接的外在物来实现的。[2] 易言之,精神产品这种内部产物可通过其一定形式的"表达"而取得外部的"定在"而成为交易的对象。我国学者吴汉东教授认为,在现代社会,包括精神产品在内的诸多知识产品作为人类的创造物,具有价值和使用价值,已构成人们社会财富的十分重要

---

[1] See Peter Drahos, A Philosophy of Intellectual Property. Dartmouth, Aldershot, 1996, p. 21.
[2] 黑格尔著,范扬等译:《法哲学原理》,商务印书馆1961年版,第52页。

的组成部分。[1] 知识产品的价值性在现代社会表现得更为明显，知识产品被赋予了财产意义，谁拥有它即意味着拥有了财富。欧共体在其最近出版的《信息社会的版权和邻接权》绿皮书中指出，"版权和邻接权交易在共同体国内生产总值中的比重已上升到3%—5%。"[2] 这充分说明，保护知识产品已成为当代社会的必然趋势。

知识产权在保护上与许多财产都存在诸多差异，盖缘于其对象的特殊性。从理论上讲，许多学者都认为知识产权的客体知识产品，不同于有体物，是一种特殊的对象，因此在日本知识产权常被称为一种"无体财产权"。[3] 据日本学者中山信弘介绍，日本法中的"无体财产权"与知识产权类似，具体包括以人类社会精神活动所产生的创作作品为对象的权利、以营业上的信用为对象的权利。[4] 前者如著作权、专利权、实用新型权、特许权、植物新品种权等，后者如服务标志权、商标权、商号权等权利。那么，日本法中为什么采用"无体"一词来描述知识产权呢？其用意不过在于昭示知识产权对象的无形性，即不占据一定空间的特性。正如我国台湾地区的学者曾世雄先生所概括的那样，"财产权之有体或无体，并非指权利而言，系指权利控有之生活资源，即依该权利得享有之生活资源究竟有无外体"。[5] 所以将知识产权称为"无体财产权"的说法揭示了知识产品的无

---

[1] 吴汉东：“财产权客体制度论”，载《法商研究》2000年第4期。
[2] See Ian J Lloyd. Information Technology Law. Butterworths, London. 1997. 2nd edi, p. 245.
[3] [日] 小岛庸和著：《无形财产权》序言，日本创成社1998年版，第47页。
[4] [日] 中山信弘："无体财产权"，载岩波讲座：《基本法学——财产》，岩波书店1983年版，第281页。
[5] 曾世雄：《民法总则之现在与未来》，台湾三民书局1993年版，第151页。

形性特征，如作品、专利技术均系不能为人触觉到的无形对象。尽管这些对象具有无形性，但是，人们可以通过一定的方式将之特定化。例如，人们可以通过注册、审查等程序将要求保护的商标图样、专利技术、植物新品种确定化，通过合同等方式将需要保护的商业秘密范围确定化。由此可见，无形的思想产物经过人们的抽象最终为人类所认识，成为社会财富的一个重要的组成部分。当它对社会的经济和人类的活动产生影响时，就产生了法律对之予以规范的必要性，人们随后通过颁布法律而在上述对象上设定一定的权利也就水到渠成。

当知识产权转化为一种法定的权利时，它就具有一定的价值属性，人们常常将知识产权转让予他人或许可他人利用。就此而言，知识产权又具有类似于"无体物"的特点。但是，该权利与普通无体物又有明显的不同，因为普通无体物常常是由设定于有体物之上的权利转化而来，而知识产权的客体知识产品具有无形性。那么，是否将知识产权归于诉体物之列呢？英国法在发展中注意到了知识产权这类特殊的"物"，其衡平法院在判决中裁定知识产权可以转让，并进而允许其他诉体物进行转让。[1] 由此，英国法通过判例的形式确立了知识产权属于诉体物的观念，从而可与其他无体物一样成为财产的组成部分。当然，英国法将之列为诉体物之列具有相当的积极意义，它可以淡化与有体物之间的联系，使人们从利用的角度认识到知识产权也是一种能在诉讼中保护的财产。总而言之，经过普通法的抽象，知识产权也成为一种受保护的财产。

目前在大陆法系中，一些国家也倾向于将知识产权作为一种无形财产来对待。例如，法国民法继承了罗马法中的无体物观

---

[1] See E. Jenks, A Short History of English Law, 6th ed., London, 1949, p. 281.

念，除了将债权作为无形财产之外，还将"无形产权"也作为一种无形财产。诸如著作权、发明权、专利权、商标权、商誉权等权利都属于"无形产权"，也即人们常说的知识产权。[1] 在权利保护方面，法国法中的"无形产权"也与英美法类似，该权利不能通过占有来恢复利益，其持有人不可能要求返还财产，仅能通过诉讼的形式来请求予以补偿。所以从实际情况而言，在一些大陆法系国家，知识产权实际上已被抽象为一种无形财产。

（四）权利抽象化的现实意义

在回顾了无体物至无形财产的历史演变后，人们不禁会问，无形财产是一种极具抽象性的财产，人们创设这种财产有何意义？它与有形财产的联系是什么？各种形态的财产的共性是什么？财产又与财产权有何关系？要回答上述一系列的问题，我们不妨从罗马法的所有权问题谈起。

在谈到罗马法中的所有权时，人们或许会问，既然所有权是一种权利，权利可作为一种无体物来对待，那么罗马法为什么没有将所有权纳入无体物的范围之中呢？从罗马法的相关规定来看，所有权规定在罗马法中的有体物一节。对于这一现象，相当多的罗马法学者在进行了分析后都无功而返，甚至是连19世纪的大法学家奥斯丁都失去了耐心，他将视该问题的研讨纯系无用之举，"或者是该问题自身有缺陷，或者是它本身就存在自相矛盾的地方"。[2] 而今，一些当代罗马法学者经过深入地思考逐步揭开了该谜底，Nicholas教授指出，"只有有体物上才能设定所有

---

[1] 参见尹田著：《法国物权法》，法律出版社1998年版，第51页。
[2] See Peter Drahos, A Philosophy of Intellectual Property. Dartmouth, Aldershot, 1996, p.19.

权,因而没有必要区分所有权与它的客体。实际上,所有物与所有权常常是可以替代的。"[1] 具体而言,所有权在罗马法中被认为是最完全的物权,作为物权的所有权具有绝对的排他的性质,事实上易与物的本体混和为一,因而人们对所有权与所有物就不加区分。[2] 比如,人们依习惯说我有这个奴隶,实际上按法律理论应当讲我对这个奴隶拥有所有权。既然习惯上讲所有权就是指所有权的标的,因而古罗马人也将顺其自然地将所有权并入到有体物制度之中而未作为无体物来对待。

古罗马人将所有权与所有物不分的做法在现代人看来似乎显得缺乏法律上的逻辑性和严密性,但如果换个角度来看,古罗马人实际上告诉我们这样一个事实,所有权是对有体物的控制在法律上的表现。例如,当人们将土地是他的财产时,实际上是讲他对土地拥有所有权。所以,如果从关系的角度来看,拥有所有权即意味着拥有了土地从而拥有了财产,进一步讲,所有权乃是一种财产。之所以存在所有物与所有权的区别,乃是人们抽象思维的结果。人们如果从权利与权利客体的角度进行划分,则应把所有权作为权利,而把所有物作为权利的客体;但是,如果从财产的角度来看,拥有物的所有权与拥有某物并无明显的差别。那么,这种结论可以给我们什么启发呢?它实际上说明了人们看待事物的角度不同。如果从静止的、物理的角度,人们看到的是有体物,但从人与人之间的法律关系来看,人们看到的是所有权。相比而言,后一种看待事物的眼光更为敏锐。对此,马克思曾经有着深刻的论述,正如他在批判蒲鲁东的财产权社会观时所指出

---

[1] B. Nicholas, An Introduction to Roman Law. Oxford University Press, 1962, p. 107.
[2] 周■著:《罗马法原论》上册,法律出版社 1994 年版,第 281 页。

的那样,"实物是为人的存在,是人的实物存在,同时也就是人为他人的定在,是他对他人的人的关系,是人对人的社会关系。"[1] 这就是说,所有权在表面上是人与物的关系,其实质反映的是人与人之间的社会关系。当人们将对物的所有权看作是一种财产时,实际上已发现了财产背后所隐藏的人与人之间的关系。正是基于这种认识,外国学者在对财产进行诠释时往往十分注重财产所反映的社会关系,如认为财产"系指某人所拥有的可以金钱评估的积极法律关系(权利)与消极法律关系(义务)总和。"[2] 这一定义包含两层意思,一是能为财产的对象必须具有经济上的价值,二是财产反映人与人之间的法律关系。根据这一定义,所有权可以金钱来评价,反映的是人与人之间基于所有物的法律关系,因而可作为一种财产,正如有的学者所言,当"我们在表述物成为财产的时候,实际上是在表述'物的所有权'是一种财产",[3] 只不过人们在习惯上往往将所有物而非所有权表达为财产。

在厘清了所有权与财产的关系后,所有权与其他无形财产之间的关系也就豁然洞开。债权、知识产权、用益权、地役权以及近代社会所产生的有价证券等,都无非是一种财产权利,只不过它们不以有体物为对象而已。既然将有体物视为财产与将所有权视为财产并无本质上的区别,那么我们在某种程度上可以这样讲,财产在法律上实际上是由各种权利组成的,包括所有权、用益权、债权、知识产权、有价证券等权利。关于这种结论的妥当

---

[1]《马克思恩格斯选集》第2卷,人民出版社1957年版,第52页。
[2] [葡] Carlos Alberto da Mota Pinto,《民法总论》,澳门法律翻译办公室1999年版,第189页。
[3] 马俊驹、梅夏英:"无形财产的理论和立法问题",载《中国法学》2001年第2期。

性，我们可以在英美法中对"property"一词的解释中看出。在英美法中，财产"property"一词的含义十分广泛，有时用来指财产所有权，有时也用来指财产所有权的客体，即所有物。[1] 这即说明了财产与财产权概念的互通性。

当人们将权利抽象为财产时，一轮新的革命就在财产法中诞生了。首先是债权、用益权、地役权等设定在有体物之上的权利作为无体物而成为财产，其次是这些财产在英美法中被转化为诉体物而淡漠了与有体物之间的关联，继之是知识产权被作为诉体物或无形财产而纳入财产法的视野……这一系列的转变无不反映了将权利抽象为财产所引起的巨大变革。对此，澳大利亚著名的知识产权专家 Peter 教授动情地指出："当财产法承认了无体物的存在并将某些权利归类于无体物之中时，这至少为发展一种更为抽象的财产理念留下了思考的余地。"[2] 这一抽象的理念至少在以下三个方面发挥积极的影响：①它促进了财产观念由具体到抽象的转变。无形财产的出现，使人们不再将财产的范围局限于有体物，而扩大到为数众多的不具有外形的财产，从而使财产概念产生了高度的抽象化和非物质化，使人们不再囿于"物必有体"的陈旧观念；②它的抽象的品性为人们拓展财产的范围延伸财产法的调整对象埋下了伏笔。正是因为"无形财产"或"诉体物"概念的引入，使财产的概念具有了不确定性和灵活性，也正是这种不确定性使人们能够将各种各样的经济资源包容其中，使财产的范围更加广泛。目前社会中一些新产生的权利如

---

[1] [英] 戴维·M·沃克主编，北京社会与科技发展研究所组织编译：《牛津法律大辞典》，光明日报出版社1989年版，第880页。

[2] See Peter Drahos, A Philosophy of Intellectual Property. Dartmouth, Aldershot, 1996, p. 19.

特许经营权、植物新品种权、域名权等权利都逐渐为人所认识并赋予财产的品性,从而增加了无形财产的范围;③权利抽象为财产的观念将有形财产与无形财产衔接起来。无体物及无形财产概念的提出,使人们认识到财产是一种可以金钱来评价的利益,其本质反映的是人与人之间的关系,从而使人们能从权利的角度来认识有体物与无体物的共性,认识到二者都可以以权利来作为描述的手段。这种观念的转变可以为无体物与有体物的经济交换奠定基础。在实际生活中,人们有时以债权、用益权、知识产权等权利来担保债权的实现,这与以有体物来担保并无本质的区别,因为二者都是以财产的经济价值来担保。而且,无体物可通过货币的形式与有体物发生经济上的交换。货币是商品的一般等价物,它是在摒弃了一切财产的外观的区别后抽象出的对商品价值的最本质的评价,有体物与无体物都可以货币来反映其价值。例如,文学家的小说可以交由出版社发表,文学家取得一定的稿酬,从而将著作权转化为货币形式,货币又经艺术家使用而转化为一定的生活资料。在这一过程中,无体物与有体物之间发生了等量价值的交换。所以我们可以说,正是因为法律上承认了无形财产这种抽象的财产形式,才使人们能将抽象的思维产物如知识产权物质化。

三、证券:权利之有形化

如前所述,有形财产和无形财产在本质上都可抽象为能以金钱来评价的财产权利。不过,由于无形财产的高度抽象性,它们所蕴含的价值常常不易表现于外,也不能像有形财产那样轻松自如地在不同当事人之间流通,而商品经济的飞速发展又迫切需要改变这一局面,这导致了财产权利证券化的产生。

证券制度萌芽于欧洲的中世纪,18世纪以后在资本主义国家得到了迅速的发展，对资本主义经济起到了催化剂的作用。据学者考察，引起证券制度迅速发展的原因在两个：①市场经济的发达推动了社会化大生产的发展，提高了积聚资本的能力和要求，迫切需要通过发行股票、债券等融资证券来筹措资本。②社会信用的日益成熟为证券投资提供了良好的社会环境，拥有证券即意味这着拥有财富，持券人通过行使证券权利，可以充分地实现其投资保值和增殖的预期目的。[1] 尽管证券的表现形式千姿百态，汇票、本票、支票、仓单、提单、股票、债券、存款单等等均可列入其中，但笔者认为，"有价证券者，乃表彰具有财产价值的私权之证券"，[2] 一切证券无非是各种财产权利的纸张化表现而已。

既然证券为财产权利的外在表现形式，则不同的财产权利都可通过一定的途径而证券化。①所有权的证券化。所有权通常是指所有人对于有体物的占有、使用、收益和处分的权利，它实际包括对所有物的使用价值和价值的支配权。所有权的证券化即是将所有物的价值与使用价值分开，仅以价值来设定证券。例如，仓单、提单、购货单等证券，乃是对特定商品享有请求权的书据，其本质是代表特定商品的价值，谁持有该证券就意味着谁有权得到该商品，所以人们通常称其为物权凭证。[3] ②债权的证券化。债权为请求债务人为特定行为的权利。在近代社会，为了处分发挥财产的经济效用，财产所有人常常将物以出租等方式交与他人而收取债权的利益，此即物的财产债权化。由于资本主义经济的发达，促进了债权流动的资本化，在古罗马法中未被允许

---

[1] 王保树主编：《中国商事法》，人民法院出版社1996年版，第252页。
[2] 郑玉波："论有价证券质权"，载《军法专刊》第26卷第2期。
[3] 杨良宜著：《提单及其付运凭证》，中国政法大学出版社2001年版，第1页。

的债权让与最终被承认,并逐渐演化成债权的动产化证券化趋势。[1] 债权的证券化既可以表现为以筹资为目的而发行的债券,也可以表现为以结算为目的的汇票、本票和支票,尽管形式不同,但它们都体现了一定的债权债务关系。③其他权利的证券化。股权可以通过发行股票而证券化,享受服务的权利也可通过车船票、游览票而证券化,甚至是知识产权也可实现证券化。例如,1997年,美国的摇滚歌星和表演艺人大卫·波威通过证券市场实现了其知识产权的证券化。他将自己在演艺生涯中创作的300首歌曲的出版权和录制权进行了评估,作价5500万美元,发行了为期15年的票据,利率为固定的7.9%。该笔融资被穆迪投资者服务公司评为"A3"级,所发行的票据全部被一家保险公司购买。[2] 通过这次融资,艺术家可以将自己的艺术品的价值直接转化为现实的钞票,而不是像往常那样苦苦等上好几年。

财产权利的证券化之所以方兴未艾,其内在动因在于财产权利证券化后的种种优点。①证券是财产权利的最直观的外在表现形式,是方便当事人交易的一种便捷的工具。所有权可以通过对所有物的支配而表现,但债权、知识产权、股权等权利具有高度的抽象性,权利本身无法表现于外,不利于人们进行交易和转让。但当证券出现后,财产权利有了表现的外观,权利的性质和范围借助于纸张这种载体而流通,使信用制度的发展有了稳定的基础。[3] 正如英国学者詹克斯所言,证券的价值"并不取决于它

---

[1] 史尚宽著:《债法总论》,中国政法大学出版社2001年版,第6页。
[2] [美] 西蒙·哈默:"排队等候发行资产支撑证券的人们",载《全球私人银行业》1997年4月14日。转引自成之德主编:《资产证券化理论与实务全书》,中国言实出版社2000年版,第674页。
[3] 杨志华著:《证券法律制度研究》,中国政法大学出版社1995年版,第13页。

的自然性质,而是取决于它的法律性质,如果把一张一百生丁的票据看作是一个自然的对象,它可能值不了什么,如果把它看作是某个有钱人的付款凭证,那么,它可能值一百法郎。债券、股票、保险证券以及其他许多系争财产和作为债务要求权对象的财产,都和上述情况一样。"[1] ②财产权的证券化有助于物的价值和使用价值的分离。英国学者劳森与拉登曾指出,有价证券最初是作为货物的凭证,这种文书的转让也就是其代表的货物的转让,即是实物的抽象化,然后是将这种抽象实物化,也就是将书写或印制收据的纸张等同于收据本身。因此,仓单或提单的交付被视为实物的交付。[2] 在实物抽象化和抽象实物化的过程中,财产的交换价值和使用价值发生了分离,人们可以根据其需要对物的两种价值予以分别利用。一方面,人们可以在仓单、提单上设定担保来利用物的交换价值,同时人们仍然可以对仓库中的物或运输中的物予以支配来利用物的使用价值。③财产权的证券化是促进资金融通的一种有效途径。企业以自身资产作为担保,通过发行债券、股票等形式大量吸收社会闲散资金,促进了企业自身的发展,也为广大群众提供了一条合适的资金投资渠道,从而促进了社会资金的融通。④债权的票据化是提高社会信用,降低市场风险的有力手段。债权的票据化,是指债权人收受金钱的权利,由债务人以汇票、本票和支票加以记载并交付债权人,届时凭票据由银行或其他金融机构或商业汇票出票人承兑和给付金额,以清偿债务的一种形式。[3] 通过债权的票据化,可以将抽

---

[1] 转引自王利明著:《民商法研究》第四辑,法律出版社1999年版,第170页。
[2] F. H. 劳森、B. 拉登:《财产法》,中国大百科全书出版社1998年,第17—18页。
[3] 管晓峰:"论金钱债权的票据化",载《政法论坛》1997年第5期。

象的权利以票据的形式记载,依赖银行及其他金融机构的信用对债务人产生约束而转化为具体的票据权利,使债权债务关系简单化明确化。同时,债权票据化之后,债权的转让更为方便,从而使未到期的债权资金融通起来,提高了债权的经济效益。此外,债权票据化后,由于银行等金融机构参与到债权债务关系之中,可以对出票人产生一定的约束,从而起到了减少交易风险、担保债务履行的作用。

总之,有形财产是财产形态的直观表现形式,无形财产是财产形态的抽象表现形式,而证券的出现则是有形财产和无形财产的高度抽象化。证券的产生,使抽象的财产权利直观化,它"将无形的权利带入有形的世界",[1] 经过这一过程的转变,促进了有形财产和无形财产的效益最大化,促进了财产价值的流通,提高了整个社会的经济效益。因此,我国台湾学者郑玉波先生在谈到财产的表现形态时不无感慨地说,"人类财富存在之形式,由'不动产'到'动产',由'动产'到'纸',而今即为以'纸'表现财富之时代也。"[2] 这里的纸即指证券而言。如今,人类正进入到因特网时代,电子交易的出现更使财产的表现特殊化,例如今天股民在证券交易所购买的股票已不再是以纸张的形式出现,而是表现为计算机中存贮的信息,也许不久的将来,人们将会以磁盘信号记载的证券形式取代纸张形式的证券,这正是财产权利的高度抽象形式。到那时,我们可以说,财产的本质在法律上表现为权利,无论是以"纸张"表现还是以"磁

---

[1] Bernard Rudden: Things as Things as Wealth, included in J. W. Harris, Property Problems From Genes to Pension Funds, Kluw Law International Ltd. London, 1999.

[2] 郑玉波:"论有价证券质权",载《军法专刊》第26卷第2期。

信号"来表达，其终究是财产权利的表现形式。

第二节 财产权利作为民事客体的可能性与现实性

无形财产通常由一定的财产权利组成，它们作为资产而言重在其经济价值的利用，"因此，它们不像其他那些物，其主要功能是投资，作为财富流入和储存的容器。"[1] 根据多数国家的立法实践，无形财产的投资渠道主要是以其交换价值作为债权的担保，当然也有少数国家如德国以无形财产作为用益物权的对象。那么，这些现象都涉及到这样一个重大理论问题：财产权利能否作为民事客体？

对于上述问题，我国学者郭明瑞等教授认为认为权利可以成为物权的标的的观点已为多数人所接受，实务再探讨的必要。[2] 而葡萄牙学者 Carlos 则认为该问题是一个地地道道的"久议不决的问题"，是个建设性问题，因为人们很难将权利的转移与权利作为客体区别开来。[3] 近年来，该问题又在我国理论界重新泛起，一些学者坚决否定权利能成为客体的观点，而主张行为为一

---

[1] Bernard Rudden: Things as Things as Wealth, included in J. W. Harris, Property Problems From Genes to Pension Funds, Kluw Law International Ltd. London, 1999.
[2] 郭明瑞等著：《担保法新论》，吉林人民出版社1996年版，第233页。
[3] 参见 [葡] Carlos Alberto da Mota Pinto：《民法总论》，澳门法律翻译办公室1999年版，第185页。

切民事法律关系的客体。[1] 那么,如何来认识财产权利作为民事客体的可能性问题呢?笔者认为只有从民事法律关系的客体理论入手才能圆满地解决这一疑惑。

一、民事法律关系客体的界定

民事法律关系一般为由民法所调整的以民事权利和民事义务为内容的法律关系,主体、客体与内容是民事法律关系的三大构成要素。

关于民事法律关系的客体的概念,我国法学界一般认为它是指民事法律关系中权利义务共同指向的事物,包括物、行为、智力成果、人格和身份等。[2] 在通说的基础上,人们常常将民事法律关系的客体简称为权利本身的客体,或权利的标的,其含义同上。[3] 但近年来,一些学者对此提出了比较尖锐的批评,认为民事法律关系的客体应该是民事法律关系当事人的作用对象,即民事法律关系主体的客体,它应该是主体各方共同的客体,既是权利客体又是义务客体,"否则,如果只是一方主体的客体,那就只是权利客体或义务客体,不是民事法律关系的客体。"[4] 笔者认为,在民事法律关系中,一方当事人的权利常常是另一方当事人的义务,因此权利所指向的对象通常应为义务所支配的对象,二者一般是相同的,所以权利的客体与义务的客体实际常常是重合的,将民事法律关系的客体简称为民事权利的客

---

[1] 马俊驹、梅夏英:"无形财产的理论和立法问题",载《中国法学》2001年第2期。
[2] 佟柔主编:《中国民法学·民法总则》,中国人民公安大学出版社1990年版,第58页。
[3] 参见梁慧星著:《民法总论》,法律出版社1996年版,第50页。
[4] 李锡鹤:"论民事客体",载《法学》1998年第2期。

体未尝不可。

在民事法律关系中，主体是当事人权利与义务的归属，而客体是权利义务所附，因此客体常常是对权利和义务进行分类的标志，它涉及到对各种民事法律关系的定性，所以客体的范围的界定关系着民事法律体系的确定和完善，客体理论也就成为民法中一个非常重要的研究课题。那么，如何对客体进行分类呢？对此，我们应从权利的概念入手。通说认为，权利系由特定利益与法律上之力两要素构成，本质是受法律所保护的特定利益。[1]就此而言，民事客体应为利益所附着之对象，应为当事人利益所支配之对象。外国民法在早期发展中曾形成了两种较有代表性的看法，一种观点认为客体为物，如德国法学家温德夏特；另一种则认为客体为行为，由英国法学家奥斯丁提出。[2]前苏联民法学界曾继承了这些观点并将物、利益和行为均作为客体，但后来由于极左思想的泛滥而将其否定，直至20世纪50年代末才得以恢复。我国民法学界在理论上一直到重视客体在民法中的基础地位，并对其展开了积极的研究。

我国目前在理论上，关于客体的分类主要有两种代表性的观点。一种为一元论，即认为民事法律关系的客体不是物，也不是行为，而是法律所调整的社会关系及其具体的物质条件依据（如物、行为、非财产利益等）。这种观点，是前苏联法学家在20世纪40年代提出的。[3]这种观点的出发点在于批判传统法学中关于法律关系的客体和客体要素的理论，认为法律不调整物、

---

[1] 参见胡长清著：《中国民法总论》，中国政法大学出版社1997年版，第38页。
[2] 参见[苏]A. K. 斯塔柯维奇："社会主义法律关系理论的几个问题"，载《政法译丛》1957年第5期。
[3] 参见佟柔主编：《中国民法学·民法总则》，中国人民公安大学出版社1990年版，第57页。

行为和利益,法律关系的客体只能是以法律关系为媒介所调整的社会关系,否则就是资产阶级法学家的形式主义观点。我国在20世纪80年代后期也有人持该观点,其理由是,受法律所调整的社会关系是与作为其主体的立法机关和法律关系的当事人相对的客体,所以它就是法律关系的客体。[1] 笔者认为,将法律关系的客体定义为受法律所调整的社会关系,是将法律关系的客体与法律所调整的对象混为一谈。所以,上述观点的错误就在于将主客体之间的关系混淆起来,造成了理论上的混乱。近年来,我国一些学者极力否定传统民法认为客体包括物与行为的观点,主张客体应具有单一性,属于同一范畴,并认为客体应具有涵盖性,即客体必须适用于任何一种法律关系。根据这一理论,这些学者认为民事法律关系的客体只有一个,即行为,因为"人们的客观社会行为正是法律关系改造和规制的客观对象,民事主体均是围绕人类社会经济活动而享有权利和承担义务。……其次,'行为'作为客体既避免了客体范畴多元化的混乱,也适用于一切民事法律关系,每种民事法律关系毫无例外地是以现实人们的活动和行为为原型的。"之所以这样确定是因为,"社会群体用法律关系去塑造的对象显然不再是个人与物之间的关系,而是一种客观的社会关系,即人们之间的社会关系,因为个人与物之间的改造关系犯不着用法律关系来规范,那么这种客观存在的社会关系便是法律关系改造的客体,……表现为人们的一系列的行为,法律关系正是对人们客观行为方式的塑造。……简言之,法律关系便是对人们客观社会实践行为的调整,脱离了客观性的社会实践活动这一前提,法律关系便是空中楼阁。"[2] 笔者认为,

---

[1] 刘翠霄:"论法律关系的客体",载《法学研究》1988年第4期。
[2] 马俊驹、梅夏英:"无形财产的理论和立法问题",载《中国法学》2001年第2期。

这种主张立论上有两个不妥之处:①过分强调客体的单一性。其实,在实际生活中,由于客观事物和现象的无限多样性而导致民事法律关系的无限多样性,由此而产生的权利与义务自然也不可能是单一的,既然权利与义务都不具有单一性,何必过分苛求其客体的单一性呢?仅仅为了照顾其客体的单一性而去否定其他对象成为民事权利客体的可能性,当然显得有些舍本逐末。②该学者在论述民事法律关系客体时强调法律关系是对人们之间社会关系的调整,而人们之间的社会关系又表现为人们的客观实践行为,由此得出结论说客体只能为人们的客观社会行为。当然,这种观点看到了主体与客体之间的关系并非人与物的关系而是人与人之间的关系,有其积极意义。但是,该观点理论的基础是认为法律关系的客体为人们之间的社会关系,这不过是前苏联学者在20世纪40年代所提出的旧理论的翻版,进而该观点将"人们之间的社会关系"更换为人们之间的"行为",最终得出了民事法律关系的客体只能为行为的结论。笔者认为,这种观点一是混淆了民事法律关系客体与民事法律关系调整对象的区别,二是误将社会关系控制的对象与民事权利义务指向的对象混为一谈。因此,这种将民事法律关系的客体概括为"行为"的观点在理论上并不能自圆其说。

当前在各种理论界中,最有影响的理论当属客体"多元论"。持客体"多元论"的学者认为,民事权利客体的多样性由实际情况来决定,很难人为地将其划一起来,因此应当将客体表述为物、行为和人的身体、生命、自由、名誉等等。[1] 这种观点在当前学术界占据绝对的统治地位。笔者认为,"多元论"的主要优点在于看到了民事法律关系的复杂性和多样性,在纷繁复

---

[1] 参见刘翠霄:"论法律关系的客体",载《法学研究》1988年第4期。

杂的社会关系中权利的种类多种多样,这样就决定了权利的指向有所不同。因此,根据各种民事关系的特点来划分民事客体的具体形态是一种十分务实的做法,比起人为地将民事客体单一化要合理得多。具体而言,民事客体为权利的指向,也即人类主观活动的指向,它们在各种民事法律关系中的表现都不一样。一般来讲,民事法律关系的客体应有以下几种:

1. 物。物是能够满足人类生活需要的,可以为人们所控制的,具有一定经济价值的物质实体。自古罗马法以来,物一直是物权关系的重要客体,并且其范围在逐步扩大,如电气、瓦斯等,都被纳入了物的范畴。

2. 给付行为。在债权关系中,债权指向的对象为给付行为,即债权人有权要求债务人为一定的给付行为。当然,也有日本学者主张此时权利的客体为他人。[1] 笔者认为此处将他人作为债权的客体并不妥当,因为人格一般情况下是不能作为权利支配的对象,债权所能指向的仅为债务人的行为,故以给付作为债权的客体比较妥当。

3. 知识产品。在知识产权法律关系中,知识产品应为权利的客体。当然,也有将知识产品称为精神性产物、智慧成果、无形物或非实体财产的,其含义基本一致。尽管这种对象具有非物质性的特点,但他们可以通过法律的规定圈定其受保护的范围,因而同样可以在这种对象上设定权利。

4. 人身利益。以人身利益作为权利客体在历史上曾遭到强烈的反对。有人认为这种观点在逻辑上是荒谬的,在道义上也是占不住脚的:"其所以在逻辑上荒谬,是因为它会使我们在一个

---

[1] [日] 田宫和夫著,唐晖、钱孟珊译:《日本民法总则》,五南图书出版公司1995年版,第125页。

人的身上分出两个人身,一个人身是他的人格权的主体,而另一个人身则是他的人格权的标的:其所以在道义上占不住脚,是因为它会使人们承认自杀、自残、自愿受奴役等等行为是合法的。[1] 笔者认为,民法上规定人格权和身份权制度,其目的在于保护民事主体的人身利益不受侵犯或威胁。在此制度下,民事主体对于自己的人身利益可在法律规定的范围内予以支配符合法律的精神,因为人类所关心的决不仅仅是外部世界的善恶,人类同样关心其精神利益的保护问题。法律这样规定的目的决不是为了对自杀、自残、自愿受奴役等行为予以承认,而是为了更好地保护个人的利益,我们也不能为此因噎废食而放弃对人身权的法律保护。就此而言,人身利益可以成为人身权所指向的对象,这些对象包括民事主体的姓名、生命、健康、名誉、荣誉等等。

5. 法律关系。在形成权之中,权利的客体一般为当事人之间的法律关系。

6. 所有权外的其他财产权。在权利质权或权利抵押或权利用益权之中,其客体应为所有权以为的其他财产权。关于这一点,将在下文中详述。

二、权利成为客体的可能性和现实性

关于权利成为客体的问题,通常是针对所有权以外的财产权利而言的。如前所述,理论界对该问题持有不同的意见。对此,笔者认为应从以下几个方面来理解该问题。

1. 从民事法律关系客体的定义来看,一切客体都是民事权利和义务的指向对象。只要一种对象能作为权利的指向对象,就

---

[1] [葡] Carlos Alberto da Mota Pinto:《民法总论》,澳门法律翻译办公室1999年版,第186页。

应承认其为客体。在多数国家所承认的权利质权和权利抵押制度中，质权和抵押权所指向的对象就是所有权以外的可转让的财产权，这种明确的对象不会引起法律适用上的混乱。在德国民法典所承认的权利用益权制度中，用益权的对象也是所有权以外可转让的财产权，对象十分明确。

2. 从无形财产与有形财产的关系来看，一切财产的本质概为法律所保护的财产权利，因此二者并无本质上的差异。以有体物作为质权、抵押权的对象实质是以其交换价值作为对象，而以所有权外的其他财产权作为质权、抵押权的对象实际上也是以上述权利的交换价值作为对象。对此，日本学者我妻荣先生指出，可转让的财产权与有体物一样可作为质权的标的，因为二者在本质上并无差异。[1] 所以，这两者在法律适用上并无二致，人们没有必要基于财产形态上的差异而否定无形财产作为民事法律关系客体的可能性。

3. 以所有权以外的财产权作为权利的客体不会引起理论上的混乱。以所有权以外的其他财产权利作为权利的客体是否会引起理论上的混乱呢？实际上这种担心并无必要。所有权制度强调对有体物的实际占有、使用、处分和收益，而人们对所有权外的其他财产权，不能像利用有体物那样进行实际的占有和处分，为此法律上确立了对它们的"准占有"制度，人们可以对它们的交换价值进行利用。所以，当以所有权以外的其他财产权利作为质权和抵押权的客体时，是对其交换价值的利用，其法律关系十分明确，不致于引起理论上的混乱。

4. 承认可转让的财产权能作为质权的标的已成为当前理论界中的主要学说。在权利质权性质问题上，理论界曾有让与说与

---

[1] [日] 我妻荣著：《新订担保物权法》，岩波书店昭和43年发行，第179页。

权利标的说两大学说。让与说认为质权之标的，原本限于有体物，权利之上不得再生质权，因此权利质实系以担保为目的，而让与债权或其他权利，尤其是债权质中，质权人有直接收取质权标的债权之机能，非以债权之设质为债权之让与，不足以说明。而权利标的说认为权利质权系于权利上设定之质权，入质之权利仍属出质人，而质权人取得与入质权利相异之权利，即质权。其有让与性且有交换价值之权利，与有让与性且有交换价值之物，应依同一之理由，得为交易上之标的。物上质可为动产之上成立之质权，同样权利质权可解为于债权或其他权利之上成立的质权。[1] 目前，理论界多数学者均认为权利标的说较好地揭示了权利质权的本质，而成为理论界的通说。权利让与说的错误之处在于囿于权利质权之上不得发生质权的窠臼而忽视了无形财产与有形财产的共性。权利质权为一种新权利的创设，而权利让与为原有权利的转移，二者产生的基础并不相同，而且，质权人所得到的权利与权利受让人所得到的权利也有很大差异。因此，权利质权与动产质权在本质上都是以一定的交换价值来担保，二者在本质上相同，所以应当将权利质权解释为以可转让的财产权利作为担保。

第三节 权利质权标的的构成要件

根据多数国家民法典的规定，权利质权的标的一般应为所有权以外可转让的财产权，这些财产权利应符合法律所规定的构成要件。

权利质权的标的虽然为权利，但并非所有的权利都可为权利质权的标的。根据各国民法的规定，可作为权利质权标的的权利

---

[1] 参见史尚宽著：《物权法论》，中国政法大学出版社2000年版，第389页。

必须具有让与性，且应为所有权以外的财产权。例如，《德国民法典》第1273条和第1274条规定，质权的标的也可以为权利；权利质权根据关于权利转让的规定加以设定；不得转让的权利不得设定权利质权。《日本民法典》第343条和第362条规定，质权，不得以不可让与物为标的；质权的标的可以为财产权。《意大利民法典》第2806条及我国台湾地区"民法"第900条也有类似的规定。我国《担保法》第75条通过列举与概括相结合的方式明文规定了可以质押的各种权利："下列权利可以质押：（一）汇票、支票、本票、债券、存款单、仓单、提单；（二）依法可以转让的股份，股票；（三）依法可以转让的商标专用权，专利权，著作权中的财产权；（四）依法可以质押的其他权利。"从多数国家和地区的法律规定和司法实践来看，得为权利质权标的的权利应当具备以下构成要件：

　　1. 须为所有权以外的财产权。权利质权系以权利的交换价值来担保债权的履行，因而用来出质的权利必须能以金钱来估价。生命权、健康权、名誉权、荣誉权、亲属权、继承权、署名权等具有人格性及身份性的权利不得为质权的标的。物权、债权、知识产权中的财产权等权利属于财产权，但所有权不宜作为权利来出质，因为如果以动产的所有权来出质，实际上与动产质权在本质上是相同的，而不动产一般不用来出质。

　　2. 须为可转让的权利。如前所述，在《德国民法典》第1274条、《日本民法典》第343条、《意大利民法典》第2806条、我国《担保法》第75条等条文中均规定了出质权利应为可转让的权利。法律之所以这样规定的原因是因为质权是一种以标的物的交换价值来担保的价值权，其标的物应有变价的可能，[1]

---

〔1〕 史尚宽著：《物权法论》，中国政法大学出版社2000年版，第392页。

所以一些权利尽管属于财产权但不具备转让性的，依然不能成为质权的标的。具体而言，不得作为质权标的的权利主要有三类：①依法不得转让的权利，不能作为质权的标的。例如，多数国家的法律一般都规定，人身损害赔偿金请求权、抚恤金请求权、退休金请求权、劳动保险请求权等权利，尽管具有财产性内容，但由于与人身不可分离，因而法律规定上述权利不得转让，自然不得设质。例如，《德国民法典》第 38 条规定合伙组织的成员身份不得转让；第 847 条规定人身损害赔偿金请求权不能让与，也不得出质；第 2033 条规定继承权不可让与和出质。不过，由于各国国情不一，在一国不得设质的权利也许在另一国可作为质权的标的。例如，商标专用权在多数国家可作为出质的标的，而我国台湾地区"商标法"第 30 条规定，商标专用权不得作为质权之标的物，故不得就商标专用权设定权利质权。[1] ②依当事人约定不得转让的权利，不得作为质权的标的。如果当事人之间约定债权不得让与，则法律上应当尊重当事人意思自治，因而该种债权因不具有让与性，故不得设定质权。但是，这种约定一般不得对抗善意第三人，如果第三人不知有当事人的这种约定，则以该债权设质时，应认为设质有效。③依其性质不得让与的权利，不得作为质权的标的。某些权利在性质上不能让与，因而也不得作为质权的标的。这些权利通常包括：基于债权人与债务人之间的特殊信任关系而产生的债权，如借用人对于借用物的使用权、委任人对受任人的处理委任事务请求权、定作人对承揽人的完成工作的请求权、演出组织者对演员的表演请求权，等等；基于特定身份而产生的债权，如受扶养人对于扶养人的扶养请求权，等等。

---

[1] 参见谢在全著：《民法物权论》下册，中国政法大学出版社 1999 年版，第 806 页。

3. 须为适合出质的财产权。在设定权利质权时，尽管一些财产权利可以让与，但是如果它们并不适合出质，则不能设定质权。

就物权而言，物权虽为财产权，但物权中的所有权不适合出质。因为如果以所有权作为权利质权的标的，其实质是物上质而非权利质。[1] 至于用益物权中的地上权、永佃权、典权等权利，能否作为权利质权的标的，各国规定不一。德国、瑞士等国的民法未承认上述权利可作为质权标的，而《法国民法典》第2087条及日本的《不动产登记法》第1条承认了用益物权上的质权。对此，据日本学者解释，日本之所以这样规定的原因是因为该国承认了不动产质权的存在。[2] 其实，在古罗马法中，就存在设定于用益物权之上的质权。[3]《法国民法典》深受古罗马法的影响在质权制度中吸收了古罗马法的相关规定，而《日本民法典》在制定时也曾受到了《法国民法典》的影响，所以在立法例上仿效了以上规定。对于这一立法例，我国台湾地区的民事理论基本上持否定态度。其"民法"第901条明确规定权利质权准用动产质权的规定，因此不动产的所有权及可与不动产所有权同视的不动产用益物权，也不得作为权利质权的标的。[4] 笔者认为，人们在理论上常常根据物权的客体将其分为动产权利和不动产权利，动产权利与动产在设定和公示上遵循类似的法律规范，而不动产权利在设定和公示上遵循与不动产类似的法律规范，所以多数国家一般规定质权可设定在动产和动产权利上，而

---

[1] 倪江表：《民法物权论》，台湾正中书局1965年版，第354页。
[2] 参见倪江表：《民法物权论》，台湾正中书局1965年版，第354页。
[3] [意] 彼德罗·彭梵得著，黄风译：《罗马法教科书》，中国政法大学出版社1992年版，第345页。
[4] 史尚宽著：《物权法论》，中国政法大学出版社2000年版，第390页。

抵押权常设定在不动产及不动产权利上，这样有利于法律体系的合理化，也便于准确适用法律规定，所以，我国在权利质权制度上，应当将不动产用益物权排除于权利质权的标的之外。

就采矿权、渔业权、水资源使用权等准物权而言，它们均为设定于不动产之上的准物权，一般准用不动产方面的法律规范。所以，这些权利通常可作为抵押权的标的而不适合作为权利质权的标的。例如，我国台湾地区"矿业法"第14条规定，矿业权之抵押，以采矿权为限；"渔业法"第6条规定了渔业权的抵押。在我国台湾地区，曾有人以不动产的所有权证来出质，对此，该地区的"司法当局"在判例中明确指出，"不动产之所有权状，不过为权利之证明文件，并非权利之本身，不能为担保物权之标的。"[1] 可见，不动产的所有权证不等于不动产的权利，如果不动产的所有人同意以该不动产作担保，应当就该不动产设定担保而不是就所有权证来设定担保。

就质权、抵押权、留置权等担保物权而言，它们也不能作为权利质权的标的，因为这些权利具有附属性，必须与主债权结合在一起才有意义，所以不能单独作为质权的标的，但人们可以用附有担保的债权来出质。

第四节　权利质权标的的种类

对于哪些权利能成为权利质权的标的，各国法律的规定存在很大差异。下面将结合权利质权标的种类的立法例来说明可质押

---

[1] 参见蔡墩铭主编：《民法立法理由》，台湾五南图书出版公司1990年版，第1003页。

的权利种类。

一、关于权利质权标的的立法例

关于权利质权标的的立法例，主要有两种作法：一种是以概括方式规定可让与的财产权可作为权利质权的标的，如德国、日本、瑞士等国的民法规定。例如，《瑞士民法典》第899条规定，"（1）可让与的债权及其他权利可出质。（2）前款质权，除另有规定外，适用有关动产质权的规定。"另一种是以列举方式规定某些权利可以出质，如法国民法的规定。例如，《法国民法典》第2074条、第2075条规定了债权质权，第2075—1条规定了有价证券质权，等等。相比而言，第一种作法较为可取，因为可转让的财产权的范围随着社会经济的发展会不断拓展，越来越多的财产权能成为新的质权标的，因此采该立法例有利于包容更多的质权标的，避免挂一漏万。我国《担保法》在规定权利质权标的时吸收了上述两种作法的优点，既作了概括性规定，又对常用的几种权利质权质押方式作了列举，体现了立法的原则性与灵活性，该法第75条规定："下列权利可以质押：（一）汇票、支票、本票、债券、存款单、仓单、提单；（二）依法可以转让的股份、股票；（三）依法可以转让的商标专用权，专利权、著作权中的财产权；（四）依法可以质押的其他权利。"

我国《担保法》在实施过程中，对于该法没有规定的其他权利是否可以出质的问题，我国理论界和司法界存在很大争议并形成了肯定说、否定说和有限肯定说三种观点。肯定说认为只要是符合可出质权利的一般特性要求，所有的财产权均可以出质。否定说认为权利质权的标的仅限于《担保法》第75条规定的权利，其他权利如果没有其他法律规定的话，不得出质，必须严格遵循法定质押的原则。有限的肯定说认为符合可出质权利的一般特性要求的权利原则上可以出质，但如果权利本身不具有商业上的典型性和稳定性，权利不能控制的，不宜作为质押的标的，因此，除《担保法》第75条规定的权利以外，其他权利只要有权利凭证或有特定机构管理的，则可以成为质押的标的。[1] 笔者认为，否定说的理由过于机械，不符合法律的精神。该说法中的法定质押，源于物权法定原则，所谓物权法定，其基本含义是指"物权的内容应该是社会普遍公认的统一的东西，而不是可以由当事人通过合同随意创设的。作为原则，其种类和内容必须用法律来规定。"[2] 我国《担保法》第75条一方面列举了若干能出质的财产权，另一方面也以"依法可以质押的其他权利"来概括其他可以出质的权利，由此可以推定，我国《担保法》允许以其他财产权来作为质押而不是仅局限于该条文所列举的权利，所以以其他适于出质的财产权来作为质押，也是符合物权法定原则的。有限的肯定说强调出质的权利应有商业上的典型性、稳定性、可控制性，权利凭证或有特定机构管理是其成为质押标的的前提条件。对该观点，笔者认为它与担保法的精神不符。因为《担保法》第75条允许以其他权利来出质，而未强调权利的特性。从法律的基本原理来讲，任何一种可转让的财产权，只要不存在不适合出质的条件，都应允许其作为质权的标的。至于商业上的典型性、稳定性、可控制性等条件，是一个极为灵活的弹性标准，人们并不能根据主观感受而臆断某种权利具有这些特性而另一些不具有。另外，强调权利应有商业性权利凭证或有特定机构来管理的观点也过于机械，因为《担保法》第75条允许以其

---

[1] 曹士兵著：《中国担保诸问题的解决与展望》，中国法制出版社2001年版，第298页。
[2] [日] 田山辉明著，陆庆盛译：《物权法》，法律出版社2001年版，第5页。

他财产权利作为质押标的,而未规定权利的表现形式,至于其表现为商业性权利凭证或其他形式,法律在所不问,只要当事人愿意以这些权利来出质即可。

关于出质的财产权的外在表现形式,大陆法系国家的规定和英美法系国家的作法并不完全相同。在大陆法系国家,无论财产权表现为债权、股权等权利还是债券、股票等有价证券形式,都可作为出质的对象。而在英美法系国家,以无形财产来出质时,常常要求这些权利表现为一定的书面形式,其原因在于这些国家认为只有有形的财产才能被占有,所以无形的权利只有表现为一定的外在形式才能被占有。[1] 因此,无记名股票、债券可以出质,而无书面形式的债权不能出质。笔者认为,英美法的这种强调财产权表现形式的作法,未顾及到财产权的实质,无论是表现为一定的形式的财产权还是未表现为一定形式的财产权,在作为质押标的时,都是以权利的交换价值作担保,其外在形式并不重要,所以英美法的上述作法并不可取,有舍本逐末之嫌。

二、权利质权标的的种类

究竟哪些财产权可作为权利质权的标的,各国法律的规定并不完全一致。下面,我们不妨从一些具体的财产权入手来探讨这一问题。

(一) 普通债权

债权有普通债权与证券债权之分。所谓普通债权一般是指非

---

[1] Douglas J. Whaley, Problems and Materials on Secured Transactio. Little, Brown and Company, Boston. 2nd ed. 1989, p. 11.

证券化的债权,而证券债权一般是指通过有价证券等形式所表现的债权,如票据、债券、存款单等。为论述方便,特将二者区别开来,先讨论普通债权设质的问题。

如前所述,普通债权早在古罗马法的质权制度中就已存在。在漫长的历史发展中,债权质一直是权利质权中最为重要的一个类别。[1] 目前,多数国家的民法典中都规定了债权质权,如《瑞士民法典》第899条第1款规定,可让与的债权及其他权利可以出质。一般而言,仅对于性质上不可让与的债权、依法律规定不得让与的债权、依当事人约定不得让与的债权、法律禁止设定质权的债权,不得设定权利质权。普通债权产生的原因可以是合同,也可以是不当得利、无因管理或侵权之债,只要符合出质的标准,都可以作为质权的标的。至于债权的内容是金钱给付或行为给付,是特定物给付或种类物给付,在所不问。就选择债权而言,选择权如属于债权人,可以附随出质。

如果债权人以部分债权设质,一般也应允许,质权人可以从第三债务人处收取部分债权。如果债权设质时,其债权附有利息债权、违约金债权、质权、抵押权、留置权等,那么根据从随主一并转移的原则,这些权利也与主债权一同入质。[2] 此时,由于留置权、质权以占有动产为成立条件,因此出质人应当交付标的物。至于抵押权的入质,应当办理抵押权的登记。

至于将来的债权能否出质,理论界有不同的看法。一般而言,未来的债权因权利的内容不能确定而不能质押。但是,德国民法允许以未来的债权出质,条件是债权至少应当是能够确

---

[1] [日]石田喜久夫著:《口述物权法》,成文堂1982年版,第496页。
[2] 史尚宽著:《物权法论》,中国政法大学出版社2000年版,第395页。

定。[1] 在我国，也有一些学者认为附条件债权、附期限债权作为期待权有其经济价值，可以出质。[2] 笔者认为对此应当具体情况具体分析。就附延缓期限和附延缓条件的债权而言，无论所附期限是否确定，长短如何，一旦期限到来或条件成就，债权当然发生，所以此种债权因内容具有相对的确定性而可作为质权的对象。就附停止条件或停止期限的债权而言，债权事先已存在，当条件成就或期限到来，债权终止。由于此类债权事先是确定的，因此当然可以作为出质的标的。对于已有成立基础的法律关系但未发生的债权而言，该类债权虽未附有期限或条件，但日后当某种情况发生即可在该基础之上发生债权。例如股东基于股份而可能发生的盈余分配请求权，合伙人的剩余财产分配请求权，都属于此种债权。对该类债权，通说认为它们具有让与性，可作为权利质权的客体。但是，对于根本无事实基础存在的将来债权，由于其标的不能确定，因此不具有转让性，所以不得作为质权的标的。近来，日本学者对于已有事实基础的将来债权的出质问题展开了热烈的讨论。所谓已有事实基础的将来债权，如就已有不动产订立租赁契约所可能发生的租金债权、基于现有特定的商业经营所可能发生的价金请求权。尽管人们认为这种债权也有让与的可能，但是日本学者认为，如果债权在尚未发生时就作为质权的客体，那么该债权必须在法律上足以确保得以实现，而该处所涉及的债权不具有此种特点，因此不能出质。如果承认该类债权可以作为质权的客体，那么这种担保实际上是基于债务人过去业绩所建立的信用，所以从性质上讲，这是人的担保而非物的担保。况事实基础与法律基础不同，并非债权发生的基础，且在

---

[1] 沈达明编著：《法国/德国担保法》，中国法制出版社2000年版，第290页。
[2] 参见王轶："期待权研究"，载《法律科学》1996年第4期。

此种情形，第三债务人无法确定，因此，无法对第三债务人为设质的通知，无法予以公示，故不得设定质权。[1] 笔者认为，无事实根据的将来债权之所以不能出质，实际上是因为该类债权在主债权合同成立时尚难确定，不易特定化，不具有法律上的稳定性，因此将它们作为担保的对象很难确定，也不利于保障债权的安全，在主债务人不履行债务时很难实行，所以从保障债权的角度，不易以该类债权进行质押。至于将来发生的多数债权，如股份有限公司，对于未来从事交易所可能陆续发生的价金债权，可否作为一集合债权而设定质权？通说认为该类债权发生的原因十分复杂，债权金额常有增减，且第三债务人不确定，难以特定和公示，因此不主张以该类债权来出质。

那么，以债权来出质有哪些有优缺点呢？这常常是债权人和债务人所关心的主要问题之一。如果当事人以抵押来担保，当债务人届期不履行债务，债权人可以通过拍卖、变卖抵押物而获得清偿，这种效力可以督促债务人及时履行债务。而在动产质权场合，债权人通过留置债务人或第三人的动产来促其清偿债务，从而给债务人或第三人产生心理压力，促其履行债务；当债务人到期不履行债务时，债权人可通过拍卖、变卖质物来获得清偿。所有动产质权和抵押可为债权人提供较为理想的担保形式。但动产质权的不便之处在于需要将动产移转债权人占有从而妨碍了债务人对质物的使用收益，不利于发挥物的用益价值。就抵押而言，人们在设定抵押时需要履行登记手续，也会增加交易的费用。相比而言，以普通债权担保也有其优缺点。就优点而言，债权分金钱给付的债权与行为给付的债权，如为金钱给付的债权，则债权

---

[1] 参见谢在全著：《民法物权论》下册，中国政法大学出版社1999年版，第808页。

人在实行质权时直接取得第三债务人所给付的金钱,免除了拍卖、变卖标的物之烦,但如果是行为给付,则必须转化为金钱形式,实行起来相对麻烦。另外,债权的出质一般不需要登记,从而可以节约登记成本。郑玉波先生还认为,债权质权相对于动产质权的另一个显著优点在于,即使被担保的债权虽未届清偿期,亦有可能实行其质权,因而比动产质权方便。[1] 就缺点而言,普通债权在出质后,其债权的实现,即交换价值的实现,必须取决于第三债务人的行为。如果第三债务人故意使财产减少,质权人需通过行使代位权与撤销权来补救,但补救的效果不一定会理想。而且,质权人还需对第三债务人的行为进行一定的监督,这样会加大质权人的设质成本。对此,有学者总结说,一般债权在质押时有其先天的不足:"其债权数额小、设质范围窄、设定质权公示性差、变价不易",[2] 所以,以普通债权来作为担保可能会使质权人感到有些不便,不愿意采取此种方法。我们认为,尽管它有其一定的弊端,但在设定担保时,在有形财产相对短缺的情况下,采纳此种方法也是一种可行的措施,债权人可以通过对出质债权的监管趋利避害,来达到保障其债权实现的目的。

我国《担保法》并未明确规定普通债权可以设定质权。对此,有学者认为,鉴于《担保法》没有规定债权质的现实,不宜允许债权或质权单独出质,但可允许将债权与作为债权担保的质权一并出质。[3] 笔者认为此说不妥。就债权而言,它是一种财产权利,具有经济上的交换价值,除非存在法律所禁止的债权的转让或处分,以债权来出质也是融通资金的一种合适的方式。

[1] 郑玉波:"论债权质权之实行",载《法令月刊》第32卷第12期。
[2] 刘迎生:"权利质权设定的若干问题",载《中外法学》1998年第2期。
[3] 刘保玉:"论我国物的担保制度的完善",载《法学评论》1995年第6期。

同时，债权能够变现，当债务人不履行债务时，主债权人可以通过法律将出质的债权予以变现而实现其债权。所以，债权是一种适合出质的财产权。我国《担保法》既然未明确禁止该类权利出质，应推定为它可以出质。

(二) 有价证券

有价证券包含于证券之中。所谓证券，一般是指借助文字或图形，表彰特定民事权利的书据。在法学理论上，证券一般包括证书、资格证券和有价证券。所谓证书，通常是指记载一定的法律事实或法律行为的文书，如出生证、结婚证、借据、合同书等。所谓资格证券，通常是指表明证券持有者具有行使一定权利之资格的证券，持券者可以凭证券向义务人行使一定的权利，义务人向持券人履行义务后，即可免责，存车证等可视为资格证券。至于有价证券，其含义有狭义与广义之分。狭义的有价证券一般是指证券交易法上的证券，包括政府债券及依证券法公开募集、发行的公司股票、公司债券及经政府核准的其他有价证券。广义的有价证券，除包括以上狭义的有价证券外，还包括票据、仓单、提单及民法上的指示证券及无记名证券等等。通说认为，"有价证券者，乃表彰具有财产价值的私权之证券；其权利之发生、移转或行使，须全部或一部依证券为之者是也。"[1] 近年来，我国一些学者对此提出了质疑，认为将有价证券所表彰的权利的范围仅限于"具有财产价值的私权"范围过窄，因为在股票中，股票所表彰的是社员权，其中既包括股利分配请求权这些财产权又包括股东的参与股东大会及投票的权利这些身份权，所

---

[1] 郑玉波："论有价证券质权"，载《军法专刊》第26卷第2期。

以有价证券所表彰的权利应为"特定的民事权利"。[1] 比较而言，后一说法相对严谨一些。

证券的种类如此丰富，那么，哪些证券可以出质呢？就证书而言，借据是否可以出质呢？对此，有学者认为，借据是表明当事人之间有债权债务关系的单据，不是典型的商业性权利凭证，债权人对于债务人的权利并不存在于借条之上，以交付借条作为质押的，因债权可由于转让、清偿等原因而消灭，所以借据不能作为出质的标的。[2] 实际上，在分析该问题时宜从证书与有价证券的区别上来寻求原因。像出生证、借据等证书是记载一定法律事实或法律行为的文书，其作用是证实该法律事实或法律行为曾经发生，并不能直接决定当事人之间权利义务的有无。易言之，证书虽然灭失，但实质的法律关系并不因此而有变更或消灭，只是证明困难而已。当事人如果能举出其他证据，则依然可以行使权利，可见证书之于权利，仅有证据上之证明关系。[3] 所以，证书的权利在行使时与证书是否持有无关。例如，借条的灭失并不等于当事人之间借贷关系的消灭。因此，仅交付借据来出质并不妥当，当事人应当以通过签订质押合同以债权来质押才比较妥当，交付借条可作为质押合同中出质人的一项义务列入合同。同理，像合同书等证书也不宜作为出质的标的。

资格证券是否可以出质呢？资格证券表明持券者有行使一定权利的资格，持券者可以向义务人行使一定的权利。当义务人向持券者履行义务后，即可免责。如果债务人向持券人给付，即使

---

[1] 杨志华著：《证券法律制度研究》，中国政法大学出版社1995年版，第6页。
[2] 参见曹士兵著：《中国担保诸问题的解决与展望》，中国法制出版社2001年版，第299页。
[3] 郑玉波：《有价证券法之研究》，转引自杨志华著：《证券法律制度研究》，中国政法大学出版社1995年版，第3页。

受给付人为无权利人，除债务人恶意或有重大过失外，亦可免责。可见，持券人因为持有资格证券而被推定为真正的权利人。例如，在商场购物而存包的人所持的存包证即为资格证券，持该证的人被推定为包裹的权利人，存包处无调查其存包证是否拾得、窃得的义务。但是，在特殊情况下，非持券人如果以法定方式证明其为权利人，仍可请求债务人交付。例如，存包证遗失时，包的主人可以凭身份证件取回包。由于资格证券只表明特定的债权债务关系，该类证券不具有流转性。所以，资格证券的目的在于保护债权人，而非保护受让的第三人。从严格意义上讲，资格证券仅具有证明功能，在特殊情况下，经法律程序非证券人可以请求给付。因此，资格证券只是一种证明标志而已，它不能直接决定当事人之间的权利和义务，也不能流转，不适宜出质。

就有价证券而言，其功能在于表示一定的财产权利及相关的权利。从它所表示的价值物及权利内容的不同来看，有价证券可分为商品证券、服务证券和价值证券。商品证券一般指提单、运单、购货单等代表对商品享有请求权的书面凭证，它相当于特定商品的等价物。服务证券是指以提供服务为内容的证券，如车船票、游览票。价值证券是指以货币额表示的证券，可分为货币证券和资本证券。货币证券是指对货币享有请求权的证券，如支票、汇票及本票。资本证券是指享有按期从企业收益中取得一定的权益的证券，又称收益证券，如股票、债券等。

以有价证券作为质权的标的是目前国际上的通行趋势。《法国民法典》第2075—1条，《德国民法典》第1292条、第1293条，《日本民法典》第365条、第366条，《瑞士民法典》第901条、第902条都规定了有价证券的出质。以有价证券出质，实际上是以有价证券所代表的财产权利来出质，持有证券的人可以要求证券的义务人向其履行给付义务。由于这种财产权利同动产一样具有交换价值,所以有价证券可用来出质。当事人以有价证券来出质,占有有价证券类似于占有动产,同样可以发挥留置的作用,且与质权需要的公示作用相吻合。质权人占有有价证券后,可以通过对证券的交换价值的把握而对债务人产生心理压力,促其及时还债。即使债务人到期不清偿债务,质权人也可将有价证券予以变现而获得清偿。同动产相比,有价证券在变价时十分容易,极易实现债权。对出质人而言,因为质权人占有的是证券,所以不会妨碍出质人对证券所表示的物品的运送或储存。这样,因动产留置所产生的妨碍财产利用的缺陷在这里几乎隐而不见,从而促进了对财产的利用。所以谢在全先生不无感慨地说:"质权作为投资性融资之手段而言,权利质权势将在投资性融资领域中占有一席之地,甚至与抵押权并驾齐驱,成为投资性融资手段之宠儿。"[1]

鉴于有价证券的种类较多,其设质时的表现亦不同,下面将分类别对若干有价证券予以阐述。

1. 票据。票据,"乃发票人无条件自己约定为一定金额之支付,或委托第三人为一定金额之支付,依票据法规定所发行之特种有价证券也。"[2] 易言之,票据是指出票人依法签发的,由本人或委托他人在见票时或者在票载日期无条件支付一定的金额给收款人或持票人的一种有价证券。从性质上讲,票据体现了对一定数额的货币请求支付的权利,所以票据被认定为金钱债权证券。[3]

---

[1] 谢在全著:《民法物权论》下册,中国政法大学出版社 1999 年版,第 757 页。
[2] 杨建华著:《票据法要论》,台湾汉林出版社 1979 年版,第 1 页。
[3] 参见王小能主编:《中国票据法律制度研究》,北京大学出版社 1999 年版,第 11 页。

票据在类别上可以分为汇票、本票和支票。汇票是指出票人签发的，委托付款人在见票时或者在指定日期无条件支付确定的金额给收款人或者持票人的票据。本票是出票人签发的，承诺自己在见票时无条件支付确定的金额给收款人或者持票人的票据。支票是出票人签发的，委托办理支票存款业务的银行或者其他金融机构在见票时无条件支付确定的金额给收款人或者持票人的票据。如果从票据权利人的记载方式，票据又可分为记名式、无记名式和指示式三种。记名式票据是指在票据上明确记明特定的人为权利人的票据；无记名式票据是指票据上不记载权利人的名称或者把权利人记作"持票人"或"来人"等的票据；指示式票据是指在票据上记载"特定人或其指定之人"为权利人的票据。

关于票据的出质问题，《日内瓦国际统一票据法》第19条第1项规定："凡背书包含'因担保'、'因出质'或其他含有设质意义之记载者，持有人得行使汇票上全部权利，但其背书仅有代理人背书之效力。"除持票人取得票据时，明知有害于债务人外，债务人不得以其与背书人间所存控辩事由对抗持票人。日本票据法采上述立法例，所以其第19条第1款规定，背书有因担保、因设质或其他表示设定质权之文义时，持票人得行使汇票上一切权利，但持票人所为背书，仅有委任取款背书之效力。债务人不得以基于对背书人之人的关系对抗持票人，但持票人取得票据时，明知有害于债务人者，不在此限。目前，凡加入了《日内瓦国际统一票据法》公约的国家在立法上均是如此。在理论上，由于该公约没有明确规定支票的出质问题，所以一些学者曾经认为支票的价值仅为流通，不具信用功能，不得作为质权的标的。但是，目前大多数学者逐渐认识到，支票作为有价证券，不仅具有支付功能，而且具有信用功能，支票上的权利应为一种金钱债权，该权利具有可让与性，因而可以出质。[1] 目前，该学说已成为通说。在我国，《担保法》第75条允许以汇票、本票和支票出质。我国的《票据法》第35条也明确规定了汇票的质押问题："汇票可以设定质押；质押时应当以背书记载'质押'字样。被背书人依法实现其质权时，可以行使汇票权利。"对于支票、本票的质押，根据该法第81条、第94条的规定，适用有关汇票质押的规定。我国台湾地区的立法例则与大陆不同，该地区"票据法"未规定票据设质问题，根据"票据法"第12条的规定，在票据背书时记载设质文句的，不发生票据上的效力。但是，该地区的"民法"第909条规定了票据的设质问题，因此票据在该地区可作为质权的标的。

对于支票的设质问题，有学者曾提出异议，认为支票系支付工具，非信用工具，且为见票即付，这与汇票、本票在性质上有所不同，而且在立法上仅见《日内瓦国际统一票据法》第19条与《日本票据法》第19条对汇票及本票的出质作出规定，因而支票的出质在法律上并未明确，因此支票并无设质的价值。[2] 其实，支票属于有价证券的一种，同样具有流通性和价值性，在设质上与汇票、本票并无明显的区别，因此支票同样可以出质，而且在多数国家的司法实践中，以支票来出质均被承认为有效。

近年来，理论界对于注有"不得转让"字样的票据是否可质押的问题争论的十分激烈。通说认为，不得转让的权利不得设质。例如，我国台湾地区"票据法"第30条规定了一些禁止转让的票据，学者一般认为不得用于设定质权，因为这与质权标的

---

[1] 参见羊焕发：《质押制度研究》，中国人民大学2001年博士论文。
[2] 陈世荣著：《支票法论》，第205页。转引自谢在全著：《民法物权论》下册，中国政法大学出版社1999年版，第818页。

的让与性要件不符。如果票据上禁止让与的记载由背书人做出，那么，根据该"票据法"第30条第3项的规定，仍可依背书转让，但禁止转让者对于禁止后再由背书取得票据之人，不负责任。所以，谢在全先生认为，尽管该类票据仍可设质，但该类质权对于禁止转让者，不生效力。[1] 日本理论界的多数学者也认为，票据设定质权后，质权人系以自己的名义为自己的利益行使票据权利，并非受委任收取票款，除质权人取得票据时明知有害债务人外，票据债务人不得以对抗背书人之事一对抗质权人，而发票人记载禁止转让，其目的在于排除票据之背书性，保留对受款人之抗辩权，因此，在具有如同权利移转效力之质权背书，不得为之。[2]

在我国司法实践中，当票据上注明"不得转让"的字样，其后手再背书转让的，根据我国《票据法》第34条的规定，"原背书人对后手的被背书人不承担保证责任。"那么，当以该票据出质时，实际上造成了票据的潜在的转让，付款人会拒绝向质权人付款，从而发生与质权的冲突。此时，质权人的权利便失去了意义。所以，当事人持有的注有的"不得转让"的票据不得质押。在近年来的司法实践中，我国最高人民法院2000年11月发布的《关于审理票据纠纷案件若干问题的规定》第53条规定："出票人在票据上记载'不得转让'字样，其后手以此票据进行贴现、质押的，通过贴现、质押取得票据的持票人主张票据权利的，人民法院不予支持。"第54条也规定："依照票据法第三十四条和第三十五条的规定，背书人在票据上记载'不得转

---

[1] 谢在全著：《民法物权论》下册，中国政法大学出版社1999年版，第816页。
[2] 参见［日］升本喜兵卫著：《手形小切手法论》，昭和15年版，第143页，转引自黄献全著：《金融法论集》，台湾三民书局1991年版，第89页。

让'字样,其后手以此票据进行贴现、质押的,原背书人对后手的被背书人不承担票据责任。"这实际上同意了上述观点。但是,也有学者对此提出异议,认为不得转让的票据也可以质押。其理由是,票据质押从实质上讲是一种非转让票据权利的行为,不会形成票据权利的事实转让。因为票据设质背书产生三个方面的法律效力:一是质权人取得在其债权未得到清偿时提示付款的权利;二是抗辩切断,质权人因设质背书取得的仅是收款的权利,票据权利并未因背书转移于质权人,质权人也未因此而承受背书人的权利瑕疵,所以票据债务人不得以对抗背书人的事由来抗辩质权人,但是质权人明知其行为有害于债务人的除外;三是质权人可以再行背书,但其背书不发生转让背书和设质的效力。所以质权人因设质背书虽取得收取票款的权利,但对票据本身并无处分权。[1]

另有学者认为,设定票据质押并非是转让票据权利,只是出质人以此票据权利作为债务人履行债务的担保而不发生票据权利转让的后果,因此,作了禁转背书的票据依然可以设质。不过,质权人在主张权利时,其权利实现的方式应依禁止转让记载人的不同而有所区别。若系出票人在票据上作了不得转让的记载,则根据《票据法》第 27 条第 2 款的规定,此票据不得转让。因此,当债务人不履行债务时,质权人只能要求出质人向票据债务人主张票据权利,质权人对此票据金额享有请求权,而不能要求出质人将此票据转让于己;若系背书人在票据上作了不得转让的记载,该记载人的被背书人或其后手将此票据出质,质权人欲行使权利时,既可以要求出质人去主张票据权利,再以所得票款清

---

[1] 参见王斌:"不得转让的票据可以质押",载《山东法学》1997 年 10 月(总第 49 期)。

偿对质权人的债务；也可以要求出质人将票据背书转让于己。[1]

笔者认为，后两种承认注有"不得转让"字样的票据能设定质押的观点并不太妥当。我国台湾学者黄献全先生认为，票据上的设质背书，"与一般移转票据权利所为之转让背书，法律上性质不同，并无移转票据权利之效力，票据权利所有人仍为出质之背书人，就此点而言，设质背书与委任取款背书相同。"[2] 所以，质权人所取得的是质权而非票据权利，票据权利所有人为出质的背书人。当债务人不履行债务时，质权人有权在票据到期时请求票据的债务人兑现票据，此时质权人才有权行使票据权利，而不是在票据出质后质权人就可以行使票据权利。如果票据上注明了"不得转让"的字样，其后手再背书转让的，原背书人对后手的被背书人不承担保证责任。以这种注明"不得转让"字样的票据出质，实际上类似于将该票据转让，由于该票据上明示不得转让，那么这种出质与当事人的约定相反，注明人的后手再设质的，注明人对出质人的受让人即质权人不承担保证责任。如果票据的债务人不向质权人付款，则质权人不能实现其质权。此时，由于票据上明确记载有"不得转让"的字样，质权人应被推定为知道上述事实，所以善意取得制度对此也不宜适用，故质权人的质权不能有效成立。此外，根据《担保法》第75条的规定也可以回答这一疑问。第75条规定的可作为权利质权标的的权利一般为可以转让的权利，而票据上记载"不得转让"的字样后，该票据权利不得转让，以此票据来出质，是不符合法律规定的。

---

[1] 参见张理："关于票据质押几个重要问题的思考"，载《南京大学法律评论》1999年春季号。
[2] 黄献全著：《金融法论集》，台湾三民书局1991年版，第86页。

在上述同意此种票据设质的观点中,第一种观点认为质权人不承受背书人的权利瑕疵,这并不妥当。实际上设质的实质包含有票据权利的潜在转让,质权人当然应当承受权利瑕疵问题,否则票据上记明"不得转让"岂不成了空谈?至于允许质权人再行背书的观点更是缺乏前提。第二种观点认为可以以此种票据作担保但不发生票据权利转让的后果,那么,质权人要这种质权又有何用?依该观点,质权人在主张权利时,均需通过出质人来向票据债务人主张票据权利,此时质权人所取得的只是一种留置而非变现的权利,那么,如果出质人不去主张,票据债务人又以票据上的记载来对抗质权人,则质权人的质权岂不又落空?所以,上述两种观点并未考虑到设质对象的可转让性对质权人利益的影响,特别是第一种未辨明票据权利与质权的关系。实际上,票据的设质乃在于以票据权利设质,其目的在于当债务人不履行债务时,质权人有权通过票据的变现而获得清偿。只有当该票据能够转让,其交换价值才能在质权实行时顺利移转给质权人,质权人的利益才能得到全面的保护。如果要质权人依赖于出质人来追索票据权利,则这种质权的设定对质权人极为不利,也与质权的通过对财产的留置和依法变现来实现其债权的观念相悖。因此,在理论上坚持只有可转让的票据才能出质的观点,才是一种比较科学的态度。

2. 债券。债券是由政府、金融机构或企业为筹措资金而向社会发行,约定在一定期限内还本付息的有价证券。债券按其发行主体可分为政府债券、金融债券和企业债券。政府债券也称公债券,即由中央政府或地方政府为筹措资金而向投资者发行的一种债券。金融债券是由金融机构发行的债券。企业债券是由企业发行的债券。这些债券都可以分为记名债券和不记名债券。

债券实际上是一种以有价证券形式表示的债权。它通常具有偿还性、流通性、安全性和收益性的特征。[1] 所谓偿还性，是指债券的债务人应当按期支付利息、偿还本金。所谓流通性，是指债券一般可以在证券市场上自由转让，变现能力很强。所谓安全性，是指债券的收益一般比较稳定，风险较小，其持有人享有优先于股票持有人的对公司剩余资产的追索权。所谓收益性，是指债券可以为投资者带来利息收入。

由于债券风险小、收益稳定、变现容易，它是一种十分适合出质的财产。目前，《德国民法典》第1292条、第1293条，《法国民法典》第2075—1条，《日本民法典》第365条、第366条都规定了债券的质押。我国《担保法》第75条也承认了债券的质押。

3. 仓单。仓单乃仓库的保管人应寄托人的请求所填发的一种有价证券。在仓单的立法上，存在三种立法主义：两单主义、一单主义和并用主义。所谓两单主义是指仓库保管人同时填发两仓单，一为提取仓单，一为出质仓单，前者用来提取寄托物，可以转让；后者用来出质，可作为债权担保。其理由为：寄托人可以先以出质仓单来出质，以便筹借现款，然后以提取仓单待价而沽，所以出质与转让并行不悖。如果只有一单，则出质后，无由转让。[2] 法国采取该立法例。所谓一单主义是指仅填发一份仓单，可同时作为转让与出质之用。其理由为：如采两单主义，两单分别流通时，则提取仓单持有人常担心出质仓单所担保的债权不能清偿，致使寄托物有被拍卖的危险；而出质仓单的持有人也担心两单所载的数额不符，难免不安，况且两单主义毕竟不如一单主义简便安全。而且，两单主义，虽然先质后买，但出质后一

---

[1] 施天涛主编：《证券法释论》，工商出版社1999年版，第10页。
[2] 参见郑玉波："论仓单"，载《法令月刊》第23卷第4期。

般都不易再卖，所以实际上两单等同于一单。《德国商法典》第424条采用该立法例。所谓并用主义是指根据寄托人的选择，请求填发两单或一单都可以。《日本商法典》第627条采用该立法例。由于这种制度过于复杂，徒增麻烦，所以立法上很少采用。目前在我国的司法实践中，保管人仅开具一张仓单，既可以转让也可以质押，显然采一单主义。

在性质上，仓单通常被纳入有价证券之中。①仓单是一种物品证券。仓单以给付一定物品为标的，故为物品证券。在移转仓单上所载货物时，必须移转仓单，才发生所有权的转移，所以仓单也称为处分证券；②仓单是一种要式证券。仓单上记载的事项，须遵从法律的规定；③仓单是一种文义证券。保管人与寄托人之间的权利和义务，根据仓单上所记载的内容来确定，即使与当事人的真实意思不符，也不得在证券之外另行补充或变更，以强化仓单的公信力；④仓单是自付证券。仓单由保管人填发，并由其给付，所以称为自付证券。

仓单签发后，通常发生以下效力：一为受领寄托物的效力。寄托人或仓单的合法取得人在受领寄托物时必须出示仓单，并且应将仓单缴回，否则不能取回寄托物。二为移转寄托物的效力。在移转仓单上的货物时，必须由货物所有人在仓单后背书，否则不发生所有权移转的效力。

关于以仓单、提单或载货证券等物权证券所设定的质权的性质，学说上既有主张动产质权的也有主张权利质权的。有学者认为上述证券为表示其所代表的物品的证券，占有证券即与占有物品有同一效力，所以以此等物品证券来出质应属于动产质权，[1]日本学术界也持该种观点。《日本商法典》第575条规定："将

---

[1] 倪江表：《民法物权论》，台湾正中书局1965年版，第360页。

提货单交付于可依提货单受领运输品者,其交付,就取得行使于运输品上的权利,与交付运输品有同一效力。"可见,该条文明确规定提单之交付与运送物之交付有同一效力,那么,就运输物所能行使的权利,除运送物的所有权的移转外,还可包括动产质权的设定或其他动产物权的行使。而且,根据《日本商法典》第604条的规定,仓单的交付效力,准用第575条的规定。所以,日本学术界认为提单、仓单及载货证券的出质属于动产质权自有其立法依据。但在我国台湾地区,根据其"民法"第908条的规定,仓单的设质一般被归于有价证券质权之中,在该类物品证券上设定的质权应属于权利质权而非动产质权。况且,物品证券所表示的物品仅得依其证券来行使权利,所以仅得以其证券来设定权利质权而不能以该物品来设定质权。[1] 笔者认为,以仓单来出质,实际是以仓单上所附载的对保管人的请求权来出质,因为寄托人有权请求保管人履行对货物的保管义务并在合同到期后将货物交付于寄托人,所以仓单所代表的权利可视为一种债权。以仓单来出质,实际上属于证券债权质权。从我国的司法实践来看,我国《合同法》第387条规定:"仓单是提取仓储物的凭证。存货人或者仓单持有人在仓单上背书并经保管人签字或者盖章的,可以转让提取仓储物的权利。"由此可见,仓单在我国实际上代表一种提取仓储物的权利,即对保管人的一种请求权,以仓单来质押即以该请求权来出质,因而我国《担保法》将仓单质押作为权利质权的一种,有其内在的合理性。对此,我国一些学者也持相同观点。[2]

---

[1] 杨仁寿:《海商法论》,第356页。转引自谢在全著:《民法物权论》下册,中国政法大学出版社1999年版,第818页。
[2] 房绍坤等:"论仓单质押",载《法制与社会发展》2001年第4期。

以仓单出质的优点在于，仓单具有流动性，变价容易，风险较小，债权人在债务人不履行债务时可以依法变卖、拍卖仓单上所代表的货物而受偿，所以能较好地保护债权人的利益。此外，以仓单来出质的另一处是，仓单与货物相对分离，仓单出质后，货物所有人对货物仍有所有权，可以允许别人察看货物，以备将来取得较好的销售价格。

4. 提单。提单是由海上货物运输人签发的、证明承托双方已签订海上货物运输合同、货物由承运人接管或装船，以及承运人据以交付货物的凭证。提单的功能表现在三个方面：首先，提单是货物承运人向托运人签发的货物收据；其次，提单是海上货物合同订立的证据；再次，提单是货物的所有权凭证。提单代表货物，谁持有提单，谁就有权要求承运人交货。从性质上讲，学说上通常认为提单属于一种有价证券，可归属于不完全有价证券之列，即该证券代表货物的所有权，它离开占有后，虽然不易行使其权利，但仍有其他方法可主张权利，因而为不完全证券。[1]

在早期的法律实践中，法律不承认提单能够赋予其持有人对承运人的直接权利。在1845年的Thompson v. Doming 一案中，法官Parke指出："提单只转让物权，它不转让合同。"[2] 从该判例可以看出，否认提单转让合同实际上否认了提单持有人和承运人之间的直接的债权债务关系。如果采取该立法例，会在实践中产生很多困难。在发生货损货差，或错误交货的情况时，真正受到损失而愿意起诉承运人的一般是提单持有人。如果否认提单持有人和承运人之间有直接的权利和义务关系，则他惟一的选择是以侵权起诉承运人。但是，如果提单持有人因为没有所有权或

---

[1] 梁宇贤："论载货证券之比较研究"，台湾地区《中兴法学》第35期。
[2] 转引自郭瑜："论提单债权关系"，载《中外法学》1999年第2期。

其他原因不能证明,就不能取得对承运人的诉权。而此时托运人虽然有权起诉,但往往没有动力为提单持有人利益而诉,结果导致无人起诉,使承运人逃避责任。正因为如此,英国在1855年通过了《提单法》,该法规定提单持有人如果在受让提单时同时取得提单项下货物的所有权,则提单所证明的运输合同的诉权也转让给他。该法规确认了诉权的转让,从而在提单持有人和承运人之间建立了直接的法律关系,但遗憾的是,它对问题的解决只是局部的,因为它要求提单持有人必须是先取得货物的所有权才能受让诉权。直至1992年,英国通过的《海上货物运输法》才取消了对所有权的要求,规定只要是合法的提单持有人就有权起诉承运人,此时才最终确立了对承运人的确定的权利。英国的这种立法模式也对世界上多数国家的立法产生了深远的影响,目前几乎所有的国家都通过立法确认了提单持有人有权对承运人直接主张权利。例如,德国《海商法》第656条第1款规定:"提单制约承运人与收货人之间的法律关系。"我国台湾地区的学者则直接将这种关系确认为债权关系,继而认为提单属于一种债权证券。目前,我国已颁布的《海商法》第78条规定:"承运人同收货人、提单持有人之间的权利、义务关系,依据提单的规定确定。"这实际上允许提单持有人直接向承运人主张权利,所以我们可以将提单视为一种债权证券。这种债权关系表现在,提单持有人有权要求承运人根据提单记载的条件交付特定的货物,这种权利来自于法律的规定,托运人不能随意取消。该权利可随提单的转让而转让。

提单既然属于一种债权证券,当然可以与其他有价证券一样用来担保债权。对于提单担保的性质,英国曾经认为提单的担保构成按揭,但在后来的判例中英国上议院倾向于认定此类交易属于质押。[1] 目前，多数国家认为提单的担保属于质押，如我国《担保法》第 75 条将其列为权利质权的一种。以提单作担保，实际是以提单上所附载对承运人的债权作为担保，它属于证券债权质权的一种。以这种权利作担保同样具有流动性强、易于变现、风险较小的诸多优点。

5. 存款单。存款单，也称存单，是存款人在银行存了一定数额的款项后，由银行开具的到期还本付息的债权凭证。根据国务院颁布的《储蓄管理条例》的规定，储蓄机构可为储户办理人民币和外币的活期储蓄和定期储蓄业务。经中国人民银行或其分支机构批准，储蓄机构可以办理个人定期储蓄存款存单小额抵押贷款业务。储蓄机构在为储户办理储蓄业务时应当开具存款凭证。如果是活期储蓄，开具存折；如果是定期储蓄，则开具存单。

存单反映的是储户与银行之间的一种存贷款关系，因而存单在性质上一般被看作是债权凭证，表明存单持有人对出具存单的金融机构所享有的一定的债权。不过在理论上，国外也有些学者主张存单还具有票据性质，其理由为，"存款单是不可流通的票据……大额存款证可任意流通转让，现已在很大程度上取得了流通证券的地位"，[2] 我国一些学者也持相同意见。我国最高人民法院在制定《担保法》的司法解释时，为了避免引起司法实践中的分歧，司法解释制定时直接以存单的债权凭证的本质为基础展开，没有涉及存单是否有票据性这一分歧问题。

---

[1] 何美欢：《香港担保法》下册，北京大学出版社 1995 年版，第 458 页。
[2] H. P. 希尔顿：《银行实务与法律》，转引自曹士兵著：《中国担保诸问题的解决与展望》，中国法制出版社 2001 年版，第 303 页。

存单既为一种债权凭证，当然可以作为质权的标的。[1] 至于存折，则不宜用来质押，因为活期储蓄随时可以支取，满足存款人的借贷要求。以存单来质押，其优点往往是仓单、提单等证券所不具备的。存单的信用度较高，它是银行开设给存款人的一种债权凭证，金融机构作为债务人其设立有着严格的限制，其运营受国家主管机关严密监管，并建立了各种保障支付能力的措施，这些制度和措施都提高和加强了存单的信用。[2] 而且，存单较有形物而言，变现十分容易，极易满足质权人的需要。所以，存单是一种较好的质押标的。

（三）股权

所谓股权，一般是指股东因出资而取得的根据公司章程的规定参与公司事务并享受财产利益的权利。这种权利既是一种财产权利同时又具有可转让性，因此它可作为质押的标的。

目前，世界上多数国家在其民事法律或商事法律中都规定了股权质押制度。例如，法国《商事公司法》第46条及德国《有限责任公司法》第33条都规定了股份的质押。[3] 相比而言，日本法律中有关股权质押的规定较为全面。例如，日本《有限公司法》第32条规定，股权得以份额为质权的标的。《日本商法典》第207—211条专门规定了公司股份的质押问题。

在我国，公司法施之前施行的《股份有限公司规范意见》

---

[1] 日本在判例中广泛承认存单质押的合法性，如日本大阪判例中确认定期储蓄存款人可向银行以其定期存款来担保，参见大阪判例（昭和11年2月25日）。
[2] 张进军等："关于存单质押的几个相关问题"，载《金融与投资》1997年第3期。
[3] 参见卞耀武：《当代外国公司法》，法律出版社1995年版，第388页。

第 30 条允许以股份来抵押。1995 年出台的《担保法》正式确立了我国的股权质押制度。例如，该法第 75 条允许以"依法可以转让的股份、股票"来质押。此外，1997 年 5 月 28 日国家对外贸易经济合作部、国家工商行政管理局联合发布了《关于外商投资企业投资者股份变更的若干规定》，该规定第 2 条允许外商投资企业的投资者在经其他各方投资者同意后将其股权质押给债权人。

近年来，有学者对《担保法》第 75 条中使用的"股份"这一概念提出质疑，认为该提法并不准确。其理由为：①我国法律中对股份的理解与外国法律不同。对股份这一概念，在德国和法国的股份有限公司和有限责任公司立法中，股东的出资均称为"股份"。在我国《公司法》及公司法颁布以前的《中外合资经营企业法》、《有限责任公司规范意见》和《股份有限责任公司规范意见》中对有限责任公司股东的出资称为"股东出资"或"股东的出资额"，而对股份有限公司才称为"股份"。所以，"股份"在我国是股份有限公司的特有概念。而根据我国《担保法》第 78 条第 3 款的规定："以有限责任公司的股份出质的，适用公司法股份转让的有关规定。"可见，《担保法》所指的"股份"实际上仅指有限责任公司的出资额。《担保法》的规定与我国《公司法》的不一致，实为立法上的一大缺憾。②将"股份"与"股票"两概念并列使用并不恰当。股份，从公司的角度来看，是公司资本的成份和公司资本的最小计算单位；从股东的角度看，是股权存在的基础和计算股权比例的最小单位。而股票，是指公司签发的证明股东持有的凭证。因而，股份与股票是两个不同层次的概念，不应并列使用，所以对"股份"和

"股票"应统一改称为"股权"。[1] 笔者认为,《担保法》在"股份"一词的用语上的确存在不科学的地方,所以第78条第3款所称的"股份"宜改为"股东出资"为宜。那么,第75条的"依法可以转让的股份、股票"也宜相应的修改为"股份、股东出资、股票"。如果从上述对象的实质意义来讲,它们无非是股权的不同表现形式,因而也可用股权一词来替代。

股权是一种性质上极为特殊的权利,我国法学界对于股权的性质曾作了深入的探讨,较有影响的观点主要有以下几种:①"股权所有权说"。持该观点的同志认为,股权是物权中的所有权。他们认为,公司中存在着两个所有权,即股东享有所有权,公司法人也享有所有权,并称之为"所有权的二重结构"。公司法人所有权并不是对股东所有权的否定,只是使股东所有权表现为收益权及处分权。所有权的二重结构并不破坏"一物一权"的规则,也并不意味着国家所有权的丧失。[2] ②"股权债权说"。持此观点的同志主张股权实际上是债权。他们认为,从公司取得法人时起,公司实质就成了财产所有权的主体。此时,股东对公司的惟一权利仅仅是收益,即领取股息和红利,这是股东所有权向债权的转化。此时,股东的所有权逐渐被削弱,主要表现为处分权基本上丧失殆尽,股票反映债的关系,成了债权的凭证。股东的收益权也成了一种债务请求权。[3] ③"股权社员权说"。持此观点的同志认为股权实际上是一种社员权。所谓社员权是股东因出资创办社团法人,成为该法人成员并在法人内部拥有的权利和义务的总称。股东享有社员权是作为产权交换的代

---

[1] 参见阎天怀:"论股权质押",载《中国法学》1999年第1期。
[2] 王利明:"论股份制企业所有权的二重结构",载《中国法学》1989年第1期。
[3] 郭峰:"股份制企业所有权问题的探讨",载《中国法学》1988年第3期。

价。[1]④"股权独立民事权利说"。持该观点的同志认为股权不同于社员权，是一种自成一体的独立权利类型，股权是股东转让出资财产所有权的对价的民事权利。作为独立民事权利的股权具有目的权利和手段权利有机结合、团体权利和个体权利辩证统一的特征，兼有请求权和支配权的属性，具有资本性和流转性。[2]

笔者主张并赞同股权是独立民事权利的观点。①公司享有由股东出资所形成的全部法人权；②股东出资是转移财产所有权的法律行为，出资而形成的公司资本属于公司本身所有，出资不导致股东对公司资产而享有的所有权；③股权的主要内容为自益权和共益权，与以占有、使用、收益和处分为内容的所有权并不相同。正因为股权性质上与债权、所有权存在明显的区别，所以我国《担保法》第75条并未将股票与其他有价证券的质押归位一类而是与股份一并作为股权质押，是有其合理性的。

股权既然可作为质押的标的，那么，究竟股权中的哪些权利可作为质押呢？根据传统公司法理论，股权可分为共益权和自益权。自益权是股东以自己的利益为目的而行使的权利，主要包括发给出资证明或股票的请求权、分配股息红利的请求权、股份转让权、分配公司剩余财产的请求权等。共益权是指股东以自己的利益并兼以公司的利益为目的而行使的权利，主要包括出席股东会的表决权、任免董事等管理人员的请求权、对公司文件的查阅权等。就二者关系而言，自益权主要是财产权，而共益权主要是公司事务的参与权，二者相辅相成。基于上述分类，有学者认为，股权质押，仅以其股权中的财产权利为质的标的，因为共

---

[1] 储育民："论股权的性质及对我国企业产权理论的影响"，载《经济法制》1990年第2期。
[2] 江平、孔祥俊："论股权"，载《中国法学》1994年第1期。

益权属于人身非财产性权利,不可转让。[1] 对此,有学者提出了不同的意见,其理由如下:首先,为了保护股东的利益,公司法规定了股东的财产性权利和公司事务参与权,分别担当目的权利和手段权利的角色,这两种权利的有机结合即为股权。因此,作为质权标的的股权,决不可强行分割而只承认一部分是质权的标的而剔除另一部分。其次,股权作为质权的标的,是以其全部权能作为债权的担保。在债权届期不能受到清偿时,按照法律的规定,可以处分股权以使债权人优先受偿。对股权的处分,就是对股权的全部权能的一体处分,其结果是发生股权转让的效力。如果认为股权质权的标的仅为财产性权利,而股权质权的实现也仅能处分股权中的财产性权利,则十分不妥。[2] 笔者认为,股权相比其他财产权而言较为特殊,股权中的自益权部分类似于普通的财产权,共益权部分虽然不能直接以金钱来评价,但却是自益权实现的前提,二者不能截然分开。如果从质权标的的构成标准来分析,质权的标的应为有形财产或财产性权利,因为质权是一种价值权,是以在债务人到期不履行债务时通过实行质物来满足债权为目的的一种权利。从这个角度出发,可以出质的对象应为财产性权利。不过,由于股权自身的特殊性,其共益权和自益权不能断然分开。如果允许单独以自益权来出质,那么,质权人将来有可能只取得自益权部分,而不能取得共益权,这种失去了共益权的自益权是一种并不完整的权利。所以,股权在出质的时候应以全部的权利来出质而不宜分开出质。其次,股权中的共益权不能直接以金钱来评价,但该权利毕竟与普通人身权不一样,共益权产生的前提是出资而非股东个人的人格或身份,所以该权利

---

[1] 参见毛亚敏:《担保法论》,中国法制出版社1997年版,第217页。
[2] 参见阁天怀:"论股权质押",载《中国法学》1999年第1期。

是依附于财产上的一种权利,在转让自益权时应当将共益权一并转让。总之,股权的出质应以其中包含的自益权和共益权一并来出质。

股权虽然可以作为出质的标的,但其表现形式并不相同。在有限责任公司中,股权表现为股东的出资,股东的出资证明书是股东拥有股权和股权大小的证明,但它不是流通证券。在股份有限公司中,股权的证明是股票,股票上载明的份额表明股东拥有的股权的大小。股票作为股权的载体,是一种有价证券,可以流通,其转让表明股权的转让。所以,股权质押在有限责任公司中一般称为出资质押,而在股份有限责任公司中则称为股份质押或股票质押。

股权作为一种出质标的,其担保功能的大小直接关系到债权的安全。对于股权担保功能的分析,应从股权的价值性和流通性两方面来分析。从价值方面来看,对股权的价值直接产生影响的因素是股东的请求分配股息红利权和请求分配剩余财产的权利,如果股东能分配的股息红利较多,企业的资产负债不大,则股权的价值较大,反之较小。如果股权是以股票形式来表现,则股票还会受市场的供求、市场的利率、政策等因素的影响,股票市场的供求、国家政策会对股票价格产生直接的影响,而市场利率的高低又和股票的价格成反比。因此,股权出质不同于其他财产权的一个显著地方就在于质物价值的不稳定性,"股权的价值极易受公司状况和市场变化的影响,特别在以股票出质的情形下,股票的价值经常地处在变化之中",[1] 这样对质权人而言,风险较大。另外,由于股权价值的不稳定性,在设质时当事人常常要反复协商,确定用以担保的股权份额,从而加大了设定质权的成

---

[1] 阎天怀:"论股权质押",载《中国法学》1999年第1期。

本，如果当事人通过评估机构来确定股权的价值，则又带有较强的主观色彩，有时可能与实际价值有一定的差距。从流通性来看，股权流通性的高低直接决定着质权人的权利能否顺利实现。如果以有限责任公司的股东出资来出质，则股权的流通性和变现性较差，不太利于维护债权人的利益。如果以上市公司的股票来出资，由于股票是有价证券，其流通性和变现性较强，质权人的权利较易实现，但由于股票易受市场风险的影响，有时股票价格的下跌会直接影响质权的实现。

（四）知识产权

知识产权通常是指人们对于自己的创造性智力活动成果和经营管理中的标记所依法享有的权利。按照1967年签订的《成立世界知识产权组织公约》所界定的范围，知识产权主要包括以下权利：关于文学、艺术和科学作品的权利；关于人类的一切领域的发明的权利；关于科学发现的权利；关于工业品外观设计的权利；关于商标、服务标志、厂商名称和标记的权利；关于制止不正当竞争的权利；以及一切在工业、科学、文学或艺术领域由于智力活动产生的其他权利。在我国，上述权利基本上都已规定在法律或行政法规之中。

根据目前绝大多数学者的意见，多数知识产权具有时间性、地域性和专有性的特点。在权利内容上，知识产权主要是一种财产权利，但某些权利如著作权既具有人身性又具有财产性，人们可以将其中的权利划分为人身权部分和财产权部分。[1] 同时，绝大多数知识产权具有可转让性，即使是著作权中的财产权部分

---

[1] 参见郑成思主编：《知识产权与国际关系》，北京出版社1996年版，第8页。

也可在一定条件下转让,因此,知识产权往往被作为质权的标的。从目前多数国家的立法实践来看,知识产权的担保一般不直接规定在民法典而直接规定在知识产权法中。例如,法国《知识产权法典》第 L.132—34 条规定了软件使用权的质押,第 L.614—29 条规定了专利权的质押,第 L.623—14 条规定了植物新品种权的质押,第 L.714—1 条规定了商标权的质押。在日本,除了商号权外的其它无体财产权(即所谓知识产权)一般可作为担保权尤其是质权的对象(参见《专利法》第 95 条、《实用新型法》第 25 条、《外观设计法》第 35 条、《商标法》第 34 条、《半导体芯片布图设计法》第 18 条、《著作权法》第 66 条及第 103 条)。[1] 另外,在美英等国的知识产权法中也有类似的规定。而我国在该问题上的规定则显得与众不同,我国仅在《担保法》及其司法解释中规定了知识产权的担保问题,而且《担保法》第 75 条所规定的可出质的知识产权种类仅包括"依法可以转让的商标专用权,专利权,著作权中的财产权",其种类十分有限。为什么知识产权的质押未规定在民法典中而通常规定在知识产权法律中呢?笔者认为有以下几方面的原因:①知识产权这种财产在利用上的特殊性。知识产权所具有的权利客体的无形性、权利的专有性、权利的地域性及权利的时间性等特征使知识产权制度显得与众不同,在民法典中规定该制度时还需对其作出解释,显得多有不便,所以一些国家就在单行知识产权法规中单独对此作出规定。②知识产权制度相比其他民事制度而言产生的较晚,许多国家在制定民法典之初未对该制度给予足够的重视,当然未考虑到将知识产权的质押整合到一般的权利质押制度

---

[1] 参见[日]小岛庸和著:《无体财产权知的所有权の知识》,创成社 1998 年版,第 96 页。

之中。尽管如此，在理论上，绝大多数国家都承认知识产权的质押为一种权利质押。[1]

随着社会经济的发展，知识产权的发展十分迅猛，其保护体系初成规模，在财产制度中的地位日益提高。[2] 特别是在当今知识经济时代，知识产权在社会财富中的比重日益提高，知识财产已成为社会财富最重要的财产类型，"以微软、英特尔、IBM为代表的知识经济产业，正以它的新的观念，新的姿态和巨大的威力冲击着辉煌两百年的工业经济社会。"[3] 知识产权地位的提高使人们逐渐认识到其巨大的担保价值。以日本为例，以不动产为中心的有体物一直是债权担保的主要标的。[4] 但进入20世纪90年代后，由于亚洲金融危机的爆发，日本经济一蹶不振，用以担保的土地、建筑物等不动产的价值大幅缩水，金融机构的不良债权问题日益突出。为了摆脱困扰，日本开始积极寻求新的担保资源，其通产省专门委托财团法人知识产权研究所考察知识产权的担保问题。1995年10月，该所公布了《知识产权担保价值评估方法研究会报告》。经过评估，该报告认为知识产权是一种新型的可用来融资的有潜力的资产，但也存在难以评估其价值等问题。[5] 而且，随着社会的发展，日本的知识产权担保发展很快，尤其是知识产权的质押与让与担保发展十分迅猛，具体情形

---

[1] 史尚宽著：《物权法论》，中国政法大学出版社2000年版，第418页。
[2] 参见拙文："论无形财产权的体系及其在民法典中的地位和归属"，载《法商研究》2001年第1期。
[3] 赵弘等著：《知识经济呼唤中国》，改革出版社1998年版，第2页。
[4] [日] 高石义一监修：《知的所有权担保》序言，银行研修社1997年版，第1页。
[5] 参见 [日] 高石义一监修：《知的所有权担保》，银行研修社1997年版，第10—19页。

如下表所示：

日本特许厅质权设定登记年报表

（单位：件）

	昭和61年	昭和62年	昭和63年	平成元年	平成2年	平成3年	平成4年	平成5年
特许权	43	69	17	31	90	94	19	8
实用新型权	18	11	5	1	1	7	2	0
发明权	2	2	5	0	0	1	0	1
商标权	8	6	1	1	42	0	26	28

日本特许厅让与担保登记年报表

（单位：件）

	昭和61年	昭和62年	昭和63年	平成元年	平成2年	平成3年	平成4年	平成5年
特许权	1434	3070	1781	1515	1450	1571	1654	2400
实用新型权	592	1286	556	642	512	405	356	450
发明权	836	480	359	516	469	275	312	445
商标权	3993	4350	4977	4996	5304	5365	5380	6020

（以上资料来源于［日］高石义一监修：《知的所有权担保》，银行研修社1997年版，第235页。）

从上例可以看出，日本近年来知识产权的担保十分发达，尤其是以让与担保为代表的知识产权担保形式占据了主导地位。这充分证明知识产权的担保作用已为越来越多的人所认同。

以知识产权来担保，主要是以知识产权中的财产权利来担保，这些标的一般应具有财产权性、适质性和可让与性三大要件。[1] 所以，一些知识产权或因为不可让与性或因为不适质而不能作为质权的标的。具体而言，一般存在以下几种不适于出质的对象：

第一，著作权中的人身权。著作权中的人身权一般是指由作者所享有的基于作品创作而与人身不可分离的权利，包括署名权、发表权、保护作品完整权权、修改权等权利，由于上述权利与作者的人格密切相连，所以多数国家的法律通常都不允许转让此类权利，因而它们也不能用来出质。

第二，某些特殊的商标权。在通常情况下，商标权一般都可转让。商标法的立法宗旨在于保护商标权人的权利和消费者的利益，以促进社会经济的发展，"而保障消费者利益之最直接最具体之方法，即是保持使用该商标之商品其品质之一致。"[2] 为此，各国商标法一般规定，凡类似商品使用同一商标的须将该注册商标在这些商品上的专用权全部转让而不得分别转让，联合商标不得分开转让。所以在设定质权时，联合商标应当一并设定质权而不能分别设质。至于商标转让是否需与使用该商标的企业一并转让，各国立法尚存在分歧。①采取连同转让的原则，即商标权不能单独转让，必须连同企业一起转让。持此种观点的有美国、瑞典、德国等国家，例如，《美国商标法》第10条规定："已经注册或已经提出注册申请的商标，可以连同使用商标的营业的信誉，或连同使用商标并由该商标表彰的部分信誉一起转让。"采取该作法，可以基本杜绝因转让商标而可能造成的商品

---

[1] 史尚宽著：《物权法论》，中国政法大学出版社2000年版，第390－392页。
[2] 李茂堂著：《商标法之理论与实务》，台湾1979年版，第278页。

出处混淆和消费者的误认。在设定质权时，应当同企业一并设定。②采取自由转让的原则。该原则主张商标权既可以连同企业一起转让，也可单独转让。当今世界多数国家持该观点。主张商标权自由转让是以保证使用商标的商品质量为中心来考虑的，只要商品质量与商标一致，即使该商标与企业分开转让，也不会损害消费者的利益，所以世界上主张商标自由转让的国家均十分强调商标权的受让人应保证商品质量与商标相吻合，我国实践中也采取了该原则。采取该原则后，商标权可单独作为出质的对象。尽管多数商标权都可出质，但证明商标、集体商标因其使用主体的特殊性一般不得转让。例如，《德国商标法》第20条规定："因申请注册或注册集体商标而发生的权利，不能作为集体商标而移转于他人。"法国《知识产权法典》第L.715—2条第4项也规定："集体证明商标不得转让、质押或作为任何强制执行的标的。"所以上述商标不能出质。当然，也有个别地方不允许以商标权来出质，例如，我国台湾地区"商标法"第30条规定，商标专用权不得作为质权之标的物，故不得就商标专用权设定权利质权。[1]

　　第三，货源标记或原产地标志权。原产地标志与货源标记在《知识产权协议》中称为"地理标志"。货源标记通常只"代表产地的整体信誉，而与产品质量没有直接联系，更不表明产品的特定质量品质。"[2] 与货源标记相比，原产地名称不仅明确标识商品的产地，而且还表示该商品因源自该地域而具有某种特殊的品质，也即商品中的某些特殊品质与来源地的土地、水份、气

---

[1] 参见谢在全著：《民法物权论》下册，中国政法大学出版社1999年版，第806页。
[2] 张今著：《知识产权新视野》，中国政法大学出版社2000年版，第267页。

候、植物等自然条件或当地传统的制造工艺相连，诸如贵州茅台酒、西湖龙井茶、金华火腿等，均可视为原地地名称。所以，原产地名称可表明产品的特殊性质或品质，如果其他地域也可产生同样品质的商品，则该地域只能视为"货源标记"，因为人们并未将商品与该地域的制造工艺相联系。货源标记或原产地名称权乃是该地域的人民对该地理标志所享有的专有使用权。地理标志因与特殊的地域或特色的产品制造工艺相连，不宜转让，否则既会损害该地域全体人民的利益，也会造成产品假冒而损害消费者的利益，因此基于地理标志上所形成的货源标记权或原产地标志权也不得转让，更不得作为质押。

第四，商誉权一般不得单独质押。对于商誉，1901年英国在国内税收专员诉穆勒一案中，将商誉定义为"形成习惯的吸引人的力量"，"企业的良好名声、声誉和往来关系带来的惠益和优势"，[1] 所以，商誉在外国也称为"顾客的忠诚"。经济学界认为这种良好的名声、声誉、往来关系、经营管理优势、员工素质等因素往往会为企业带来超过同类企业的超额获益能力，故将之定义为"企业连续经营过程中连续而非一次的超额收益的价值体现"。[2] 商誉通常附载于商标、商号等载体之上，是企业获得收益的前提，对企业的营利产生在十分重要的影响，因此商誉在西方经济学界一般被视为一种无形资产。商誉权是民事主体对其在工商业活动中所创造的商誉享有利益而不受他人非法侵害的权利。[3] 商誉权包括使用权和维护与禁止权两个方面。使用权

---

[1] 陈仲主编：《无形资产评估导论》，经济科学出版社1995年版，第164页。
[2] 刘京城编著：《无形财产的价格形成及评估方法》，中国审计出版社1998年版，第247页。
[3] 吴汉东："论商誉权"，载《中国法学》2001年第2期。

即是商誉权主体对其商誉利益的利用与支配的权利。维护与禁止权就是商誉权主体维护其商誉利益、排除他人非法侵害的权利。该类权利实际上是一种保护权。从多数国家的立法来看，商誉权不得许可使用，但不允许不同主体利用同一商誉。但商誉权可以转让，条件是商誉必须连同企业一并转让。所以，商誉权不得单独用来出质。

第五，商号权一般也不得单独质押。商号一般为自然人、法人等主体在工商业活动中所使用的区别不同经营主体的名称。所谓商号权，乃是指各类经营主体对其商号依法享有的专有权利，即经营主体对商号所拥有的商号设定权、使用权和转让权、许可使用权等权利。显然，商号权的概念区别于属于人身权范畴的名称权。商号作为区分不同经营主体的一种标志，可产生识别作用，因此商号往往是企业商誉外在表现的一个载体，从而使商号权具有了一定的财产属性，可以成为转让的对象。在商号权的转让上，各国立法一般存在不同的立法方式：①绝对转让主义，即商业权应与企业一并转让，或在企业终止时转让，商号权转让后，转让人不再享有商号权，受让人成为新的权利主体。例如，《日本商法典》第24条第1款规定：商号只能和营业一起转让或在废止营业时转让，多数国家的商法典中都采取了这种立法方式。②相对转让主义，即商号权可与企业分离而单独转让，转让后，转让人和受让人都享有商号权并且多个企业可使用同一商号。由于相对转让主义容易造成商号使用及管理上的混乱，引起公众严重的误解，甚至造成转让人转嫁债务或与受让人恶意串通损害债权人的情况，所以现代多数国家的民商法规定商号权不得与企业分离而单独转让。我国《企业名称登记管理规定》也采取了国际上通行的作法，第23条规定，企业名称可随企业或本企业的一部分一并转让，企业名称转让后，转让方不得继续使用已转让的企业名称。企业名称只能转让给一户企业，转让方和受让方应当签订书面合同或者协议，报原登记主管机关核准。不过，在上述规定中，何谓"本企业的一部分"，立法上尚需进一步作出解释。从立法的规定来看，商号权一般不能单独质押，它应当与企业或企业的一部分来共同作为担保的对象。例如，我国台湾地区"商业登记法"第24条规定，商号与商业同时转让，但让与人与受让人，订有特别契约者，不在此限。所以我国台湾学者认为："商号专用权，除有特约可为权利质之标的外，原则上应解为不得为权利质之标的。"[1] 除上述对象外，多数国家一般允许以其他知识产权来质押。

以知识产权来质押，其优缺点十分分明。从积极方面来讲，其优点表现在以下几个方面：①知识产权的客体具有无形性，所以在担保时不必像对待有形财产那样需要通过运送来移转质物，从而可节约担保的成本。知识产权的客体，在我国一般被称为"知识产品"，它们通常产生于科学、技术、文化等精神领域，是人类知识的产物，明显地具有非物质性的特征。[2] 因此，在以知识产权来出质时，无需通过运送等方式来移转标的，只需办理出质登记即可，因而可以大量节约出质成本。②可供出质的资源十分丰富。以有体物作担保，其范围受到客观资源数量的制约，而知识产品作为一种观念形态的产品，其范围伴随着社会经济的发展不断拓宽，新的权项次第产生，可作为权利质押标的的知识产权日益丰富，这必将大大推动权利质押制度的发展和完善。例如，在早期法律中，可供质押的知识产权一般仅限于著作权中的财产权、商标权和专利权，种类十分狭窄。而随着社会的

---

[1] 黄右昌著：《民法诠解——物权篇》，台湾商务印书馆1977年版，第66页。
[2] 吴汉东："财产权客体制度论"，载《法商研究》2000年第4期。

发展，知识产权的范围日益宽泛，一些新产生的权利也被某些国家列为可出质的对象。例如，日本《半导体芯片布图设计法》第18条允许以半导体芯片布图设计来出质，而法国《知识产权法典》第L.623—14条也允许以近年来新产生的植物新品种权来出质。而且，由于知识产权的体系的开放性，越来越多的权利会进入知识产权法的调整视野，因此我们有足够的理由相信在将来能够出质的知识产权会更加广泛。

以知识产权来设质，也具有一定的局限性。①知识产权的价值波动性较大。知识产权较有形财产而言，更宜受市场供求关系的影响。以商标为例，当企业经营良好，商品销售顺畅时，商标的价值处于上升时期；而当企业经营衰败，商品滞销时，商标的价值大大贬值甚至为负值。[1] 正因为如此，在以知识产权作质押时，需要合理解决好该类资产的价值保全问题。②知识产权的评估十分不易，这常常会给出质带来不少的麻烦。知识产权的评估，是债权人和债务人在设定质权时首先要考虑的前提条件。一旦发生了债务不履行需要以质物来清偿时，也需要对知识产权的价值进行评估。然而，知识产权的评估是一个国际上公认的难题，因为知识产权这种资产的价值不像有形资产那样，由凝结在其中的社会必要劳动时间决定的，"而是由个别生产者在个别生产中所耗费的实际劳动时间来计量的，这种计量比有形资产的计量复杂，困难，甚至具有相当程度的不确定性或测不准性"，[2] 所以迄今为止尚无人提出令人十分信服的评估方案，这些都会为知识产权的质押带来不少的困难，这也是制约知识产权质押推广

---

[1] 参见郑成思主编：《知识产权价值评估中的法律问题》，法律出版社1999年版，第103页。
[2] 陈仲主编：《无形资产评估导论》，经济科学出版社1995年版，第54页。

的一个重要因素。③知识产权因本身具有时间性和地域性的特点，因而在设质时一般比较复杂。知识产权的时间性和地域性是知识产权与生俱来的品性，尽管当今随着国际合作的加强其地域性有所弱化，但尚未根本改观，因而人们在以知识产权设定质权时应当考虑到上述因素，在权利有效的时间内和地域内来设定质权，否则即成无效的设定。④知识产权在变价时比较难。我国未建立完善的知识产权利用市场，知识产权的评估比较困难，转让也不容易，加之侵犯知识产权的事项屡禁不止，而债务人一旦不履行债务，必然会使其商誉受到损害，与之紧密相关的商标专用权的价值也会大打折扣，这当然会危及债权的安全。

第五节 其他可用来出质的财产权

在生活实践中，多数国家都未对用来出质的财产权作过于僵硬的规定。只要一项财产权符合出质的要件，一般都可作为出质的标的。对此，我国《担保法》第75条是以"依法可以质押的其他权利"来表达这一思想的。但由于客观世界的无限多样性，人们对于能够出质的对象的认识十分不一致，为此，本节有必要对此展开讨论。

一、电话加入权

所谓电话加入权，是指以支付一定的对价而使用电话为内容的权利。[1] 从性质上讲，电话加入权实质上是请求电话局提供

---

[1] 史尚宽著：《物权法论》，中国政法大学出版社2000年版，第397页。

特定的使用电话的设施及劳务的权利,它是类似于租赁权的指名债权。在日本,电话加入权被认为具有让与性,通常可与普通债权一样作为出质的标的。[1] 根据日本的判例,对于电话加入权的扣押,以对于电话官厅的通知为之(日本昭和5年2月24《日本民法典》第159条)。然而电话加入权,以电话加入者的名义更换,作为公示方法(《日本电话规则》第45条),虽然有人主张设质时以对于电话局为设质之通知或经其承诺为条件,但多数学者主张以将设质之旨记载于电话加入者名簿的公示方法,作为对抗电话局及第三人的要件。[2] 在我国台湾地区,根据其"市内电话营业规则"第69条的规定:"用户所订私人契约,如有涉及电话事项,未经电信局承认者,对于电信局不生效力",所以,在以电话加入权来出质时,非经电话局的承诺,不得设定对抗电话局的质权。此外,根据"市内电话营业规则"第67条的规定:"用户欲将电话就地移转于他人者,应由新旧两用户会同具函通知电话局,并将押机费收据及租用合约,送电信局更换",即以换发押机费收据及租用合约,为对电话局发生效力的要件。所以按照其"民法"第904条的规定,电话加入权在设质时,除以书面订立契约外,应当将押费收据及租用合约交付于质权人,而且,非经电话局承认,对电话局不生效力。为了公示,应当备置电话用户名簿,将设质之旨记载于名簿,供一般人查阅。我国内地目前尚无以电话加入权来出质的实例,但从法理上讲,电话加入权属一种指名债权,可以作为质押的标的。

---

[1] [日] 汤浅道男编著:《担保物权法》,成文堂1995年版,第49页。
[2] [日] 我妻荣著:《新订担保物权法》,岩波书店昭和43年版,第117页。

二、保证金

保证金，也称为押金，美国、日本及我国在实际生活中均有保证金的存在。通说认为，保证金就是债务人向债权人交付的用以担保债务履行的一定数额的金钱。例如，在民间房屋租赁合同中，承租人一般向出租人交付一定数额的金钱给出租人，以担保义务的履行，这些金钱即为保证金。

关于保证金的性质，学者的观点颇不一致。其代表性学说有以下几种：

1. 抵销预约说。该说认为保证金的交付，使当事人之间成立抵销预约，约定债权人在债务人不履行债务时有权以他的债权及保证金的返还债务相抵销。日本学者冈松即此说。

2. 解除条件附债权说。该说认为保证金交付后，发生附解除条件的债权。债权人对于债务人负返还保证金的债务，附有于债务人不履行债务时所生损害的限度内，归于消灭的解除条件。日本学者梅谦次郎持此说。

3. 附解除条件之消费寄托说。该说认为保证金的交付，为附解除条件之消费寄托或不规则寄托，即债权人于债务人不履行债务时，无须返还寄托物。

4. 债权质说。该说认为交付保证金者，对其受领人有请求返还的债权，系以该项债权设定质权，所以其性质为债权质权。日本学者横田秀雄、中岛玉吉及我国台湾学者曹杰、倪江表等人持该说。

5. 信托的所有权让与说。该说认为保证金的交付，其受领人负有附停止条件的返还债务，乃信托的所有权让与行为（让渡担保）。受领人在自己的债权受清偿以前，无返还的义务，即以交付保证金者将来清偿租金或其他债务为受领人返还保证金的停止条件。因而其他债权人不得对于尚未成立的返还请求权实施强制执行，其受领人则得因而优先受偿。日本学者鸠山秀夫持该观点。[1]

在上述各种学说之中，抵销预约说不能说明保证金的担保作用及债权人的优先受偿权，因而不符合保证金的性质。解除条件附债权说也未能说明保证金的担保作用，况且当事人也不以发生该种债权为目的，故不能自圆其说。附解除条件之消费寄托说将交付押金解释为寄托物的保管，这与保证金的担保目的大相径庭，因而不合情理。债权质说将保证金的交付解释为一种债权质的设定，突出了保证金的担保功能，并许可出租人使用保证金，对承租人有一定的保护，因而有其合理之处。但是，当事人在交付该保证金时，实质是以该项金钱来作为债权的担保，而不是以请求返还保证金的债权来设定权利质权，所以该解释不符合实际情形。而且，在保证金所担保的债权尚未消灭前，并不存在保证金的返还请求权，因而出质人不能以它来设定质权，其他债权人也无法对保证金行使请求权。就信托的所有权让与说而言，债务人履行债务完毕后，停止条件成就，对受领保证金之债权人的返还请求权发生效力，可以对其请求返还。否则，债权人在自己的债权未得到全部清偿前，无返还的义务。对于未履行的债务，债权人有权以保证金来抵充，如有余额再返还。所以其他债权人对于尚未生效的返还请求权，不能请求强制执行，受领押金的债权人在债权得到清偿后，才负有返还的义务，来达到优先清偿的目的。该说与实际情形最为符合，所以理论界一般持此说。在实际生活中，美国的一些法院也以让渡担保理论来解释保证金的性

---

[1] 参见杨与龄编著：《民法物权》，台湾五南图书出版公司1981年版，第218—219页。

质。在美国纽约，保证金被解释为由承租人交付给出租人的一定数额的信托的金钱，因此出租人不得将该保证金与个人资产相混同，且任何排除该规定的合约均无效。这种规定一方面可赋予出租人应得的担保，同时要求其履行受托人应负的信托义务。另外，承租人也可以以出租人所持有的保证金来收取利息。[1] 比较而言，在实践中采取信托的所有权让与说较能保护承租人的利益，也有利于维护当事人之间的利益平衡，因此保证金担保不能纳入权利质权的范围。

三、保险单

保险单又称为保单，是指保险人交付给投保人证明其订立保险合同并受合同约束的书面凭证。保险合同上一般应当载明保险合同的各项内容，并包含有投保单和暂保单的内容。保险单上载明的内容主要有：保险人、投保人、被保险人的名称和住所，受益人的名称和住所；保险标的或者保险种类；保险危险和除外责任；约定保险期限的，其始期和终期；保险金额或保险责任限额；保险费及其支付方式；保险金给付方式，以及订立保险合同的时间等。

根据我国多数学者的看法，保险单并非保险合同的全部而只构成保险合同的组成部分。[2] 保险单只是保险合同成立的凭证之一，不是保险合同成立的条件。若保险事故发生在保险单签发以前，保险人依照保险合同应当承担的保险责任不受影响，除非保险人与投保人约定保险人签发保险单为保险合同生效的要件。在保险合同成立后，保险人负有及时交付保险单的法定义务；保

---

[1] 郑玉波等主编：《现代民法基本问题》，台湾汉林出版社1981年版，第189页。
[2] 王保树主编：《中国商事法》，人民法院出版社1996年版，第516页。

险单经交付给投保人后，除非存在非法情形，解释或者适用各种约定或者议定的条件时，均以保险单所载明的条件为准。

保险单在类别上一般可分为财产保险单和人身保险单两种。在实际生活中，人寿保险单已被作为一种质押标的物。例如，我国台湾地区"保险法"第120条规定："保险费付足二年以上者，要保人得以保险契约为质，向保险人借款。保险人于接到要保人之借款通知后，得于一个月以内之期间，贷给可得质借之金额。"需指出的是，此处的保险单为人寿保险单。近来，我国内地一些专业银行也相继推出了人寿保险单质押贷款业务。例如，据《财经时报》报道，2001年初，工行上海分行与中国平安保险公司上海分公司签署了银保合作协议，允许质押的人寿保险单为平安保险公司签发的号码以1/200001或"GP"当头的人寿养老保险单。质押贷款额度起点为2000元，最高不超过保单出质现金价值的90%，贷款期限短则6个月，最长可达3年，利率按照人行规定的同期同档贷款利率执行。[1]

对于财产保险单的出质问题，我国最高人民法院在1992年4月2日《最高人民法院关于财产保险单能否用于抵押的复函》中指出："依照《中华人民共和国民法通则》第八十九条第（二）项规定，抵押物应当是特定的、可以折价或变卖的财产。财产保险单是保险人与被保险人订立保险合同的书面证明，并不是有价证券，也不是可折价或者变卖的财产。因此，财产保险单不能用于抵押。"该解释从形式方面回答了财产保险单不能出质的问题，但是，如果是以财产保险单所代表的债权来出质，是否符合法律的规定呢？对此，该司法解释未予回答。笔者认为，对

---

[1]《人寿保单可变活钱》，http://money689.163.net/daikuan05.htm 2001年2月18日。

该问题的回答应从保险单的性质入手。从性质上讲，如果当事人约定以保险单来出质，实质上就是当事人之间同意以投保人对保险人的债权来出质。就财产保险而言，投保人向保险人交纳一定的保险费，保险人在保险事故发生时应当按照约定的条件向被保险人或者受益人给付保险金。如果不发生保险事故，则投保人或者受益人不能得到保险金。所以在财产保险中，投保人在将来是否能获得保险金并不确定，以该保险单来质押在将来并不一定能够使债权得到满足，故不宜用财产保险单作为质押的标的。而且，如果允许以该保险单来出质，则债权人为了使自己的债权得到保障主观上会希望发生保险事故，从而引发道德危机，损害社会公共利益。而就人寿保险而言，人寿保险是以被保险人的寿命为保险标的、以其生死为保险事故的保险。投保人按照约定向保险人支付保险费，在被保险人死亡或者生存到保险期间届满时，保险人按照约定向被保险人或者受益人给付保险金。所以，无论是否发生保险事故，保险人总要向被保险人或者受益人支付保险金。因此，如果债务人和债权人约定以人寿保险单来出质，实质上就是双方约定以人寿保险单上所载明的被保险人或者受益人在将来对保险人的债权来出质，由于这种债权有一定的资金作保障，因此该债权在将来具备可实现性，能够满足债权人的担保需要，所以它是一种适于出质的标的。

  以人寿保险单来出质，具有其独特的优点。首先，该质押将保险业务与银行业务衔接起来，促进了金融业相互之间的合作。其次，以人寿保险单来质押可以增加借款人的信用。由于人寿保险单的保险金比较稳定可靠，贷款人往往愿意接受该种担保，从而使借款人容易以较低的利息获得较多的贷款。[1] 不过，这种质押在实行时也有其难处，即需要保险业与银行业密切配合，才能保障债权的安全。

四、邮票

对于邮票能否设质的问题，我国法律未作明文规定。根据我国《邮政法实施细则》第 26 条的规定，邮票是邮政部所发行的作为邮件纳费的标志。在性质上，邮票、印花与纸币通常被认为是金券。所谓金券，又称金额券，是指为一定目而使用，证券与权利密切结合而不可分的证券。邮票本身就具有一定的价值，它所代表的权利在行使时是以持有为条件，持有该邮票的人一般被推定为邮票的权利人。[2] 正因为邮票是一种有价证券，表示一定的财产权利，而邮票又具有一定的可让与性，适合于出质，因此邮票可以成为质押的标的。

五、车船票、游览票

车船票、游览票通常被视为服务证券，即表明购票人对于服务的提供者有一定的请求给予服务的债权。这种债权具有特定性，在一般情况下也可让与，因此日本民法中将该类债权视作动产（参见《日本民法典》第 86 条第 3 款），因而人们可在该类债权上设定质权。

---

[1] 李曜：“寿险保单质押：化解个人住房贷款风险的一种尝试”，载《上海金融》1999 年第 5 期。
[2] 杨志华著：《证券法律制度研究》，中国政法大学出版社 1995 年版，第 4 页。

六、国债代保管凭证

国债代保管凭证是我国近年来才出现的一种债权凭证。由于我国目前国债实行统一交易，国债实物一般需要统一托管，当事人不持有该实物，买卖国债只引起帐目上的变化。保管国债的机构仅向当事人发出国债代保管凭证，以证明当事人的国债金额。所以，国债代保管凭证不是证券，而是证券的证明文件，不能用于质押。对此，我国财政部1995年发布的《关于统一使用财政部监制的〈国债代保管凭证〉的通知》第2条规定，国债代保管凭证只作为各年度末到期实物国债券的代保管证明，不具有其他用途，不得在国债二级市场的流通业务中作为实物券交收凭证使用，不得进行买卖、抵押和做回购业务。所以，我国实践中是不允许以国债代保管凭证来质押的。如果当事人希望以国债来质押，应当通过签订合同的方式约定以该种债权来质押。

此外，还有人认为进出口货物退税权、不动产收益权及民事判决书都可以作为质押，笔者认为需要对此作具体分析。

就进出口货物退税权而言，根据我国《进出口货物关税条例》第25条的规定："进出口货物的收发货人或其代理人在发生下列情形之后，一年内，可向海关提供相应的证据申请海关退税：（一）海关误征，多纳税款的；（二）海关核准免验进口的货物，在完税后发现有短卸情事，经海关审查认可的；（三）已征出口关税的货物因故未装运出口，申报退关，经海关查验属实的。"对于当事人所享有的这种退税能否作为质押的问题，我国一些学者曾展开讨论。对此，我们认为，当事人所享有的这种退税请求实质上是一种特殊的债权，可以作为质押的标的。

就不动产收益权而言，最高人民法院在《关于〈担保法〉的若干问题的解释》第97条中规定："以公路桥梁、公路隧道或者公路渡口等不动产收益权出质的,按照担保法第七十五年第(四)项的规定处理。"也即,不动产的收益权如公路桥梁、公路隧道、公路渡口等收费权可以作为担保法第75条第4项所规定的"依法可以质押的其他权利"来质押。国务院在《关于收费公路项目贷款担保问题的批复》中指出,公路建设项目法人可以用收费公路的收费权通过质押方式进行融资,向银行申请贷款。公路收费权质押,以省级政府批准的收费文件作为权利证书,公路所在地的交通主管部门为公路收费权的质押登记部门。债务履行期届满债务人不履行债务的,质权人可以根据法律、法规许可的方式通过行使公路收费权而满足债权。对于将不动产收益权纳入权利质权范畴的问题,有学者解释说,以不动产上的权利如土地使用权为标的而设定担保物权的,为抵押;以债权等财产权利为标的设定担保物权的,为质押。以不动产上的收益权设定担保的,并不是以不动产本身设定担保,担保物权人不能占有不动产,只能占有收益权,因而属于质押而非抵押。[1] 我国一些曾参与最高人民法院关于《担保法》司法解释的学者也认为,"公路桥梁、公路隧道或者公路渡口等不动产收益权"只能出质而不能抵押。[2] 笔者认为,在分析以不动产用益权为标的的担保是属于质权还是属于抵押权时并不能只看其是权利就作为权利质押,而应具体分析该类权利的属性。根据传统民法的理论,有形财产可划分为动产和不动产,而设定于有形财产之上的权利可根据其附属财产的性质而划分为动产和不动产,即附属于动产上

---

[1] 参见李国光等著:《最高人民法院关于适用〈中华人民共和国担保法若干问题的解释〉理解与适用》,吉林人民出版社2000年版,第344页。
[2] 曹士兵著:《中国担保诸问题的解决与展望》,中国法制出版社2001年版,第196页。

的权利通常被认为具有动产性质,附属于不动产之上的权利被认为具有不动产性质。[1] 作此种划分的优点在于便于根据权利的特点规定权利在移转时不同的公示方法。就此而言,公路桥梁、公路隧道或者公路渡口等不动产收益权为附属于不动产之上的财产权利,具有不动产性质,因而不能象债权那样作为质押,而只能用于抵押。所以,在不动产收益权上设定的担保应作为权利抵押而对待。

除了以上这些对象外,我国还有些学者认为民事判决书也可以质押。其理由是,民事判决书是一定债权的证明文件,以其质押,实质是以其所记载的法定债权来质押,因而该质押属于权利质押中的债权质押。因此,民事判决书可以质押。而相反意见则认为,判决书是人民法院行使审判权的结果,是体现公权力运用的司法文书,而非普通的私法权利凭证;而且判决书确定的一方当事人承担的给付责任,还须适用民事执行程序方可实现,程序过于复杂;判决书作押权不利于交易安全。因此,判决书不得作为质押。[2] 笔者并不同意直接以判决书来出质。判决书是人民法院对于当事人之间债权债务关系的一种裁定,是对债权的一种证明文件,不属于表示私权的有价证券,因而不能直接用来作为质押。如果当事人之间相互约定以判决书中认定的债权来质押,则应允许。

---

[1] 参见《法国民法典》第516—536条。
[2] 参见李鹤贤、庞世耀:"谈以民事判决书质押的法律效力",载《人民司法》1999年第8期。

第五章 权利质权的设定

第一节 权利质权设定的一般规则

权利质权通常因一定的事实或法律行为而取得。从各国法律的规定来看，权利质权的取得与动产质权相似，其不外乎两种方式：①权利质权的原始取得；②权利质权的继受取得。它们或基于法律行为，或基于法律行为以外的原因而取得。[1] 具体而言，权利质权可因设定行为、转让行为、取得时效、继承、善意取得等制度而取得。在上述各种方式中，权利质权的设定行为是权利质权取得的最通常的方式，因此下文将重点对此予以分析。

权利质权的设定乃是指设定人通过一定的法律行为而创设权利质权。权利质权的设定通常为双方法律行为，即由债权人与债务人或提供质物的第三人共同创设权利质权。债权人通常称为质权人，提供质物的债务人或第三人称为出质人。对于权利质权的设定规则，多数国家和地区因考虑到权利质权与动产质权的相似性，除特殊情况外，在原则上规定准用动产质权设定的一般规则并遵循权利让与的规则，下面我们不妨展开讨论。

---

[1] 谢在全著：《民法物权论》下册，中国政法大学出版社1999年版，第804页。

一、动产质权规则之准用

权利质权在设定、效力和实行问题上,除特殊情形外,一般准用动产质权的相关规定,这一规则为多数国家和地区的法律所确认。例如,《德国民法典》第1273条第2项规定:"关于权利质权,除第1274条至第1296条另有其他规定外,准用关于动产质权的规定。不得适用第1208条至第1213条第2款的规定。"《瑞士民法典》第899条第2款、《日本民法典》第362条第2款、《意大利民法典》第2807条及我国台湾地区"民法"第901条均有类似的规定。

权利质权在设定、效力和实行问题上之所以准用动产质权的规则,乃是因为二者本质上的互通性。就质权而言,质权作为一种物权,原设定于有体物之上,质权人直接占有质物并以在债务人不履行质物时以质物优先受偿为主要效力。当债务人不履行债务时,质权人对于质物的所有权能够处分,这实质上是以有形财产的交换价值来担保。同样,所有权以外的财产权,如果具有融通性及交换价值,在其上设定质权来担保,并不违反担保物权的性质,这正是权利质权得以产生的实质原因。所以,无论是以动产还是以所有权以外的财产权来担保,在本质上都是以财产的交换价值来担保,但由于有关动产质权的理论和规定已难以原封不动地适用于权利质,所以民法就规定权利质权准用动产质权的相关规定。[1]

"准用"一词,系法律上之专门用语。就"准"而言,它在民法上代表"并非某事物,依规范之必要性,视为某事物,而

---

[1] [日]汤浅道男编著:《担保物权法》,成文堂1995年版,第49页。

为相同或类似之处理。"[1] 所以，"准用"一词表示事物的类推适用，即法律上对于某事物之规定，因与其他事物在规范上有相同的理由而类推适用其他事物的相关规定。法律上之所以采取该项立法技术，旨在避免立法上的重复，达到简化条文之目的。所以权利质权在设定、效力和实行等制度上准用动产质权的相关规定，只是为了避免重复立法，并不等于说权利质权的法律地位就比动产质权低，而是在法律上应一视同仁。不过，"准用"一词的使用，也有其内在缺陷，如使法律的适用趋于复杂，在法律解释适用上易发生歧义，等等。[2] 因此，对于准用动产质权的规定的条文的适用，应当格外注意。尽管《瑞士民法典》、《日本民法典》、《意大利民法典》等法典作了权利质权准用动产质权的相关规定，但对于哪些规定能够准用，法律上并不明确。而《德国民法典》在该问题的立法上独树一帜，在第1273条第2项明确规定了准用的范围："关于权利质权，除第1274条至第1296条另有其他规定外，准用关于动产质权的规定。不得适用第1208条至第1213条第2款的规定。"显然，这种立法例十分清晰明了，便于设定人适用动产质权的相关规定，也便于司法机关执法。

由于多数国家和地区未明确权利质权能够准用的动产质权的规则，因此许多学者都从学理上对此作了推断。例如，我国台湾地区的学者黄右昌先生认为，动产质权制度中的下列规则可在权利质权中适用：质权人不得使出质人代自己占有质物；质权担保的债权的范围；质权人应以善良管理人来保存为权利质标的的权

---

[1] 参见王泽鉴著：《民法总则》，台湾1983年版，第20页。转引自谢哲胜著：《准财产权》，台湾三民书局1985年版，第283页。
[2] 王泽鉴著：《民法总则》，中国政法大学出版社2001年版，第21页。

利；质权人得收取由该权利所生之孳息，以抵充各债权，且应以对于自己财产同一之注意收取孳息，并为计算；质权人于质权存续中，得以自己之责任，将其权利转质于他人；动产质权消灭规则等等。[1] 而谢在全先生认为，除了上述规则外，善意取得制度在有价证券质权中也有适用之余地。[2] 笔者认为，在判断动产质权的规则是否能在权利质权中适用时，重点应考虑其标的的特殊性，如果动产质权的规则适用于该权利质时与权利转让的相关规则不矛盾，也不与权利的性质相冲突，则可准用。例如，动产质权在设定时要交付质物，而权利不可能现实交付，因而只能适用准占有的相关规定。

二、权利让与规则之遵循

权利质权在设定时，除另有规定外，应当依照权利让与的规则来设定。这被称为权利质权设定的准则性规定，即不论何种权利，除另有特殊规定外，均须依照权利让与的规定来设定。例如股权之设质，应依公司法关于股份转让的规则办理；专利权之设质，应当遵循专利法中有关专利权转让的规定；等等。关于这一准则，多数国家和地区的民法典都有规定。例如，《德国民法典》第1274条规定："（1）权利质权根据关于权利转让的规定加以设定。为转让权利而需要交付物时，适用第1205条、第1206条的规定。（2）不得转让的权利，不得设定权利质权。"我国台湾地区"民法"第902条也有类似的规定。

权利质权在设定时之所以应当遵循权利让与的规则，乃是因为权利质权标的的特殊性及质权的性质。质权以转移质物的占有

---

[1] 黄右昌著：《民法诠释——物权篇》，台湾商务印书馆1977年版，第68页。
[2] 谢在全著：《民法物权论》下册，中国政法大学出版社1999年版，第821页。

为设定的必要条件,不能移转占有的财产原则上不能作为质权的标的,因此,在以权利出质时,这些权利也应具有可让与性。由于质权在实行时可能会引起权利的移转,因此质权在设定时就应遵循权利让与的相关规则,需要办理登记手续的应及时办理登记手续,以便与物权变动的公示原则和公信原则相符。

就语义上而言,"依照权利让与的规则"是一个概括性术语,凡财产性权利的出质,均应考虑其权利自身性质上的差异,遵循各自特殊的让与规则。换言之,凡权利让与所遵循的规则,在权利出质时也应一并得到遵循。例如,普通债权让与的规则在普通债权出质时应当得到遵守,证券债权在出质时除遵循债权让与的规则外还应遵循证券让与的规则,股权出质时应当遵循股权让与的规则等等。关于该规则,我国台湾地区的一些"判例"可供借鉴。例如,合伙人以自己的股份,为合伙人以外的人设定质权,应依"民法"第902条、第683条之规定,须经其他合伙人全体的同意;[1] 权利质权之设定除以债权或无记名证券或其他有价证券为标的物者,应依"民法"第904条,第908条之规定为之外,只须依关于其权利让与之规定为之,此在"民法"第902条已有规定,关于规定动产质权设定方式之"民法"第885条,自不在"民法"第901条所称准用之列。[2] 就功能而言,权利质权设定时依照权利让与的规则可以起到概括性和补充性的作用。如果法条未对某种权利的出质作出专门规定,而实践上又需要出质该种权利,则可利用上述规则进行一般性推理,从而起到弥补法律漏洞之作用。

---

[1] 参见我国台湾地区1933年上字第235号"判决"。
[2] 参见我国台湾地区1937年上字第823号"判决"。

三、我国现行立法例之评说

关于权利质权在设定、效力和实行问题上应当准用动产质权之规则,在我国立法中亦有体现。我国《担保法》第81条明确规定:"权利质押除适用本节规定外,适用本章第一节的规定。"即权利质权除适用法律的特殊规定外,应当适用第一节动产质权的相应规则。在此,我国《担保法》采用的是"适用"而非"准用"一词,这实际上暗示动产质权的某些规则可以直接在权利质权部分适用而无需类推。比较而言,"准用"一词似更准确,因为它可以揭示权利质权与动产质权尽管存在相同之处但二者之间毕竟有所差异,因而在适用上只能类推而不能直接照搬。例如,《担保法》第73条规定,动产质权因质物灭失而消灭,因灭失所得的赔偿金,应当作为出质财产。而在权利质权情形,只能说权利质权因权利丧失而消灭,而不能称其为"灭失",所以立法上采用"准用"一词较为准确。

关于权利质权在设定时应当遵循权利让与规定的规则,我国《担保法》并未明确规定。从《担保法》第75条所规定的可供质押的权利类别来看,只有具有可转让性的权利才能质押。其次,从该法所规定的知识产权质押、有价证券质押、股权质押等制度的规定来看,权利在质押时都遵循了相应的权利转让规则,特别是该法第78条第3款明确规定:"以有限责任公司的股份出质的,适用公司法股份转让的有关规定。"所以,权利质权设定时应遵从权利让与规定的规则可从立法中体现出来。不过,从立法的严密性、周延性而言,应当在《担保法》中明确规定该规则,以便在遇到特殊的权利出质时便于适用。

第二节 权利质押合同

权利质权的设定方式与动产质权基本相同,通常有法定质权与约定质权两种。所谓法定质权是指排除当事人的意思,而直接由法律所规定产生的质权。例如,《德国民法典》第1257条规定:"对于因法律规定而产生的质权,准用关于因法律行为设定的质权的规定。"由此看来,在德国立法者的眼中,法定质权和约定质权仅有产生根据的不同,而没有法律效力的差异。从其法律规定来看,该《法典》在第647条规定了承揽人对于加工物的法定质权,《德国商法典》第421条规定了仓储人的法定质权,第397条规定了经纪人的法定质权。从性质上看,德国法中的法定质权与人们通常所说的留置权等同。在法国等其他国家的民法典中亦有类似的规定。不过,在实际生活中,约定质权为质权设定的最主要的方式,下文将专门予以探讨。

一、权利质押合同的性质分析

权利质权往往由当事人通过签订权利质押合同而设定,因此设定质权的行为为双方法律行为。提供质物的债务人和第三人为出质人,接受质物并享有优先受偿权的人为质权人。根据各国的司法实践,权利质权的标的应为可转让的除所有权以外的财产权。

权利质押合同的性质问题,是指该合同究竟为物权合同还是债权合同的问题。主张物权行为的观点认为,权利质押合同在本质上是一种物权行为。所谓物权行为,"学说上的见解有二,①认为物权行为系以物权之得丧变更为直接内容之法律行为;②认为物权行为系由物权之意思表示与外部之变动象征（交付或登记）相互结合而成之法律行为。前者系依法律行为之目的或内容立论，后者系以物权行为之成立方式立论。"[1] 人们通常所说的物权行为乃是在第一种意义上而使用的。坚持物权行为说的观点认为，权利质押合同，完全符合物权行为之一切特征，本质上为物权行为。而坚持债权合同的观点认为，权利质押合同在本质上属于一种债权合同，具有债权行为的性质。[2] 其理由为，一切合同行为均属于债权行为，权利质押合同亦不例外。

笔者认为，对于权利质押合同性质的分析，应当注意将其与权利质押的设定区分开来。我国台湾地区著名民法学家王泽鉴先生在分析抵押权设定契约的性质时，曾准确地指出，当事人所达成的设定抵押权之"约定"与抵押权之"设定"（或称设定抵押权）在概念上应当严格区别，前者为债权契约，后者为物权契约。[3] 同样，设定权利质权之"约定"与权利质权之"设定"亦应严格区分。前者为当事人之间就设定权利质权所达成的协议，规定了当事人之间的权利和义务，因此为债权合同。尽管权利质权具有物权的品性，但也不能说明权利质押合同就是物权合同。而权利质权之"设定"关系着物权的变动问题，因此它为物权行为，自无疑问。从相互关系上来看，前者为原因，后者为结果。

权利质押合同为诺成性合同抑或为实践性合同的问题，是事关权利质押合同性质的另一个十分重要的问题。从罗马法的规定

---

[1] 梁慧星：《民法总论》，法律出版社1996年版，第155页。
[2] 王利明著：《物权法论》，中国政法大学出版社1998年版，第750页。
[3] 王泽鉴著：《民法学说与判例研究》（5），中国政法大学出版社1998年版，第116页。

来看，质押合同最初被作为要物契约。[1] 当前，绝大多数国家和地区的学者也认为质押合同属于实践合同。例如，日本学者近江幸治先生认为，质押合同属于要物合同，即标的物的占有移转是发生质权设定的效力的必要条件。[2]《日本民法典》第344条的规定体现了该主张："（要物契约性）质权的设定，因向债权人交付标的物而发生效力。"我国学者郭明瑞等人也持相同观点，认为质押合同从性质上讲是一种实践性的合同即要物合同，只有在一方当事人将标的物移交给另一方时方能发生法律效力。[3] 而在最近，一些学者认为，"质权的设定为物权设定的一种，以质物的占有移转为条件。但出质人和质权人订立的质押合同，在移转质物的占有前，并非不发生效力。质押合同自合同成立时生效；但法律对质押合同的生效另有规定，或者当事人对质押合同的生效另有约定的，依照法律的规定或者当事人的约定……中国现行担保法第64条规定：出质人和质权人应当以书面形式订立质押合同。质押合同自质物移交于质权人占有时生效。显然将质押合同的生效与质权的设定混为一谈。"[4] 显然，该学者认为，在移转质物的占有前，质押合同应当发生效力，即该合同应为诺成合同，并进而认为现行《担保法》的规定有失偏颇。

对此，笔者认为质押合同是诺成性合同抑或为要物性合同的问题，事关合同成立与生效时间的问题，不可不明辨。依多数学者的意见，所谓诺成性合同，即仅依意思表示一致即可成立的合

---

[1] 周■著：《罗马法原论》下册，法律出版社1994年版，第672页。
[2] [日]近江幸治著，祝娅等译：《担保物权法》，法律出版社2000年版，第68页。
[3] 参见郭明瑞、杨立新：《担保法新论》，吉林人民出版社1996年版，第204页。
[4] 参见梁慧星主编：《中国物权法草案建议稿：条文、说明、理由与参考立法例》，社会科学文献出版社2000年版，第706、707页。

同；而实践性合同，又称要物契约，即因物之交付或完毕其他给付而成立之契约。前者如买卖、租赁、雇佣、承揽、委任等合同，而后者如使用借贷、寄托等合同。在后者中，"标的物所有权或占有之移转，无须为意思之一致同时存在，得于其以前或以后为之。然必须两者完成，契约始生效力。"[1] 对于实践性合同存在的必要性，立法上素有争论。据有关学者分析，借贷、消费借贷、寄托等合同之所以为实践性合同，乃是因为该类契约为无偿契约，特以"物之交付"作为成立要件，使贷与人、受寄人等人在物之交付前多有考虑斟酌的机会，具有警告的功能。[2] 就质押合同而言，它与抵押合同存在明显的区别，后者不以移转标的物为必要条件，故为诺成合同。而质押的一个显著功能在于留置性，只有发生质物的移转才能留置质物，才能设定质押，所以质押合同只有在移转了质物后才能成立。换言之，当出质人和质权人就质押合同的主要条款达成一致的意见后，质押合同不能立即生效，而是自质物移交给质权人占有时才能生效。从实际生活来看，将质押合同视为实践性合同，可以使出质人在事前有充分的考虑机会，因为质物往往属于出质人的生活用品或生产工具，与其生活经营联系颇大，为慎重计，将之作为实践性合同较易保护出质人的利益。同时，采取该立法例，以移转占有为公示方法，对于维护交易的安全，也甚为必要。而主张质押合同为诺成性合同的学者常常认为质押合同在质物的占有移转前应当发生效力，并认为这有利于维护质权人的利益。这是因为，如果将质

---

[1] 史尚宽著：《债法总论》，中国政法大学出版社2000年版，第9页。
[2] 参见 Zimmermann, Law of Obligations, Roman Foundations of the Civilian Tradition, 1996. p. 163。转引自王泽鉴著：《债法原理》，中国政法大学出版社2001年版，第125页。

押合同解释为实践合同,则在质物移交之前,质押合同并不生效。如果出质人不及时移交质物,质权人不能以合同为根据要求出质人交付质物,这显然不利于保护质权人的利益。反之,如果将质押合同视为诺成性合同,在当事人之间达成质押协议后,在质物移交之前该合同即成立生效。当出质人不移交质物给质权人时,即构成违约,质权人可以根据质押合同的约定要求出质人移交质物。[1]

笔者认为,如采质押合同为诺成性合同的观点,则在出质人违约时便于追究出质人的违约责任,似乎对质权人较为有利。但从质押合同的实际情况来讲,采该观点并不符合质押合同的品性,因为质物的移交是质押合同中最为关键的因素,是质押合同最重要的外在体现,是其他权利义务产生的前提和必要条件,如无质物的移交,则该合同中的一切权利和义务都将成为空谈。因此,不仅要有当事人之间的设质合意,而且应有质物的移交,质押合同才能成立。那么,坚持质押合同是实践合同是否就不利于保护质权人的利益呢?笔者认为未必如此。因为,如果出质人不及时提供质物,则该合同不成立,则债权人可要求债务人提供其他的担保方式,以及时担保债权的安全。对于因出质人不及时提供质物所造成的损失,笔者认为可按缔约过失责任来处理,即要求造成损失的出质人赔偿债权人的实际损失。例如,按照我国《合同法》第42条之规定,当事人在合同订立过程中如有违背诚实信用原则,给对方造成损失的,应当承担损害赔偿责任。该规定即为缔约过失责任。依此规定,如果债务人或第三人与债权人就出质标的、出质时间、质押双方的权利义务已达成协议,而债务人或第三人事后有意不交付质物,使债权不能得到有效担

---

[1] 参见羊焕发:《质押制度研究》,中国人民大学2001年博士学位论文,第71页。

保，最终使信赖该担保的债权人造成了实际损失的，应当根据该规定追究债务人或第三人的法律责任。不过，在适用缔约过失责任原则时，按照一些学者的意见，应当注意维护合同自由原则，即缔约过失责任在适用时应当尊重当事人的磋商自由，当事人一般对磋商时没有达成合意不负责任，只有在违背诚信原则的条件下才承担该法律责任。[1] 那么，在质押合同谈判期间，如果第三人或债务人仅有出质的意向而尚未达成协议，一般不应追究债务人或第三人的法律责任。只有在其与债权人就出质问题初步达成了协议，信赖该协议的债权人因对方违背诚信原则而造成损失的，才能追究对方的违约责任。

我国《担保法》第64条明确规定："出质人和质权人应当以书面形式订立质押合同。质押合同自质物移交于质权人占有时生效。"显然，我国《担保法》将质押合同规定为一种实践合同，这与大多数国家的立法实践相一致。对于质押人与债务人以提供质押为幌子，骗取债权人的信任，在债权人履行合同后，质押人又拒绝交付质物或登记出质权利而使质押合同不生效的行为，《最高人民法院关于适用〈中华人民共和国担保法〉若干问题的解释》第86条规定了出质人的缔约过失责任："债务人或者第三人未按质押合同约定的时间移交质物的，因此给质权人造成损失的，出质人应当根据其过错承担赔偿责任。"即根据我国《合同法》第42条的规定将其视为一种缔约过失责任来处理。不过，由于缔约过失责任在适用时的特殊性，我国一些参与了该司法解释的学者也主张对该款在适用时给予严格的限制，即在适用时应当严格遵循该责任的构成要件，不能将质押人的责任泛化。至于质押人应当承担的责任的范围，按照缔约过失责任的理

---

[1] 孔祥俊著：《合同法教程》，中国人民公安大学出版社1999年版，第139页。

论，应相当于债权人"信赖上利益"的损失部分，最多不能超过履行利益，即赔偿责任不能超过质物的价值。[1]

从实践来看，多数权利质押合同在本质上均具有实践合同的特征，如债权质权在设定时要交付债权证书，票据在设质时需要将背书设质后的票据交付给质权人。不过，与动产质权相比，权利质押合同的"要物性"已经很弱，因为在债权质押中，出质人移交的债权证书仅是债权的凭证，债权人即使无该证书也可能接受债务人的清偿，这与动产质押中质权人对质物的绝对的物理上的控制力相比要弱得多，甚至我们可以说这种"要物性"往往是象征性的，只是在有价证券质押中，其"要物性"才体现得比较强烈，因为有价证券权利的行使一般以占有该有价证券为前提。正因为如此，个别权利质押合同实际上已具有诺成性合同的特征。例如，目前多数学者均认为，无债权证书的债权实际上也可以出质，并不需要出质人移转证书。[2] 而且，日本法院在判例中曾对指名债权出质合同的性质作出判决："指名债权的设质，原则上要有设质的合意和交付证书，在无证书时则为诺成合同。"[3] 类似的质押合同还有著作权中的财产权质押、专利权、商标权等质押合同，都应解释为诺成合同。

二、权利质押合同的内容与形式

权利质押合同是债权人与提供质物的债务人或第三人就财产权的出质所达成的协议。多数国家和地区的法律未对权利质押合

---

[1] 曹士兵著：《中国担保诸问题的解决与展望》，中国法制出版社2001年版，第274页。
[2] ［日］近江幸治著，祝娅等译：《担保物权法》，法律出版社2000年版，第278页。
[3] 日本大阪昭和9年3月31日判例（第3685号报第7页）。

同的内容作出专门的规定,通常情况下准用动产质押合同的相关规定。在权利质押合同中,债权人作为享有质权的一方为质权人,提供质物的债务人或第三人为出质人。

我国《担保法》第65条规定了动产质押合同的内容,这些规定也同样适用于权利质押合同。根据该规定,权利质押合同一般应包括如下内容:①被担保的主债权种类、数额。质押担保的主债权,既可以为现存的主债权,也可以为将来的或附条件的主债权;②债务人履行债务的期限;③质物的名称、数量、质量、状况;④质押担保的范围。当事人可以在合同中对质押担保的范围作出明确的规定,如主债权及其利息、违约金、损害赔偿金、质物保管费用和实现质权的费用等。关于担保的范围,当事人另有约定的,从其约定;⑤质物移交的时间。质押以当事人占有质物为必要,因此当事人应当明确约定质物移交的时间;⑥当事人认为需要约定的其他事项,如质物的保管方式等。如果质押合同不完全具备前款规定内容的,可以补正。也即,如果质押合同对某些内容未作规定,当事人可以通过对合同的补正来使其具备合同的主要条款,使该合同成立。

多数国家和地区在对质押合同进行规范时一般都规定了禁止流质契约的规定。所谓流质契约,通常是指出质人和质权人在合同中约定,在债务履行期届满质权人未受清偿时,将质物的所有权移转给质权人所有。在古罗马法中,流质契约经历了从允许到禁止的演变过程。早期的罗马法曾规定,债务人于债务到期不清偿时,质权人可将质物收为己有,或作价后归其所有,或出卖质物而受偿。但到了优帝一世,出卖担保物受偿已成为质权的要件,当事人即使订有相反的约定,其约定也不生效力。[1] 但自

---

[1] 周■著:《罗马法原论》上册,法律出版社1994年版,第400页。

罗马法以来,大陆法系的国家和地区均规定禁止当事人之间订立流质契约,如《德国民法典》第1229条、《日本民法典》第349条、《法国民法典》第2078条、《瑞士民法典》第894条,等等。我国《担保法》第66条也作了这样的规定:"出质人和质权人在合同中不得约定在债务履行期届满质权人未受清偿时,质物的所有权转移为质权人所有。"英美法系国家的规定也与此大同小异。在英国法上,流质被称为"取消赎回权",由于事先未对质物进行价值评估,因此该方式对债权人有很大的吸引力。出于公平的考虑,英国对它施以控制甚至禁止其使用。一般而言,没有法院的令状,该权利的行使几乎都是无效的。事实上,英格兰的法院很少发出该令状,通常只允许将担保物出卖来清偿债权。而在爱尔兰,这项制度已被取消。[1]

法律上之所以禁止流质契约,通说及实务上均认为是为了保护债务人,避免其因一时之急迫而蒙受重大的不利。[2] 就债权人而言,如允许流质的存在,在多数情形对其有利,因为他无拍卖质物之累。不过,债权人的权利设定于质物之上,如质物价值低于债权,则不能完全满足债权人的利益,使债权人受到损失。就债务人而言,他往往迫于情事所需而将价值高于债权的质物出质给债权人,如允许流质的存在,则会对其造成较大损失,而狡黠的债权人则常常乘无经验的债务人一时之窘迫而缔结流质契约以期取得不当之利益。正因为流质有违诚信原则,因此多数国家和地区的法律都禁止流质契约的存在。不过,近年来,一些学者认为禁止流质契约的做法利害参半。因为对于善良的借贷人而

---

[1] Philip R Wood, Comparative Law of Security and Guarantees, Sweet & Maxwell, London. 1995. p.139.
[2] 例如,我国台湾地区1951年台上766"判例"持该观点。

言,常常不愿受拍卖之累,一概否认流质的效力对其无益。何况当事人可依"让与担保"、"附条件买卖"等合同来达到同一效果。[1] 在实践中,营业质中的流质契约的规定,常常为法律所允许。对此,笔者认为,就我国现实而言,正处于市场经济初步形成阶段,当事人的法律知识常常不能适应社会经济发展的需要,债权人常处于比债务人有利的地位,双方签订流质契约很难确保利益的平衡,在这种背景下,法律上应对当事人之间的利益进行公平保护,避免出现有损当事人一方利益的情形。所以,在立法上应当先禁止流质契约的存在,待市场经济发达、当事人的法律知识有所增强时,再考虑流质条款的存废问题亦不为迟。

关于权利质押合同的形式,各国及地区法律的规定有所不同。《日本民法典》第363条规定:"以债权为质权标的,如有债权证书时,质权的设定,因证书的交付发生效力。"至于是否需要采取书面形式,日本民法未予规定,解释上应为可采取口头或书面形式。《法国民法典》第2074条、《德国民法典》第1292条也采该立法例。《瑞士民法典》则明确规定权利质权在出质时应当采取书面形式,如第900条规定:"(1)无契约证书或仅有债务证书的债权,须以书面形式订立质权契约,始得出质。有债务证书的债权,并应移交该证书。(2)质权人及出质人可将质权的设定通知债务人。(3)其他权利设质,除需书面质权契约外,还须遵守规定的有关转让的形式。"《意大利民法典》第2800条、我国台湾地区"民法典"第904条也有类似规定。法律之所以规定权利质权应采取书面形式,其目的在于维护权利质权设定的安全。因为权利质权的出质对象为权利,不可能象有形物那样直接以物理方式来占有,仅能适用准占有的规定,而准占

---

[1] 参见黄右昌著:《民法诠释——物权篇》,台湾商务印书馆1977年版,第57页。

有往往是一种观念上的占有，为此从慎重的角度考虑，宜采取书面形式。我国《担保法》第64条规定："出质人和质权人应当以书面形式订立质押合同"，第76—79条规定有价证券质押、股权质押、知识产权质押等权利质押合同均应采取书面形式，其目的也在于维护交易的安全。

第三节　权利质权设定的生效条件

权利质权的设定是与权利质押合同性质不同的两个概念。权利质权的设定即当事人之间设定权利质权的行为，它能引起物权的变动，故属于一种物权行为。权利质押合同是引起权利质权设定的一个主要原因，它与权利质权的设定之间是原因与结果的关系。

从多数国家的法律规定来看，权利质权作为物权行为，它在设定时除了需要当事人之间的合意外，还需以质物的交付或登记为生效的条件。鉴于权利质权的特殊性，它与动产质权在设定时存在诸多的不同，我们不妨结合动产质权的设定来分析该问题。就动产质权的设定而言，移转质物为质权的成立条件。质物的移转占有包括三种方式：现实占有、简易交付与返还请求权让与。所谓现实交付是指由出质人直接占有标的物的，应将标的物现实交付质权人，这是动产质权设定中最常用的方式。所谓简易交付是指标的物已由债权人占有的，则无须交付，自双方订立质押合同时起，便视为交付，质权即告成立。所谓返还请求权让与，是指出质人对标的物间接占有时，则出质人将质权的设定通知占有人，便视为移交，即由质权人对质物间接占有，对质物享有返还请求权。[1] 不过，质权人和出质人之间不得适用占有改定方法由出质人代替质权人现实占有质物，因为这与质权之功用相违背。对于占有的效力，我国台湾地区曾在其"判例"中指出："质权关系，与抵押不同，必须该质物，实已交与质权人，而后生质权之效力"（1915年上字第1697号），"动产质权之成立，以移转占有为要件"（1929年上字第774号）。

就权利质权而言，由于其在设定时准用动产质权的相关规定，因此许多国家和地区在法律中都以一些特殊的条款规定出质的财产权的移转是权利质权设定的生效条件。例如，《德国民法典》第1292条规定，对票据或者其它可以背书转让的证券设定质权的，只需债权人和质权人之间的协议并移交有背书的证券即可。《日本民法典》第364条也规定，以债权为质权标的，如有债权证书时，质权的设定，因证书的交付而发生效力。可见，权利质权在设定时，其标的——可让与的财产权在移转占有时与动产质权存在十分明显的区别，即占有方式的区别。

在动产质权场合，出质人须将有形动产移转于债权人方可设定质权，出质人所移转的仅是移转对质物的占有。通说认为，占有是一种对物的事实上的管领力。在罗马法中，占有通常被认为是一种事实而非权利，其机能不在乎保护权利而在乎保护社会平和。占有的取得须具备两个要件，一为心素，即以占有的意思而为占有；二为体素，即对物的管领。二者丧失其一，占有即丧失。[2] 而在日尔曼法中，占有不是一种单纯的事实，而是一种权利，占有重在对事实的管领，而在若干情形下转为一种观念的

---

[1] 参见《德国民法典》第1205条；我国台湾地区"民法"第885、946条及第761条。
[2] 陈允、应时著：《罗马法》，商务印书馆1931年版，第163、164页。

占有，如占有的继承等。[1] 迄今为止，世界上大多数国家的民法都规定了占有制度，如《德国民法典》第854条至第872条，《瑞士民法典》第919条至第941条就将占有规定为事实，而《日本民法典》第180条至第205条则将占有规定为一种权利。而在英美法上，占有也被视为权利之源，通常被分为实际占有（actual possession）和推定占有（constuctive possession）两类。前者是指对财产的物理形态的控制，而后者则指对财产的象征性占有，如将财产的控制手段移转于他人即是移转占有。[2]

尽管各国立法例有所不同，但在有形物的占有上，均承认占有是对物的一种事实上的管领。那么，如何认定对物的事实上的管领之力呢？我国台湾地区学者史尚宽先生认为，对物的管领之力的理解应依社会观念斟酌外部可以认识的空间、时间关系及个案情况来认定。[3] 就空间关系而言，如果人与物在场合上有一定的结合关系，足认为该物为某人事实上所管领。就时间关系而言，如果人与物在时间上须有相当的继承性，足认该物为某人事实上所管领，其仅具短暂性的，不成立占有。从以上判断标准来看，人们在确认是否为占有时更多地是根据物的物理属性来判断，这种占有常常是一种现实的、实际的占有。

具体到权利质权场合，人们常常需要分析权利的占有问题，才能解答质权设定中质物的占有移转问题。就财产权的占有而言，罗马人创造性地提出了"准占有"的概念。在"无体物"的概念出现已后，罗马人逐渐将所有权以外的其他财产权作为占

---

[1] 刘德宽："日尔曼法上之占有——Gewere"，载刘德宽著：《民法诸问题与新展望》，台湾三民书局1980年版，第307页。
[2] Simon Gleeson. Personal Property Law, F T Law and Tax, London. 1997, p. 31.
[3] 史尚宽著：《债法总论》，中国政法大学出版社2000年版，第530页。

有的对象,该类占有被称为"准占有"。这是因为,罗马人发现,占有有体物实际上就是控制了对该物的所有权的行使,对其他财产权的行使的控制,当然也应视为是对该权利的"占有",故将此称为"准占有"。[1] 罗马法上"准占有"概念的产生,对于后世各国民法规定权利的占有起到了启蒙的作用。在日尔曼法上,占有与权利关系密切,因而占有也及于权利。1804年的《法国民法典》扩大了权利占有的概念,身份关系也成为占有的对象(第1985条以下、第2888条)。后来,《日本民法典》及我国台湾地区的"民法"也吸纳了准占有制度。

从本质上讲,无论是占有抑或是准占有,其本质都是对物或权利的实际上的"管领之力",但是,对财产权的占有不能像对待有体物那样采取物理方法来控制其移动的空间和时间,必须寻求新的标准来确定对其的占有问题。对此,我国台湾地区也有学者认为:"查民律草案,第一千二百四十三条理由谓动产质权之设定,也须移转占有,而此项权利,于设定权利质不得准用。"[2] 那么,如何解决该难题呢?日本学者田山辉明认为,以自己所为的意思而行使财产权就视为对该财产权的准占有。[3] 我国台湾地区"民法"第966条十分清楚地规定:"财产权,不因物之占有而成立者,行使财产权之人,为准占有人。"财产权的行使,是指实现财产权内容的行为,如债权人请求债务人履行债务,专利权人向他人转让专利权,等等。目前,多数学者对此给予认同态度。从实际生活来看,如果一个人能够对某种财产权利予以行使,则该财产权实际上处于他的支配之下,这种情形与

---

[1] 任强:"罗马私法中的占有制度",载《比较法研究》1994年第3、4期。
[2] 王泽鉴:《最新综合六法全书》,台湾三民书局1994年版,第361页。
[3] [日]田山辉明著:《物权法》,法律出版社2001年版,第151页。

对物的现实的"管领之力"实质上具有相同之处，因此人们比照动产占有的规定而将其称为"准占有"。通常，"准占有"的对象必须是不必占有其物也能行使权利的财产权，如债权、股权、知识产权、地役权等财产权都可作为"准占有"的标的。但是，因物之占有而成立的财产权，如所有权、地上权、典权等，则不得成为"准占有"的标的，因为这些权利可直接适用占有的相关规定。另外，财产权在适用"准占有"的规定时，一般不以权利的继续行使为要件。[1] 因为法律规定准占有的目的在于保护外形的事实，以维护社会秩序，如果在外观上足以认定该财产权属于某人，即可成立准占有，例如一次清偿就消灭的债权，虽然不以继续给付为目的，也可作为准占有的标的。

既然财产权可以准占有，当然可以比照动产而"移转占有"。对此，郑玉波先生认为，就有价证券而言，"权利质权证券之交付，质权设定之通知或其他方法，使发生占有转移或其类似之效力。"[2] 易言之，当财产权由一方的控制之下转入另一方的控制之下，在理论上应当认定为发生了权利的占有移转。在现代各国的立法例上，占有移转的问题已规定于各种具体的财产权的设质之上。例如，《日本民法典》第363条规定，以债权为质权标的，如有债权证书时，质权的设定，因证书的交付而发生效力。《德国民法典》第1292条规定，对票据或者其他可以背书转让的证券设定质权的，只需债权人和质权人之间的协议并移交有背书的证券即可。而对于知识产权的质押，《法国知识产权法典》第L.132-34条规定，软件使用权的质押合同应当采用书

---

[1] 王泽鉴著：《民法物权》第2册，中国政法大学出版社2001年版，第385页。
[2] 郑玉波主编：《民法物权论文选辑》下册，台湾五南图书出版公司1984年版，第865页。

面形式，并应登记在国家工业产权局特别设置的注册簿上，否则不得对抗第三人。我国《担保法》第79条则规定，以依法可以转让的商标专用权、专利权、著作权中的财产权出质的，出质人与质权人应当订立书面合同，并向其管理部门办理出质登记。质押合同自登记之日起生效。对于股份的出质问题，《法国商法典》第91条第3款规定，以在公司注册簿上过户方式进行转让的金融、工业、商业或民事公司的记名股份、受益股和公司债，以及国家债权人名册上登记的记名债权，也可作为担保通过在上述的注册簿上过户方式设定质押。

  从上述规定来看，各国在权利的移转占有的规定上差异十分明显，或以权利的证明书的移转视为权利的移转，或以移交有价证券为权利的移转方式，或不要求移转权利而以登记为出质的证明。那么，这些方式是否就意味着出质人将财产权的全部的支配力都移转给了质权人呢？其实未必如此，就债权的出质而言，出质人向债权人移转的债权证，仅仅是债权的证明文件，这并不能阻止第三人向债权人主动清偿，况且证明文件丢失还可以补做。就无记名债券、股票、票据等有价证券而言，证券的移交相当于权利的移转，因为当事人行使证券上的权利必须以持有该证券为前提。因此，对于权利的"准占有"及权利的占有移转问题，笔者认为，立法中应当充分认识到财产权作为占有标的的特殊性，对其采取较为宽松的立法模式，尊重实质而轻视形式。例如，尽管多数国家的民法典要求债权在出质时须交付债权证书，但对于无债权证书的债权的出质，立法上仍承认其效力。[1] 在财产权的设质问题上，只要是出质人将其对财产权的控制力移转

---

[1] 例如，我国台湾地区曾在"判例"中指出，无债权证书的债权在出质时，无须交付证书（1985台上1212）。

于质权人即可,这种控制力有时通过移交证券、证书等书面文件来实现,有时间接通过登记制度来体现。如无上述公示方法,如能通过签订合同对出质人的权利行使构成一定的限制,使其在债权清偿前不能行使权利,而质权人有可能在将来行使权利,则也应解释为该权利已移转占有,如在无证书的债权出质的场合,尽管出质人无法移交证书,但该债权的行使已受到了合同的限制,而且法律赋予了质权人在债务人不履行债务的情形下行使该债权的可能,那么,这种效力与动产的移转占有并无实质上的差异,故应解释为该债权的出质成立。同动产质权制度中的占有移转相比,权利质权中的占有移转的效力相对弱得多,因为在前一情形,质权人对质物的自由处分可能性要远远大于后者。

不过,考虑到各种财产权的千差万别,其在质权的设定上的表现亦不同,因此下文将分类予以分析。

第四节 普通债权质权的设定

普通债权的质权设定,常常是多数国家权利质权设定中最为重要的组成部分。但是,各国在该问题的规定上并不完全相同。一般而言,普通债权在设质时应当遵循如下一些规则:

1. 出质人和质权人应就设质问题达成协约。债权出质协议是质权设定的原因,关于该协议的形式,各国规定不尽相同,有的要求出质双方以书面形式达成协议,而有的不要求。例如,《日本民法典》第363条规定,以债权为质权标的,如有债权证书时,质权的设定,因证书的交付而发生效力。至于当事人所达成的协议是采取书面形式或其他形式,法律并未强行规定,持同样立场的还有《德国民法典》第1280条的规定。而根据《瑞士民法典》第 900 条第 1 款的规定，无契约证书或仅有债务证书的债权，须以书面形式订立质权契约，始得出质。有债务证书的债权，并应移交该证书。持同样立场的还有《意大利民法典》第 2800 条、《法国民法典》第 2074 条的规定。立法上之所以要求债权出质合同采取书面形式，其目的是出于慎重考虑。在我国台湾地区"民法"第 904 条明文规定："以债权为标的物之质权，其设定应以书面为之。如债权有证者，并应交付其证书于债权人。"之所以强调合同的书面形式，"盖以维社会上交易之安全也"。[1] 所以在我国台湾地区，债权质的设定属于要式行为，如无书面，其质权自不成立（1933 院 998 之解释）。那么，书面协议中应采何种形式呢？对此，该地区的"司法判决"认为："依'民法'第 904 条规定，以债权为标的物之质权，固应以书面设定之，然书面之形式，法未明定其一定之格式，由出质人与质权人同意将设定权利质权之意旨，载明于书面者，即为已足（11975 年台上 684）。"

对于普通债权质权的设定问题，我国《担保法》未予明示，解释上一般认为可以作为《担保法》第 75 条第 4 项"依法可以质押的其他权利"来出质，对此，《最高人民法院关于适用〈中华人民共和国担保法〉若干问题的解释》第 106 条仅规定了债权质权的诉讼问题。由于《担保法》未对债权质权的设定合同的形式作明确规定，故应根据《担保法》第 81 条"适用本章第一节的规定"，即适用动产质权的相关规定，由出质人和质权人以书面形式订立质押合同。

2. 债权占有应以一定的方式移转。债权质权在设定时，如

---

[1] 参见蔡墩铭主编：《民法立法理由》，台湾五南图书出版公司 1990 年版，第 1006 页。

有债权证书,一般应将证书交付于债权人,质权才得以设定。所谓债权证书,一般指借据、定期存款单据等等。对此,《意大利民法典》第2801条、《瑞士民法典》第900条、《日本民法典》第363条及我国台湾地区"民法"第904条均作了规定。之所以需要移转债权证书,依日本学者汤浅道男之解释:"大概是因为在设定权利质权时,它和动产质权一样,在设定合同中也具有要物性,从而以证书的交付来代替标的物的交付。"[1] 根据这些规定,债权证书的交付是债权设质的必要条件,有证书而不交付的,应理解为不发生质权设定的效力。[2] 债权证书交付后,能够在一定程度上剥夺出质人对该债权的利用权,这类似于动产质权中的动产移转占有,且可发挥留置的效力。

如果债权无证书,是否能设定质权呢?对此,日本法院在判例中指出,指名债权原则上要有设质的合意和交付证书,在无证书时则为诺成合同,此时无须交付证书即可设定质权。[3] 对此,我国台湾地区也曾在"判例"中指出无债权证书的债权在设质时不须交付证书(1985台上1212)。从理论上讲,出质双方达成出质协议后,质权人对于出质的债权即有一定的控制之力,虽无债权证书的交付,但出质人对债权的行使受到了限制,这与动产质权的留置效果类似,因此可以认为达到了质权设定的效果,即质权成立。就此而言,笔者认为,债权质权设质合同的要物性已经大大淡化,因为债权证书仅是一种书面证明,即使无债权证书,但可以其他方式证明债权存在的,债权出质也应视为有效,因而债权与债权证书之间的联系并不是特别密切。所以,在某些

---

[1] [日]汤浅道男编著:《担保物权法》,成文堂1995年版,第49页。
[2] 史尚宽著:《物权法论》,中国政法大学出版社2000年版,第396页。
[3] 参见日本大阪昭和9年3月31日判例(第3685号报第7页)。

特殊情况下,债权设质合同也可为诺成合同。我国将来在完善权利质权制度时可以对此灵活规定,即有债权证书的,出质人应当交付债权证书,质权自交付时生效;无债权证书的,质权自当事人达成书面设质合同时生效。

至于债权证书的交付方式,多数学者认为除了现实交付外,还可依简易交付及指示交付的方式为之,但质权人不得使出质人代自己占有证书。[1] 对此,谢在全先生持不同看法,他认为证书之交付,既可现实交付,也可为观念交付,占有改定也可以(台1937年上823参照),因为这样解释不仅符合债权证书之性质,且与无证书之债权质权的设定方式相平衡。[2] 对此,笔者认为该解释并不十分符合债权质权的设定本意。质权设定的目的是为了担保债务的履行,质权人取得债权证书是对出质人行使债权的一种有效的限制,可以在很大程度上保护出质债权的安全,也便于质权人在将来对出质债权的处分。如果以占有改定的方式为之,难保出质人将来向第三人出示该债权证书并以该债权来另行出质,也给质权人将来处分出质的债权带来许多人为的麻烦。因此,债权证书现实交付给质权人或以指示交付的方式交付,是比较妥当的方法。

不过,目前美国法律的规定与上述做法存在明显的差异。根据《美国统一商法典》第9-302条至第9-304条的规定,担保物如为物品、证券、权状、动产质据等,可因占有之移转而设定质权,但债权及一般知识产权不包括在内。因为美国在理论上认为:"盖账款及一般无体财产权之任何证明,均不足以表示其财产,仅其证明文件之交付亦不足发生其财产移转之效力,存在于

---

[1] 史尚宽著:《物权法论》,中国政法大学出版社2000年版,第396页。
[2] 谢在全著:《民法物权论》下册,中国政法大学出版社1999年版,第810页。

其上之担保利益，必须依本篇为登记始能有效成立。且，纵使当事人于担保合约或其他文件中，约定其担保物之移转，视同'质权'之设定，亦不影响其应以登记为有效成立担保利益之本质。"[1] 可见，在美国，债权质权的设定以登记为成立的时间，即登记才是债权质权设定的公示手段，非经登记，不发生质权设定的效力。显然，这种规定对维护交易的安全较为有利，但增加了出质双方的设质成本。

关于证书交付的时间，大陆法系国家一般规定证书应在质权设定前交付，如果质权设定后才作成债权证书的也应及时交付给质权人。如果债权质权在设定时有债权证书，但出质人假称无债权证书而不交付，那么根据债权质权设定的要物性原理，该债权质权的设定不生效。[2] 对此，笔者持不同看法，笔者认为，如果出质人假称无债权证书而不交付，质权人信以为真而与之签订出质合同，此时按照无证书的债权出质的规则，这种债权的出质设定有效。但是，如果以后出质人反悔，拿出债权证书，则按照该学者的看法，此时债权的出质无效，则由质权人承担质权设定无效的不利后果，这显然违反了民法的诚实信用原则。对此，笔者认为，在这种情况下，应将此类出质作为无证书的债权出质来对待，认定出质的效力。一旦出质人拿出债权证书，则应让其交付证书，即使不交也让作虚假表示的出质人承担出质的法律责任，因为债权证书毕竟只是证明债权存在的一个证据，即使无它质权人也可依法来行使其权利。如此处理，方符合法律的公平精神。

---

[1] 国立中兴大学法律研究所主译：《美国统一商法典及其译注》，台湾银行经济研究室编印1979年版，第827页。
[2] [日]曾田著物权第94页，转引自谢在全著：《民法物权论》下册，中国政法大学出版社1999年版，第811页。

日本学者我妻荣先生也认为，如果出质人后来以隐藏的债权证书而为不利于质权人的行为的，不得对抗质权人。若出质人以债权证书交付于善意第三人设定质权，则此质权与前质权应以通知第三债务人的时间决定何者为先。[1] 此外，如果债权质权人将债权证书返还给出质人，应否认定为债权消灭呢？对此，多数学者认为基于债权质权的要物性原理，当证书返还，即应视为债权质权消灭。[2] 对此，笔者认为应当根据具体情况来作区分。①如果质权人主动将债权证书还给出质人，应当认为质权人自动放弃了对该债权行使的限制，即以行动默示出质人对出质债权予以处分，故应解释为原设定的债权质权消灭。②如果债权证书因意外事故如火灾灭失，但有其它证据证明该债权存在的，理论上应当认定该债权的出质仍然有效，因为债权证书仅是一种证明文件，不能单凭证书的灭失就否定债权的存在，更不能单凭证书的灭失就否定质权设定的效力。③如果是出质人基于特殊的情况请求质权人给予协助而暂时将债权证书借用一下，一般应认为债权的质权设定仍然有效。例如，如果在出质的债权证书上附有两项债权，一项用来出质，而出质人需要向另一债务人追讨债权而需要借用一下债权证书，质权人同意而暂时借用造成证书移转占有的，从公平的角度考虑应当认定质权的设定仍然有效，因为此时出质人负有借用物的返还义务。

3. 出质双方负有通知债务人的义务。多数国家和地区的民法都规定，债权质权设定后，出质人有义务通知第三债务人。我国《担保法》中未规定出质人的通知第三人的义务，这不能不算是一个立法上的疏漏。但这项通知义务究竟是债权质权的成立

---

[1] [日] 我妻荣著：《新订担保物权法》，岩波书店昭和11年版，第182页。
[2] [日] 我妻荣著：《新订担保物权法》，岩波书店昭和11年版，第183页。

要件还是对抗要件，各国立法例有所不同。例如，《德国民法典》第1280条规定："出质有转让合同即可移转的债权的，仅在债权人将质权的设定通知债务人时，始为有效。"显然，该法典认为通知第三人是债权质权设定的成立要件之一。持该立法例的还有《法国民法典》第2075条及《意大利民法典》第2800条的规定。也有一些国家和地区将通知第三人作为债权质权对抗第三债务人的要件。例如，《瑞士民法典》第900条第2款规定："质权人及出质人可将质权的设定通知债务人。"此时，通知第三债务人并非债权质权设定的必要条件，如不通知，第三债务人可因清偿出质人而消灭其责任。而在日本民法中，通知第三人为对抗第三债务人及第三人的要件。例如，《日本民法典》第364条第1款规定："以指名债权为质权标的时，非依第四百六十七条的规定将质权的设定通知第三债务人或经第三债务人承诺，不得以之对抗第三债务人及其他第三人。"我国台湾地区"民法"仿效了瑞士民法的立法，通知债务人不过为对抗第三债务人的要件，根据其第907条的规定，债务人受质权设定之通知者，如向出质人或质权人一方为清偿时，应得他方的同意，他方不同意时，债务人应提存其为清偿之给付物。至于通知人，参照《瑞士民法典》第900条第2款的规定，出质人和质权人都可以通知，如果将设质字据提示于债务人，即与通知有同一效力。至于通知的时间，一般应在质权设定后即通知，但在第三债务人未为清偿前而通知，也足生对抗之效力。如果设定债权质权的债权人即为第三债务人，那么他因质权设定时已知悉设质之情事，故不须另为通知。

  在上述立法例中，通知第三债务人为债权质权设定的成立要件或对抗要件。之所以要通知第三债务人，乃是为了维护质权设定的效力，防止第三债务人在不知情情况下向出质人清偿而使质权人的权利落空。因此，通知第三债务人是债权质权设定的公示方法，亦具有剥夺出质人对该债权之清偿受领权限的机能。[1]至于通知为债权质权设定的成立要件或对抗要件，其引起的法律后果并不相同。如为成立要件，当债权人在设定质权时，不仅应签订出质协议，交付债权证书，而且应通知第三债务人，债权质权才得以设定，这种做法便于第三债务人及时了解出质事项，故其优点在于公示性强，能够及时剥夺出质人的受领债权的可能，有利于维护质权人的利益。其缺点是要求过严，如不通知第三债务人则债权质权不能设定，使出质人对债权的处分受到了一定的限制。在后一种立法例中，通知第三债务人为对抗要件，则出质双方在设定债权质权时，仅达成出质协议并交付债权证书即可设定质权，通知仅是为了今后限制第三债务人向出质人清偿。因此这种质权设定方式较之前一种宽松，即使出质双方未及时通知第三债务人也可在今后加以补救，因而这一规定容易促成债权质权的设定，其质权设定的效率较高。不过，该立法例的公示性不如前一种强，如果第三债务人在未受通知前而向出质人先行清偿债权，则质权人不能再向第三债务人主张权利，而只能向出质人主张权利，这在出质人无力清偿债务的情况下，对质权人并不十分有利。另外，笔者认为，日本法将通知作为对抗第三债务人及第三人的条件，立法上比较全面、科学，因为质权设定的问题不仅涉及第三债务人，而且可能会涉及到受让债权的第三人的利益问题，因而法律上应当将第三债务人及第三人都纳入立法所调整的范围之列。

关于债权质权设定的通知问题，我们不妨结合日本的一些判例来分析。在昭和27年（即1952年）11月1日，A在Y银行

---

[1] 谢在全著：《民法物权论》下册，中国政法大学出版社1999年版，第812页。

（被告、被上诉人）存入6个月的定期存款30万日元。Y银行将定期存款单交付于A。同年11月15日，A为了履行其债务而将该定期存款单上的债权转让给了X，并将债权让与通知书于同年12月寄达Y银行。这时，X要求Y银行确认其拥有该定期存款单上的债权，并要求支付该笔到期日为昭和28年5月11日的30万元存款及每年5分的利息。双方为此发生诉讼。对此，Y银行认为，银行早在昭和27年11月1日就在该定期存单上设定了质权，银行为质权人。日本一审法院在判决中指出，Y银行所收到的定期存款转让的通知不是由A发出的，而是由X的丈夫B发出的，不符合《日本民法典》第467条规定的手续（即"（一）指名债权的让与，除非经让与人通知债务人或经债务人承诺，不得以之对抗债务人及其第三人。（二）前款的通知或承诺，非以附确定日期的证书进行，不得以之对抗债务人以外的第三人。"），因此该法院驳回了X的请求。X提出上诉，上诉法院经审理发现，虽然Y银行已与A达成了出质协议，但该协议没有附加确定的日期，尽管在当事人之间无需通知，但不能对抗第三人。所以，尽管Y银行是质权人，但由于质权协议中没有附加确定的生效日期，从而不具有对抗X的效力。最后，上诉法院判决X胜诉。[1]从该案中可以看出，日本法院认为，债权质权在设定时应当通知第三债务人，这是对抗第三债务人及第三人的要件，并且根据《日本民法典》第467条的规定，通知第三人时必须附有有确定日期的债权设质证书，否则不能对抗第三人。日本学者角纪代惠也认为，债权质权设定的通知义务应当由债权质权的设定人履行，通知的作用在于防止出质人擅自处分用来出质

---

[1] 参见日本广岛高裁松江支部昭和31年3月30日判决，载日本高民九卷五号297页。

的债权而对质权人造成不利。[1]

在另一案件中，X1（原告、被上诉人）对居住在日本的外国人 A 拥有金钱债权，通过简易程序达成和解调解书，A 以债务人名义向 Y 银行（被告、上诉人）（总行在曼谷）在东京分行拥有的本案中的定期存款债权发出转帐指令，该指令于昭和41年2月9日送达第三债务人的上述东京支行，X2 为该转帐债权的部分受让人。但是，A 已于昭和39年与作为第三人的 B 公司的代表就该公司在香港分行 Y 的债务以本案中的定期金债权为标的签订了质权设定合同，并按香港法律在该存款证书的背面经 A 签名后，交付于香港分行 Y。Y 的主张为，关于本案中债权质的设立及效力根据民法一般原则第7条，其对抗要件根据民法一般原则第8条，应以香港法为准据法。在香港法中，如果债权人事实上已向债务人发出了设定质权的通知，则可以 Y 的质权对抗 X1、X2。X1、X2 则主张，根据民法一般原则的第10条，本案中债权质的准据法应该是日本法，而按照《日本民法典》第364条的规定，由于 Y 的质权设定缺乏有确定日期的通知、承诺，因而不能对抗作为第三人的 X1、X2。一审认为，大凡债权质的准据法，都不能适用民法一般原则第10条，作为标的的权利在性质上应以其标的物的债权作为准据法的连接点，因而本案中质权设定合同的准据法，应该是本案中定期存款债权的准据法，在当事人未对上述定期存款的准据法予以明示的情况下，就不能根据一般条款的第7条第2款来适用行为地法。在充分考虑合同的各种情况后，推定符合当事人意愿的意思表示，是已默示指定其准据法为该交易银行的经营场所的所在地法即日本法。而

---

[1] [日] 角纪代惠："质权者を债务者とする指名债权质の对抗要件"，载椿寿夫编：《担保法の判例》，日有斐阁1994年版第303页。

根据《日本民法典》第 364 条第 1 款、第 467 条第 2 款的规定，作出香港分行 Y 与 A 之间，以没有确定日期的书面通知、承诺来设定债权质，则这种债权质不能对抗 X1、X2。二审虽与一审一样判定本案债权质的成立与效力都应根据标的物即本案中的定期存款的金钱债权的准据法，即应以日本法为准据法，但对抗第三人的要件，即经有确定日期的书面文件发出的通知、承诺，应看作是一种法律行为方式，根据民法一般原则第 8 条的规定，其准据法应日本法，同条第 2 款规定的行为地法已被该款的但书排除。毫无疑问，本案中债权质的形式为物权，根据第 8 条第 1 款，有关债权质的效力应当适用日本法。因此，第一审和第二审都判决 X1、X2 胜诉。[1] 摒却该案的国际私法问题不谈，仅就债权质设定的对抗要件而言，第一审法院和第二审法院均十分关注通知的形式问题，即通知必须附有有确定设质日期的书面文件，以求维护债权质设定的公示效力。对于通知和承诺的性质，确如日本学者相泽吉晴所指出的那样，"通知和承诺应为保护交易的公示方法，而不是行使权利的方式"，[2] 因此通知和承诺的作出必须满足充分公示的要求，即附有明确的出质日期的书面文件，以维护交易的安全。

第五节　有价证券质权的设定

有价证券质权的设定通常包括债券、股票、票据、仓单、提

---

〔1〕　参见日本最高裁昭和 53 年 4 月 20 日第一小法庭判决。
〔2〕　[日] 相泽吉晴："债权质の对抗要件と法例八条の适用"，载椿寿夫编：《担保法の判例》，日有斐阁 1994 年版第 297 页。

单等记名证券和无记名证券质权的设定。有价证券可以依各种标准而分为数类,其中记名证券、无记名证券和指示证券的分类对于质权的设定颇有影响,故应予以说明。所谓记名证券,又称指名证券,是指证券上记载特定权利人姓名的证券。所谓指示证券,是指证券上记载权利人的姓名与其所指定的人的字样的证券,如仓单、提单等。所谓无记名证券,是指证券上未记载权利人姓名的证券,其持有人可以行使证券上的权利,该证券依交付而移转。一般而言,记名证券与指示证券在转让时应以背书与交付方式进行,而无记名证券在转让时仅交付即可,上述区别对于有价证券质权的设定颇有影响。

在立法例上,多数国家区分了无记名证券的设质和其他有价证券的设质。例如,德国、日本、瑞士等国的民法典均持此种立法例。我国《担保法》第76条非常笼统地规定:"以汇票、支票、本票、债券、存款单、仓单、提单出质的,应当在合同约定的期限内将权利凭证交付质权人。质押合同自权利凭证交付之日起生效。"显然,该规定未明确区分无记名证券与记名证券在设质上的差别,实际上二者在设质条件上的差别比较明显,应予分别规定,下面我们不妨详细说明。

1. 无记名证券的设质。关于无记名证券的设质,多数国家的法律都规定,只要当事人之间达成了设质的合意并交付有价证券,即发生设质的效力,这种立法例与动产质权的设定几乎相同。例如,《德国民法典》第1293条明确规定:"对无记名证券上的质权适用关于动产质权的规定。"《瑞士民法典》第901条第2款规定:"不记名证券的出质,仅需将证券交付质权人。"我国台湾地区的所谓的"民法"第908条也规定:"质权以无记名证券为标的物者,因交付其证券于质权人,而生设定质权之效力。以其他之有价证券为标的物者,并应依背书方法为之。"对此，我国台湾地区的"民法"立法理由中解释说："查'民律草案'第一千二百五十七条理由谓无记名证券之质权，其主要之标的物，为证券上之权利而非证券。然证券其物与证券上之权利，互相依附，不可分别，故无记名证券之质权，应与法律以证券其物为标的物之质权（即动产质权）同视，凡以无记名证券入质者，须将其证券交付于质权人，始生设定质权之效力。至以其他有价证券为标的物者，则应依背书方法为之，即以其入质情形于证券上记明，而将证券交付与质权人，让与之效力始能巩固。此本条所由设也。"[1] 换言之，无记名证券属于有价证券中的完全证券，证券上的权利与该证券不可分，权利之行使或处分，必须占有该证券，倘若丧失，原持有人无法行使权利。所以，无记名证券本身与证券上所代表的权利几乎可以等同视之，交付、转让该证券即相当于交付、转让证券上所代表的权利，因此该类证券在设定质权时，必须将证券交付于质权人才能发生设定的效力。当出质人将证券交付质权人时，质权人仅取得质权而非该证券的所有权，因此不能将证券让与他人。

那么，无记名证券在设质时，是否需要当事人再以书面形式签订设质合同呢？从多数国家和地区的立法例来看，似未作出该要求。例如，我国台湾地区在司法实践中曾认为，无记名证券的设质方法，在"民法"第908条已有规定，而无须再依第904条的规定，以书面为之（1940年上364）。关于证券的交付，与动产质权的设定相同，当事人可采取简易交付、指示交付等方式，而不得采取占有改定的方式。上述交付行为的实施通常被看作是权利质权在设定时要物性的贯彻。[2]

---

[1] 蔡墩铭主编：《民法立法理由》，台湾五南图书出版公司1990年版，第1007页。
[2] 谢在全著：《民法物权论》下册，中国政法大学出版社1999年版，第814页。

2. 其他有价证券质权的设定。所谓其他有价证券通常是指无记名证券之外的有价证券而言，包括记名证券和指示证券，例如仓单、提单、存单、票据、债券，等等。此外，如果某类证券属于无记名证券，但已经以记名背书方式转让，则该证券的再次转让必须经过被背书人的背书才能转让，那么，该证券此时已具有记名证券的特性。[1]

关于记名证券和指示证券的设质，与无记名证券的设质存在显著的不同。例如，《德国民法典》第1292条规定："对票据或者其他可以背书转让的证券设定质权的，只需债权人和质权人之间的协议并移交有背书的证券即可。"《日本民法典》第366条规定："以指示债权为质权标的时，非将质权设定背书于其证书，不得以之对抗第三人。"《瑞士民法典》第901条也规定："（1）不记名证券的出质，仅需将证券交付质权人。（2）前款以外的有价证券，在交付证券时，须附背书或让与声明，始得出质。"我国台湾地区"民法"第908条也规定："质权以无记名证券为标的物者，因交付其证券于质权人，而生设定质权之效力。以其他之有价证券为标的物者，并应依背书方法为之。"从以上规定来看，记名证券和指示证券在出质时，其成立条件一般有三个：①当事人之间的设定质权的合意；②有价证券的交付；③出质人的背书。采取以上立法例的包括德国、瑞士、我国台湾地区，等等。例外的是，日本民法将出质人的背书作为对抗第三人的必要条件而非质权设定的条件。

我国《担保法》第76条规定："以汇票、支票、本票、债券、存款单、仓单、提单出质的，应当在合同约定的期限内将权利凭证交付质权人。质押合同自权利凭证交付之日起生效。"从

---

[1] 谢在全著：《民法物权论》下册，中国政法大学出版社1999年版，第815页。

该规定来看，无论是无记名证券还是其他证券，其质权设定的条件仅有两个：①当事人之间的设质合意；②有价证券的交付。至于背书的效力，第76条未作规定。而在记名证券和指示证券之中，背书通常是该类证券转让的必要条件，因此在设质方面我国《担保法》应当对该类证券背书的效力问题作出比较明确的规定以适应实践的要求。关于背书的效力问题，笔者认为我国在立法中可以借鉴日本民法的做法，将设质背书作为对抗第三人的要件，因为质权的设定问题主要是出质双方之间的利益协调问题，按照权利质权设定的一般条件，当事人之间达成了设质合意并交付了权利证券或凭证，即设定了质权，至于证券上的设质背书，主要是为了保护善意的第三人不因设质而受损害，而该记载对设质双方关系不大，因为他们在质权设定合同中已了解设质的事实，故将设质背书作为对抗第三人的要件比较合适。这样做使质权的设定较易成立，便于提高质权设定的效率，同时也兼顾了第三人的利益。

记名证券和指示证券的交付方法与无记名证券基本相同。至于设质背书如何记载，法律上一般无明文规定，通说认为可以比照票据背书的方式，由出质人（背书人）在证券上背书并记载质权人（被背书人）的姓名，并由出质人签名，或不记载质权人的姓名，而仅由出质人在证券背书签名。那么，这种背书方式，以质权的设定为目的，是否需要记载设质或其他同义的文字？对此，学者的见解颇不一致。史尚宽先生认为学术界关于背书存在三种解释方法：①单纯的背书包含完全背书及空白背书，而未附有"设质"或"为担保"之文句。《德国民法典》第1292条采此种立法例。空白票据，以交付背书之票据为已足，取得人因其背书惟为债权担保之目的而为之者，惟取得质权，而非所有权，不因而为票据债权人，无再行背书之权利。如将票据出让，则构成侵占；②背书附有"设质"或"为担保"之文句者（设质背书）。在该种情形，债权人为质权人，出质人仍为所有人，所以质权人不得为质权目的之外的行为，即不能为债的免除或抛弃，仅得为收款委任之背书，不得为让与或设质之背书，对于出质人亦未取得票据上的请求权；③于票据本身或其他证券上惟有出质之表示而并交付之者，质权人惟取得属于出质人的证券上之权利，第三债务人得以对于出质人所有之控辩权，对抗质权人。此时虽无背书，成立有效之出质。[1] 就第一种观点而言，有学者认为该证券存在由第三人善意取得的危险，从而使出质人无权对抗该第三人。[2] 但谢在全先生认为，证券质押设定后，质权人应当以善良管理人之注意保管证券，如果质权人据为己有而转让时，当然应负侵占与损害赔偿的责任，这对出质人已有保障，故不必在法律规定之外，另加设质背书的方式，以致徒增证券质权无效的机会。[3] 从鼓励交易的角度出发，这一解释较为有道理。不过，相当一部分学者主张应在证券上明确记载设质的意图，例如记明"本证券设定质权于某某"字样。[4] 而且，《法国商法典》第91条第2款采此立法例："可转让有价证券，亦可依法以背书形式设定质押，背书时应注明该证券已作为担保标的物出质。"也即，背书时注明"质押"字样应为质权设定的条件之一。尽管后一主张对于维护交易安全较为有利，但从法律规定的本意而言，如果出质人未记明设质字样，仅产生不能对抗善意第三人的问题，发生出质人与质权人之间的损害赔偿问题，

---

[1] 史尚宽著：《物权法论》，中国政法大学出版社2000年版，第400页。
[2] 郑玉波："论有价证券质权"，载《军法专刊》第26卷第2期。
[3] 谢在全著：《民法物权论》下册，中国政法大学出版社1999年版，第815页。
[4] 郑玉波："论有价证券质权"，载《军法专刊》第26卷第2期；张风谟："证券债权之让与及其质权之设定"，载《法学丛刊》第10期。

但我们并不能因此否定质权设定的成立,因为出质人与质权人之间已就设质达成了明确的意向并遵循法律的规定移交了相关的证券。如果质权人擅自处分该证券造成出质人的损失,质权人自应当负赔偿责任。

我国《担保法》未对有价证券的设质背书作出明确的规定,《最高人民法院关于适用〈中华人民共和国担保法〉若干问题的解释》中对于票据、公司债券的出质的背书作出了规定。例如,该《解释》第98条规定:"以汇票、支票、本票出质的,出质人与质权人没有背书记载'质押'字样,以票据出质对抗善意第三人的,人民法院不予支持。"该《解释》第99条规定:"以公司债券出质的,出质人与质权人没有背书记载'质押'字样,以债券出质对抗公司和第三人的,人民法院不予支持。"从上述《解释》可以看出:①上述规定应是针对记名证券和指示证券而言,至于无记名证券,无需背书,当然不需要作出上述规定。②根据《解释》的规定,以票据和公司债券来出质,如果证券上没有记载"质押"字样,质权的设定仍然有效,但不能对抗善意的第三人和公司。可见,这些规定与谢在全先生的主张相一致。不过,值得考虑的是,我国《票据法》第35条第2款的规定:"汇票可以设定质押;质押时应当以背书记载'质押'字样。被背书人依法实现其质权时,可以行使汇票权利。"从该条的规定来看,我国《票据法》以背书记载"质押"的字样作为质权设定的必要条件,如果汇票质押时不记载"质押"字样,应当解释为质权的设定无效。因此,《最高人民法院关于审理票据纠纷案件若干问题的规定》第55条规定:"……出质人未在汇票、粘单上记载'质押'字样而另行签订质押合同、质押条款的,不构成票据质押。"依照《票据法》及其司法解释的规定,在票据上背书记载"质押"字样是质权设定的必要条件,这与担保法司法解释所规定的对抗第三人的条件显然不同。对此，一些学者指出："司法实践中，如何适用两部司法解释在同一方面的不同规定，尚需要等待最高人民法院的最后协调。"[1]从理论上来讲，将票据上背书记载"质押"字样作为对抗第三人的条件更有利于维护质押合同的效力，因此《票据法》及其司法解释在适当的时候应作相应的修订。但就目前的规定而言，《票据法》的效力显然高于担保法司法解释的效力，因此在司法中应当遵循《票据法》的规定，不记载"质押"字样的，汇票质押不能成立。另外，根据《票据法》第81条、第94条的规定，有关汇票质押的规定也适用于本票和支票。

　　关于有价证券的设定，尚有以下一些特殊问题值得考虑：

　　（1）关于票据质权设定的背书问题。无记名票据在设定质权时一般由当事人达成设质合意并交付票据即可，而指示票据在设质时除需要当事人之间的合意、交付票据之外，还需在票据上背书。关于背书的方式，《日内瓦国际统一票据法》第19条规定："凡背书包含'因担保'、'因出质'或其他含有设质意义之记载者，持有人得行使汇票上全部权利，但其背书则仅有代理人背书之效力。"《日本票据法》第19条作了与该公约同样的规定。换言之，当事人双方可以在票据上记载"因担保"、"因设质"等设定质权的文句并予以背书而设定票据质权。但根据我国台湾地区"票据法"第12条的规定："票据上记载本法所不规定之事项者，不生票据上之效力"，所以在票据上设定质权时只能依"民法"的规定来办理。如果该票据为指示证券，那么在设定质权时，除交付票据之外，还需依背书方法为之。关于设质背书的形式，

---

[1] 曹士兵著：《中国担保诸问题的解决与展望》，中国法制出版社2001年版，第314页。

不限于完全背书，空白背书也可以。但是，如果背书时未记载设质文句，不能对抗善意第三人。如果票据为无记名票据，那么我国台湾地区通常以执票人为受款人，因而无记名票据亦有效，此时仅将该证券交付于质权人将可设定质权，而无需作设质背书。我国《票据法》第85条未规定支票上应当记载受款人的名称，因此以支票设定质权时仅将该证券交付于质权人即可设定质权，而无需有设质背书。但就汇票和本票而言，则必须作设质背书。

（2）关于仓单质押的形式问题。仓单质押与仓单的转让密切相关，对此，我国台湾地区"民法"第618条规定："仓单所载之货物，非由货物所有人于仓单背书，并经仓库营业人签名，不生所有权移转之效力。"那么，仓单在设质时除当事人之间的合意、背书及交付外，是否还需要以保管人的签名或盖章为必要条件呢？学者们往往持有不同的看法。例如，谢在全先生认为，仓单之设质，除应交付与背书外，还应有仓单营业人之签名。[1] 但也有学者主张在仓单上背书并交付于质权人即可。[2] 而史尚宽先生认为，第618条规定的不经签名不生所有权移转效力，仅仅是就所有权的移转而言，这是一种物权效力。至于仓单，不妨因背书及交付而移转于受让人，此时，转让的乃是寄托物的返还请求权而非物权。所以，仓单质押时，仅在仓单上背书并交付于质权人即可，不必有仓单营业人的签名。[3] 从我国《合同法》第387条的规定来看，仓单是提取仓储物的凭证。存货人或者仓单持有人在仓单上背书并经保管人签字或者盖章的，可以转让提取仓储物的权利。由此可见，我国《合同法》明确规定，仓单

---

[1] 谢在全著：《民法物权论》下册，中国政法大学出版社1999年版，第816页。
[2] 房绍坤等："论仓单质押"，载《法制与社会发展》2001年第4期。
[3] 史尚宽著：《债法各论》，中国政法大学出版社2000年版，第560页。

转让即代表提取仓储物的权利的转让,并且这种权利的让与依法律的规定应当经过保管人的签字或盖章,否则即不生转让的效力,而权利质权的设定应遵循权利让与的规则,所以,根据《合同法》的规定,仓单在设质时,应当背书并经过保管人的签字或盖章才能生效,此为法定的设质条件。

(3)关于记名公司债券设质的特殊规定。多数国家在法律中一般都规定,记名公司债券在转让时,如果不将受让人的姓名记载于公司债券存根簿,并将姓名记载于债券,不得对抗公司及其他第三人。例如,《日本商法典》第307条第1款规定:"记名公司债的移转,非将其取得人姓名及住所记载于公司债存根簿,并将其姓名记载于债券,不得以之对抗公司及其他第三人。"我国台湾地区"公司法"第260条规定:"记名式之公司债券,得由持有人以背书转让之。但非将受让人之姓名或名称,记载于债券,并将受让人之姓名或名称及住所或居所记载于公司债存根簿,不得以其转让对抗公司。"上述规定的目的,旨在于保护第三人不因公司债券的转让而受损,以维护交易的安全。因此,公司债券在设质时,除了应有出质双方的合意、出质人的背书及交付债券这些要件之外,尚需将质权人的姓名或名称记载于债券,并将质权人的姓名或名称及住所或居所记载于公司债存根簿,否则不得以其设质对抗公司。我国台湾地区曾在1971年"判例"中确立了该原则。[1] 在立法例上,《法国商法典》第91条第3款则将记名债权的登记作为设质的要件:"以在公司注册簿上过户方式进行转让的金融、工业、商业或民事公司的记名股份、受益股和公司债,以及国家债权人名册登记的记名债权,也可作为担保通过上述的注册簿上过户方式设定质押。"总之,以

---

[1] 参见1971年台上4335号"判例"。

公司债设定质押时，质权设定人应当将设质事宜记载于债券，以便于质权的实行并维护第三人的利益。我国《担保法》亦有必要吸取以上的规定。

(4) 关于存单出质的法律责任问题。近年来，以存单来质押贷款在我国的经济生活中日益常见，产生的纠纷也越来越多。鉴于《担保法》有关存单质押的规定内容不能满足司法实践需要的现实，我国最高人民法院曾在1997年发布了《关于审理存单纠纷案件的若干规定》（以下简称《规定》），对存单的质押问题作出了比较详细的解释。根据该《规定》第8条，存单可以用于质押。但是，如果存单持有人以伪造、变造的虚假存单质押，则质押合同无效。接受虚假存单质押的当事人如果以该存单质押为由起诉金融机构，要求兑付存款优先受偿的，人民法院应当判决驳回其诉讼请求，并告知其可另案起诉出质人。如果存单持有人以金融机构开具的、未有实际存款或与实际存款不符的存单进行质押，以骗取或占用他人财产的，该质押关系无效。接受存单质押的人起诉的，该存单持有人与开具存单的金融机构为共同被告。利用存单骗取或占用他人财产的存单持有人对侵犯他人财产权承担赔偿责任，开具存单的金融机构因其过错致他人财产受损，对所造成的损失承担连带赔偿责任。接受存单质押的人在审查存单的真实性上有重大过失的，开具存单的金融机构仅对所造成的损失承担补充赔偿责任。明知存单虚假而接受存单质押的，开具存单的金融机构不承担民事赔偿责任。对于上述规定，笔者认为它以过错责任为依据较好地处理了存单的开具方、出质人与质权人之间的法律责任问题。

值得注意的是，该《规定》第8条第3款还规定了金融机构的核押问题："以金融机构核押的存单出质的，即使存单系伪造、变造、虚开，质押合同均为有效，金融机构应当依法向质权人兑付存单记载的款项。"对于该规定,一些金融部门对此多持怀疑态度。所谓存单核押,一般是指质权人将存单质押的情况告诉金融机构,并就存单的真实性向金融机构咨询,金融机构对存单的真实性予以确认并在存单上或以其他方式来签章的行为。从本质上讲,存单质押一般被认为是向第三人(辅助人)为出质通知的行为。[1] 如果金融机构核押后认为该存单有效,则在法律上应当认为金融机构承认自己对该存单所记载的债务负有清偿的义务。在我国实践中,存单质押已经成为一种十分普遍的法律现象,存单一般由开具存单的金融机构予以核押,然后再予以出质。通过核押,存单的真实性被金融机构所确认,请求核押的当事人一般认为该存单为真实的、有效的存单,即存单核押后无对抗善意的第三人的效力。《关于审理存单纠纷案件的若干规定》第8条第3款认为,以金融机构核押的存单出质的,即使存单系伪造、变造、虚开,质押合同均为有效,金融机构应当依法向质权人兑付存单记载的款项。对此,笔者持不同意见,因为合同标的的有效是合同成立的必要条件,如果存单是伪造、变造、虚开的,那么,该质押合同将因为标的的非法而无效,即使经过核押也不能因此使合同有效,所以上述司法解释认为非法存单经核押后而导致质押行为有效的观点并不妥当。那么,如何确认此时的法律责任呢?笔者认为,目前许多银行都在存单上与储户约定"未经核押,质押无效",从上述约定来看,银行负有在存单出质时对该存单的真实性予以核押的义务,当质权人或出质人将质押事项通知银行时,银行负有核押义务,质权人以银行的确认作为出质的前提,如果因银行的过失行为未能核押出存单的无效,从而给信赖该核押的质权人造成损失的,那么,银行对这一损失

---

[1] 曹士兵著:《中国担保诸问题的解决与展望》,中国法制出版社2001年版,第306页。

负有一定的赔偿责任,不过,《关于审理存单纠纷案件的若干规定》第8条第3款要求"金融机构应当依法向质权人兑付存单记载的款项"的规定显得过于严苛,因为在造成该损失的原因中,伪造、变造、虚开的人应当负有主要责任,银行负有次要责任,而不应当由负有次要责任的人来承担全部的法律责任。

存单核押后,对于核押的银行来讲,也产生相应的法律义务。质权人请求金融机构核押存单后,即将该存单出质事项通知了核押的金融机构,此时比照有关债权转让的规定,在出质期间金融机构负有不得向存款人支付存款的义务。因此,如果质权设定人不将出质事宜通知第三人,则不产生对抗第三人的效力,即金融机构向出质人支付存款后不负法律责任。如果在未被通知的情况下,金融机构按照正常的挂失支付方式向存款人兑付存款,则不应负有法律责任。但是,如果质权人或出质人向金融机构通知后,金融机构仍向出质人支付存款,则应对质权人负有赔偿责任。对此,《最高人民法院关于适用〈中华人民共和国担保法〉若干问题的解释》第100条也规定:"以存款单出质的,签发银行核押后又受理挂失并造成存款流失的,应当承担民事责任。"

尽管核押在我国经济生活中十分常见,但是,根据《担保法》的相关规定,核押并非是存单质押的必经程序。当事人签订质押合同后,将存单交付于质权人,质权就成立。至于当事人是否核押,并不影响存单上存在的质权。不过,从保护交易安全的角度而言,存单核押是一种值得提倡的方法。

第六节 股权质权的设定

股权质权,乃是以股权为质押标的而设定的质权。从各国的法律实践来看，股权质权的设定因股权的表现形态不同而不同，具体而言，一般可分为以下几种类型：

一、股票质权的设定

股票质权，即以股票出质而设定的质权，其实质是以股份有限公司的股份设定的质权。从当前各国的法律实践来看，股票质权在设定时多参照有价证券质权的设定方式，无记名股票在设质时适用无记名证券之设质方式，记名股票适用记名证券之设质方式。

无记名股票在设质时，多适用无记名证券设质的规定，即只要当事人之间就无记名股票的设质达成了合意并交付股票，即发生设质的效力，这种设质方式与动产质权的设定几乎相同。例如，《德国民法典》第1293条明确规定："对无记名证券上的质权适用关于动产质权的规定。"《瑞士民法典》第901条第2款规定："不记名证券的出质，仅需将证券交付质权人。"我国台湾地区"民法"第908条也规定："质权以无记名证券为标的物者，因交付其证券于质权人，而生设定质权之效力。以其他之有价证券为标的物者，并应依背书方法为之。"因此，该地区在"判例"中指出："股票为有价证券，得为质权之标的，其以无记名式股票设定质权者，因股票之交付而生质权之效力，其以记名式股票设定质权者，除交付外，并应依背书方法为之。"[1]

记名股票在设质时，其质权之设定多适用记名证券设质的规定。例如，《德国民法典》第1292条规定："对票据或者其他可以背书转让的证券设定质权的，只需债权人和质权人之间的协议

---

[1] 参见我国台湾地区的"判决"（29 上 364）。

并移交有背书的证券即可。"《瑞士民法典》第901条也规定："（1）不记名证券的出质，仅需将证券交付质权人。（2）前款以外的有价证券，在交付证券时，须附背书或让与声明，始得出质。"我国台湾地区"民法"第908条也规定："质权以无记名证券为标的物者，因交付其证券于质权人，而生设定质权之效力。以其他之有价证券为标的物者，并应依背书方法为之。"该地区在"判例"中指出："股票为有价证券，得为质权之标的，其以无记名式股票设定质权者，因股票之交付而生质权之效力，其以记名式股票设定质权者，除交付外，并应依背书方法为之。"从以上规定来看，记名股票在出质时，至少应当具备三个要件：①当事人之间的设定质权的合意；②记名股票的交付；③出质人的背书。采取以上立法例的包括德国、瑞士、我国台湾地区，等等。不过，《日本商法典》第207条第1款规定："以记名股票作为质权标的时，应交付股票。"显然，该法未将背书作为记名股票质权设定的必要条件。因此日本学者一般认为，记名股票设质的成立要件一般有二：一是应有当事人之间的设质合意，二是须交付股票。至于是否必须经公司于股东名册上予以登记，则并非其成立要件。[1]据日本学者解释，日本在昭和25年法律修改之前一直采取设质背书和设质证书的双重要件，但在昭和41年的法律修订后改为现行体制，即记名股票的设质要件与票据的动产质的观念不同，因而它在设质时不需像票据一样为设质背书，仅需设质之合意及交付股票即可。[2]我国学者史尚宽先生也持该观点。[3]笔者认为，记名股票在设质时应当比照记

---

[1] 参见日最判昭42.9.29。
[2] [日]长谷川雄一：《手形·株券论集》，成文堂平成9年版，第284页。
[3] 史尚宽著：《物权法论》，中国政法大学出版社2000年版，第411页。

名证券设质的相关规定，将当事人之间的设质合意、记名股票的交付作为质权的成立条件，而将出质人的背书作为对抗公司及其他第三人的要件。这是因为，质权的设定主要关系设定双方之间的利益，当事人达成了设质合意并交付了股票即应认为质权已经设定，至于设质背书，主要是为了保护第三人的利益，故将设质背书作为对抗第三人的要件比较合适。采该立法例，使质权的设定较易成立，便于提高质权设定的效率，同时也兼顾了第三人的利益，符合公平原则。至于设质背书的方式，可比照前文记名证券设质的规定办理。

以记名股票出质时，还涉及到记名股票的设质登记问题。一些国家将设质登记作为记名股票设质成立的要件，例如《法国商法典》第91条第3款规定："以在公司注册簿上过户方式进行转让的金融、工业、商业或民事公司的记名股份、受益股和公司债，以及国家债权人名册上登记的记名债权，也可作为担保通过在上述的注册簿上过户方式设定质押。"可见，记名股票在法国设质时经过设质登记才能生效。对此，法国学者Cabrillac教授认为设质登记的目的在于使出质人丧失对记名股票的占有，[1]因此登记在法国是记名股票设质的生效要件。不过，也有些国家如日本将记名股票的设质登记作为对抗第三人的要件。在日本法中，若不践行设质登记，则其质权称为股份略式质；若践行设质登记，则其质权称为股份登记质。股份略式质因未履行登记手续，对公司不生对抗效力，但对于设质双方而言，其感兴趣者并不在取得对公司的某种权利，而是着眼于当债务不履行时出售或

---

[1] 沈达明编著：《法国/德国担保法》，中国法制出版社2000年版，第138页。

拍卖出质股票而就价金优先受偿。[1] 而根据日本学者的分析，股份登记质存在的原因乃是因为股份略式质的效力仅及于流通法上的股份及其代位物，质权人若要获得就出质人在社团法上所受之给付，必须依申请扣押的方式来进行，而这对质权人来讲会增加成本；同时，股利、股息和剩余财产的分配在理论上也不被认为是流通法上股份的代位物，因此股份登记质便成为避免这一系列麻烦的设质方法。[2] 在法理上，日本商法理论认为，股份略式质中，质权人没有股利收取权，通过设质登记可以使质权人取得对公司的股利请求权。如果要使股份略式质权人拥有股利收取权，则设质登记系质权人向公司主张质权的必要条件。但也有日本学者认为，质权登记只是赋予质权人对公司关系上的质权人的资格，质权人并不是依登记而取得股利等利益分配请求权。我国学者钟青认为，股份设质登记对于质权人来讲，使其基于股份略式质的效力得以扩张，质权的效力除流通法上的股份及其代位物外还及于社团法上未来财产的给付，同时还免去了质权人为取得社团法上的给付而进行的扣押手续，因而该登记使质权的对象扩大并为质权人提供了程序上的便利。另一方面，设质登记本身成为质权人由流通法上的质权人向带有对公司某种特定化关系的社团法上质权人的角色的转化，而这种程序本身的意义就是登记质权人对作为质权标的的未来社团法上给付的特定化。[3]

笔者认为，分析记名股票设质登记的法律意义，应着重考虑登记后的法律效力。《法国商法典》将记名股票的设质登记作为

---

[1] 参见钟青："股权质权研究"，载梁慧星主编：《民商法论丛》第22卷，法律出版社2002年版，第25页。

[2] [日]长谷川雄一：《手形·株券论集》，成文堂平成9年版，第294页。

[3] 参见钟青："股权质权研究"，载梁慧星主编：《民商法论丛》第22卷，法律出版社2002年版，第29页。

生效要件,而《日本商法典》则明确将其作为对抗公司的生效要件。例如,根据该《法典》第206条的规定,记名股份在转让时,非将取得人的姓名、住所记载于股东名册,不得以之对抗公司。那么,记名股票在出质时,当然应当遵循关于股份转让的规定,其设质登记应为对抗公司的要件,而非质权的生效要件。比较而言,将设质登记作为对抗公司的要件较生效要件要优越得多,因为在前一种情况下,当事人之间达成合意并交付记名股票即可设定质权,这种立法例容易促成股权质权的设定,便于保护质权人的利益。而在后一种情形下,记名股票的出质必须经过公司的登记,尽管便于维护交易的安全,但每一次具体的设质都经过公司的认可在实践中极难做到,从而给质权的设定徒增烦恼。在效果上,当记名股票的设质登记后,质权的效力及扩及于公司,公司不得向出质人分配公司的盈余或股息、剩余财产,而应将它们移交质权人来充抵债权。如果被担保的债权尚未到期,则应将该财产先行提存,待到期后再偿还质权人的债权。

关于记名股票的质权登记内容,目前仅《日本商法典》作出了明确的规定,其第209条规定,以股份为质权标的,公司根据出质人的请求,将质权人的姓名及住所记载于股东名册,并将其姓名记载于股票时,质权人可以先于其他债权人接受公司的盈余或股息分配、剩余财产的分配、金钱的支付,以抵充自己债权的清偿。《日本民法典》第367条第3款的规定(即"上述债权的清偿期,先于质权人的债权清偿期届至时,质权人可使第三债务人提存其清偿金额。于此情形,质权存在于提存金上。")也适用于此。从上述规定还可以看出,该《法典》规定出质人是设质登记的请求人。对此,有人认为,对于希望构成登记质的股份质权人来讲,既然已就社团加入形成权成立质权,似乎没有理由限制由质权人向公司提出设质登记的请求,因此对该条文应作扩张解释,即设质人及质权人均有权向公司提出设质登记的请求。[1]对此,笔者认为该观点并不妥当。因为在设质时,出质人仍是记名股票的所有权人,他有权对自己的股票予以处分,而质权人无处分权,故其不能请求公司予以登记,只能根据设质合同请求出质人履行登记手续。

另外,根据《日本商法典》第207条第2款的规定,记名股票在设质时,质权人非继续占有股票,不得以其质权对抗第三人。此处的第三人应当理解为除公司以外的第三人,因为根据第209条的规定,记名股票在设定登记质时,公司应当将质权人的姓名及住所记载于股东名册,并将其姓名记载于股票,质权人此时享有优先受偿权,此时只要经过登记,质权人就可证明其实质性权利,质权人即应享有优先受偿权,而不应以股票的占有为对抗公司的条件,而应将记名股票的占有解释为对抗公司外的第三人的条件。如果当事人设定的是略式质,则质权的设定未经过公司的登记,此时质权人较为看重股票的交换价值而非未来的分配红利及股息等财产的价值,因此为了符合股票流通的公示要求,记名股票在设质时,质权人非继续占有股票,不得以其质权对抗第三人。

股票质权在设定时,往往还涉及到以自己股票设质的问题。一般而言,多数国家根据公司法上的资本维持原则,对于公司接受自己公司的股票作为质押的行为都作出了限制性规定。但近年来,随着有控制的关联交易的大量进行,且公司接受自己股票作为质物并不意味着实行质权后公司即可拥有自己公司的股票,因为在立法上各国对于以自己股票的设质的规定渐有缓和趋势。例

---

[1] 钟青:"股权质权研究",载梁慧星主编:《民商法论丛》第22卷,法律出版社2002年版,第30页。

如，德国《股份公司法》第71e条规定，接受自己股票设质等同于购买自己公司股份的情况，但信贷机构接受自己股份作为质物的总额与用于收购其他公司股份的金额的总和不得超过总资本的10%，且作为质物的股票必须足额缴清票面价值，否则质押无效。[1]《日本商法典》在昭和56年修正之前，对公司接受自己股份设质持完全的否定态度，但在昭和56年修正后，该《法典》第210条规定，公司在一定情形下可以接受自己公司股份设质的数额不得超过已发行股份总数的1/20，上述情形包括公司为销除股份时，因合并或受让其他公司的全部营业时，或为达到实行公司权利的目的所必要时，等等。我国台湾地区的"公司法"中亦有类似的规定。

我国《公司法》第149条规定，公司不得接受自己公司的股票作为抵押权的标的。由于该法通过时，《担保法》还未出台，因此该条中的"抵押"一词实际含义为"质押"，可见我国法律对于公司接受自己公司的股票质押持否定态度。从资本维持原则来看，这种做法当然有利于维持公司的资本，维护交易的安全。但从另一方面来看，如果公司接受自己公司的股份来出质，在质权实行时可以将该出质股份变卖或拍卖，以实现其债权，这种做法并不与资本维持原则相冲突。而且，公司有时为了销除股份、受让其他公司股份或为了与其他公司合并，也需要以自己公司的股份来设质。因此，在一定条件下允许公司以自己的股份来设质有一定的合理性，只不过应给予适当的限制。这也说明我国《公司法》当前的规定不够灵活，实际上我们可以在一定情形下允许接受自己公司的股份来设质，但应以一定的数额及设质目的来限制。

---

[1] 卞耀武主编：《当代外国公司法》，法律出版社1995年版，第138页。

二、有限责任公司之股权质权的设质

有限责任公司的股东的股权具有财产性和可转让性，因此它也可作为出质的标的。我国《公司法》中的"出资证明书"系证明有限责任公司股东出资的凭证，在性质上属于一种证明文书而非有价证券。在我国台湾地区，与"出资证明书"类似的概念是股单，学者通常不认为股单是有价证券而是一种证明文书，[1] 因此它不能用来设定质权。从理论上讲，多数国家的法律都认为有限责任公司的股东的股权可以转让，因而可以出资来设定质权。例如，日本新《有限公司法》第23条明确规定了有限公司的股权可以作为设质的标的。不过，由于有限责任公司的人合性较强，故其股权在设质时不同于股份有限公司的股份设质，有其自身的特殊性。

关于有限责任公司股权的设定要件，各国立法上有所不同。在我国台湾地区，有学者认为根据该地区"民法"第902条，"公司法"第111、104、165条的规定，其设质要件包括两个：①应得其他全体股东过半数同意，出质人如为公司董事或执行业务之股东或监察人时则应当经过其他全体股东之同意。②交付股单予质权人，并将质权人的姓名或名称，设定质权之事由，记明于股单及股东名簿。[2] 该观点将有限责任公司股权设定的生效要件与对抗要件合二为一，设质之情事记载于股单及股东名簿既是生效要件也是对抗第三人的要件。对此，另有学者持异议，认为有限责任公司股东的出资转让有生效要件与对抗要件之别，至于将来质权人如何行使权利质权，有"公司法"第111条第4

---

[1] 柯芳枝著：《公司法要义》，台湾三民书局1995年版，第322页。
[2] 谢在全著：《民法物权论》下册，中国政法大学出版社1999年版，第820页。

款可资适用,并不影响有限责任公司的闭锁性特质,故股东出资的设质,似只须经双方合意,无须经其他股东同意,但要具备对抗公司的要件则须在股单上记载质权人姓名,并将质权人姓名及住所记载于股东名册。[1] 该见解将股权的生效要件与对抗要件区分开来,将设质合意作为股权设质的生效要件,而将股单上质权人姓名的记载和股东名册上设质事项的记载作为对抗公司的要件。从理论上来讲,根据"公司法"第165条及"民法"第902条的规定,有限责任公司股东出资转让的对抗要件与股份有限公司记名股票转让的对抗要件一致,应以股单上的记载和股东名册上的记载作为对抗公司的要件,这种对抗要件显然不同于转让的生效要件。因此,前一见解与该地区的"立法"原意不太符合,股权的生效要件应当与股权的对抗要件相区分。后一观点虽然区分了股权设质的生效要件和对抗要件,但仅将当事人的设质合意作为质权生效的要件,这与有限责任公司股权转让的规则不太符合。而根据该地区"公司法"的规定,股权在转让时亦需交付股单这种证明股权的凭证,因此股权在设质时应当交付股单。所以,根据该地区"公司法"的规定,有限责任公司股权在设质时应当以当事人的设质合意及股单的交付作为设质的生效要件,而应将质权人姓名或名称的记载及设质事由的记载作为对抗公司的要件。

而在日本,其《有限公司法》在昭和41年修订以前,对有限责任公司股权的设质采取与有限责任公司股权转让一样的限制,即根据该法第19条股权转让的规定,以股权向非股东设质时应当经股东会承认;股东可就设质事项请求公司为记载并承认设质,若公司未承认时,可请求公司;另外指定设质相对人;公

---

[1] 柯芳枝著:《公司法要义》,台湾三民书局1995年版,第325、326页。

司未承认设质者应于请求之日起两周内以书面形式通知欲设质的股东，若超过该期间即视为同意设质；公司未承认设质时应当另外指定设质相对人，等等。上述规定实际上为股权的出质设定了种种人为的障碍，从理论上来讲，股东应对其股权有自由支配权，而上述规定使股东无从利用其股权来担保债权，甚至是迫使股东另外寻找其他债权人，[1] 这些规定与现实生活大相径庭。因此，昭和41年后，日本新《有限公司法》删除了关于第19条准用的规定，并有第23条明定有限责任公司的股份可以作为质权的标的，使有限责任公司股权在设定时可依当事人的自由意思而进行设定。关于有限责任公司股权的设质的生效要件，日本《有限公司法》第24条并未明确规定，但一般认为除应有当事人之间的设质合意外，还需移转出资凭证。关于有限责任公司股权设质的对抗要件，因为该股权非为有价证券，故不以占有为对抗要件，而适用股权转让的对抗要件，即根据日本《有限公司法》第20条的规定，移转股份时，非将取得人的姓名、住所及移转的出资股数记载于股东名册，不得以之对抗公司及其他第三人。综上所述，笔者认为，在以有限责任公司的股权设质时，应以当事人之间的设质合意及出资凭证的转移为设质成立的要件，而应将设质事项登记于股东名册作为对抗公司及其他第三人的要件。

另外，有限责任公司在设质时同股份有限公司一样，除法律规定的特殊情形外，一般也不得以自己公司的股权来设质。

---

[1] 钟青："股权质权研究"，载梁慧星主编：《民商法论丛》第22卷，法律出版社2002年版，第59页。

三、无限公司股权的设质

关于无限公司股东股权的设质问题，理论上存在较大的分歧。其否定说认为，根据我国台湾地区"公司法"第 55 条之规定，其让与均有限制，故不适于为权利质权之标的。[1] 日本学者也认为，无限公司股权之让渡系社员地位的让渡，出资额虽可让渡，但不适于设质或扣押。[2] 而持肯定意见的学者认为，无限公司股东的股份或出资性质上虽非纯粹之财产权，而系社员权，但具有财产价格，因而可依法律规定转让，只不过转让有限制而已，因而通说及实务上均认为得设定质权。[3]

关于无限公司股权的设质的生效要件，除了当事人之间的设质合意外，还需符合其他要件。我国台湾地区在"判决"中认定，合伙人以自己之股份为合伙人以外之人设定质权，须经其他合伙人全体之同意。[4] 其"公司法"第 115、55 条亦规定，无限公司股东就其出资设质时，应得其他股东全体之同意。可见，我国台湾地区认为股东全体的同意为设定质权的必要条件，或者说是设质的生效要件。而在日本，根据其《商法典》第 73 条的规定，股东非经其他股东承诺，不得将其股份之全部或一部转让于他人。因此，在以无限公司的股权设质时，有学者认为仅依当事人之间的设质合意即可成立质权，而其他股东的承诺，为对抗

---

[1] 郑玉波著：《民法物权》，台湾三民书局 1963 年版，第 325 页。
[2] [日] 田中诚二：《合社法详论》下，第 1278 页。转引自钟青："股权质权研究"，载梁慧星主编：《民商法论丛》第 22 卷，法律出版社 2002 年版，第 61 页。
[3] 谢在全著：《民法物权论》下册，中国政法大学出版社 1999 年版，第 820 页。
[4] 1933 年上 235。

公司的要件。[1]笔者认为,就无限公司而言,股权的转让应经其他全体股东的同意是股权转让的必要条件,而设质常常可能导致股权的转让,因此在以此类股权出质时,应当遵循上述规定,否则即与法律的精神相违背,故应将其他全体股东的同意解释为此类质权设定的生效要件而非对抗要件。另外,出质人还应将出资证明一并移交。

四、两合公司股权的设质

关于两合公司的股权设质,应分无限股东之股权设质与有限股东之股权设质来讨论。就无限股东之股权设质而言,根据公司法的一般原理,无限股东应经全体股东的承认方可转让其持有的股份,因此无限股东之股权在设质时应经全体股东的同意,此为设质的生效要件。就有限股东股权的设质而言,其股权的让渡应经全体无限股东的同意,因此在设质时一般经全体无限股东之承认即可设质。[2]而根据我国台湾地区"公司法"第119条的规定,两合公司中的有限责任股东在设质时,仅需经过其他无限股东过半数的同意即可。

五、我国股权质权设定之现状

目前,证券公司股票质押贷款在我国已广为流行,个人股票质押贷款也正在推行之中,规范各种股权的设定就已成为十分迫

---

[1] [日] 田中诚二:《合社法详论》下,第1278页。转引自钟青:"股权质权研究",载梁慧星主编:《民商法论丛》第22卷,法律出版社2002年版,第61页。
[2] 《日本商法典》第154条规定,有限责任股东经全体无限责任股东承诺,可以将其股份的全部或一部让与他人,故在设质时应经全体无限责任股东的承诺。

切的事项。

目前，我国用来规范股权设定的法规并不多，主要以《中华人民共和国担保法》及最高人民法院关于《担保法》的司法解释为主。另外，《中华人民共和国合伙企业法》涉及到了合伙企业中财产的出质问题，个别行政法规如2000年2月由中国人民银行和中国证券监督管理委员会联合发布的《证券公司股票质押贷款规定办法》（以下简称《股票质押办法》）也涉及到了上市公司的股票质押办法。从上述法规的规定来看，不仅内容比较简单，而且也存在相当多的不完善之处，急需加以改进。为了论述方便，我们不妨分股份有限公司的股票质权、有限责任公司的股权质权、合伙企业的股权质权来分别讨论。

（一）股份有限公司的股票质权的设定

我国《担保法》第75条第2项明确规定依法可以转让的股份、股票可以质押。但该项中的"股份"含义如何，该法未予明示。从该法第78条关于股票出质及有限责任公司的股份出质的规定来看，该条中的"股份"一词似乎专指有限责任公司的股东出资，而不包括股份有限公司的股份。这种规定与我国《公司法》的规定不太符合，因为在《公司法》中，"股份"意指股份有限公司的股份，而不是指有限责任公司的股东出资，因而《担保法》的用语不太准确。

由于股份有限公司的股份一般表现为股票的形式，因此其股份设质一般就表现为股票的设质。关于股票设质的生效要件问题，我国《担保法》第78条第1款规定："以依法可以转让的股票出质的，出质人与质权人应当订立书面合同，并向证券登记机构办理出质登记。质押合同自登记之日起生效。"显然，该条未区分上市公司与非上市公司股票的出质问题，实际上二者在股票转让时存在明显的区别,应当加以区别。

1. 上市公司股票设质的生效问题。关于上市公司股票的设质生效要件问题,从《担保法》第78条第1款的规定来看,当事人之间的书面设质合意和设质登记是质押生效的要件。但与外国法明显不同的是,我国的设质登记机构是证券登记机构,而非股份有限公司。在该机构进行出质登记后,其公示性和权威性更强。至于《公司法》和《证券法》,它们并未规定股票的出质登记问题。另外,《最高人民法院关于适用〈中华人民共和国担保法〉若干问题的解释》第103条区分了上市公司与非上市公司,并在第2款规定:"以上市公司的股份出质的,质押合同自股份出质向证券登记机构办理出质登记之日起生效。"显然,该《解释》的规定与担保法一致。

2000年2月,中国人民银行和中国证券监督管理委员会联合发布的《证券公司股票质押贷款规定办法》对证券公司以自营的股票和证券投资基金券作质押向商业银行借款的问题作了规范。《股票质押办法》规定,借款人和贷款人签定质押贷款合同后,双方应同时在证券登记机构办理出质登记。证券登记机构应向贷款人出具股票质押登记书面证明。贷款人在发放股票质押贷款前,应在证券交易所开设股票质押贷款业务特别席位,专门保管和处分作为质物的股票。借款人应按贷款合同的约定偿还贷款本息。贷款人应在贷款合同终止的同时办理质押登记注销手续,并将股票质押登记书面证明退还给借款人。显然,该办法在股票质押的生效要件上,与《担保法》的规定基本一致,即当事人之间应签订股票出质合同并在证券登记机构办理出质登记。不过,该《股票质押办法》要求贷款人在证券交易所开设股票质押贷款业务特别席位,专门保管和处分作为质物的股票,这一规定似乎强调了股票在设质时应当移转占有,而《担保法》对此未曾规定。总而言之，由于《担保法》的效力优于《股票质押办法》，因此以上市公司股票设质时仍以《担保法》规定的生效要件为准。

从我国实践来看，在证券交易所交易的上市公司的股票为记名股票。按照《公司法》第145条的规定，记名股票，由股东以背书方式或者法律、行政法规规定的其他方式转让，公司应当将受让人的姓名或者名称及住所记载于股东名册。而在我国现实生活中，在证券交易所交易的上市公司的股票已实现无纸化，电子交易成为此类股票交易的基本方式，受让人取得的股票份额直接进入其股东帐户，而不能取得纸张化的股票。因此，电子交易的发展决定了上述股票在设质时不能采取传统的质押方式，当事人在设质时也不再可能由股东进行股票设质背书，也不能当面向质权人交付纸张化的股票。为此，我国《担保法》采取了变通性规定，即第78条第1款的规定，股票在设质时，以当事人之间的书面设质合意及设质登记为股票设质的生效要件。与传统的设质方式比较起来，现行规定不以股票的交付为设质要件，这更接近于股票的抵押。因此，必须辅以一定的方式来保护质权人对股票的留置力，为此，《股票质押办法》中的"贷款人在发放股票质押贷款前，应在证券交易所开设股票质押贷款业务特别席位，专门保管和处分作为质物的股票"的规定正是确保股票质押留置力的一种有效办法，它接近于股票的移转占有的效力，故有必要通过法律的形式予以明确。不过，对于个人股票质押贷款，该办法未予规定，不能不算是一种遗憾，因此应在今后补充上述内容。

此外，我国有学者认为，我国《担保法》第78条仅规定股份设质需书面设质合同和设质登记，而于公司股东名册上的设质登记未予规定，那么，质权人在向公司主张质权时，公司不得不去查阅证券登记机构的设质登记情况。这一方面会增加公司的成本,另一方面,对公司主张社团法上的权利系依据公司之外的证券登记机构的登记进行,该做法本身存在着解释上的困难。[1]对此,笔者持不同的意见。当股票在证券登记机构进行了设质登记后,质权人取得的登记证书即具有公示效力,质权人在向公司主张质权时,仅出示该证书即可证明其质权的存在,无须在公司登记,公司无须再去调查设质事项,因此该做法不会增加公司的成本,也不存在解释上的问题。

2. 非上市公司的股票设质问题。目前,有学者认为,我国当前的股票已实现无纸化,股票的储存及转让都通过电脑控制运行,因而我国《担保法》未规定以股票交付质权人占有为必备要件。[2]实际上,这是对我国股票市场的一种误解。在我国,不仅存在着大量的上市公司的股票,也存在着为数不少的未上市公司的股票,它们仍以纸化的形式存在,根据《公司法》第133条的规定,公司向发起人、国家授权投资的机构、法人发行的股票,应当为记名股票;向社会公众发行的股票,可以为记名股票,也可以为无记名股票。因此,非上市公司股票的质押既包括记名式股票质押,也包括无记名式股票质押。

对于非上市公司的股票设质问题,我国《担保法》未予专门规定,只能参照《担保法》第78条第1款的规定,仍以当事人的设质合意及证券登记机构的设质登记为该类股票设质生效的要件。这种规定与其他一些国家通行的股票设质方法存在显著的不同,实际上非上市公司的股票设质问题并无在证券登记机构登

---

[1] 钟青:"股权质权研究",载梁慧星主编:《民商法论丛》第22卷,法律出版社2002年版,第41页。
[2] 毛亚敏著:《担保法论》,中国法制出版社1997年版,第218页。

记的必要,仅在非上市公司登记即可,因为该类股票的转让及质权的实行通过该公司即可实行而无需借助于证券登记机构的协助。为此,《最高人民法院关于适用〈中华人民共和国担保法〉若干问题的解释》第103条第3款专门解释说:"以非上市公司的股份出质的,质押合同自股份出质记载于股东名册之日起生效。"对此,笔者认为该《解释》尚存在以下问题:①该解释的规定与《担保法》第78条第1款的规定并不相同,有超越《担保法》规定之嫌;②该《解释》未区分记名股票的设质与无记名股票的设质,因而并不全面。对此,我们有必要分别加以讨论;③该《解释》将"股份设质记载于股东名册"作为记名式股票设质的生效要件。尽管该做法的公示性较强,有助于保护第三人的利益及公司的利益,但从理论上讲,似乎对股票质押的生效条件规定的过严,一些股票出质合同可能会因为未及时登记而失去效力,从而不利于保护合同当事人的利益,而且,要求每个出质合同都必需在公司登记后才能生效,似乎显得过于苛刻。

关于无记名股票的设质问题,笔者认为,按照我国《公司法》第146条的规定,无记名股票的转让,由股东在依法设立的证券交易场所将该股票交付给受让人后即发生转让的效力,因此《担保法》可参照其他国家的立法实践,将当事人之间的设质合意及股票的交付作为无记名股票设质的生效要件。关于记名股票的设质问题,笔者认为,按照我国《公司法》第145条的规定,记名股票,由股东以背书方式或者法律、行政法规规定的其他方式转让。记名股票的转让,由公司将受让人的姓名或者名称及住所记载于股东名册。因此,我国《担保法》可以补充规定,记名股票的设质,以当事人之间的设质合意、记名股票的交付作为记名股票设质的生效要件。而在设质的对抗要件上,我国可以借鉴日本和我国台湾地区的规定,以出质人的设质背书、设质事项记载于股东名册上作为记名股票设质的对抗公司的要件，以占有股票作为对抗第三人的要件。

(二) 有限责任公司的股权质权的设定

关于有限责任公司股权的设定，我国《担保法》第78条第3款规定："以有限责任公司的股份出质的，适用公司法股份转让的有关规定。质押合同自股份出质记载于股东名册之日起生效。"而按照《公司法》第35条和第36条的规定，股东之间可以相互转让其全部出资或者部分出资。股东向股东以外的人转让其出资时，必须经全体股东过半数同意；不同意转让的股东应当购买该转让的出资，如果不购买该转让的出资，视为同意转让。经股东同意转让的出资，在同等条件下，其他股东对该出资有优先购买权。股东依法转让其出资后，由公司将受让人的姓名或者名称、住所以及受让的出资额记载于股东名册。那么，股东在以股权设质时，对于公司的股东可以自由设质，而对于非股东，应经全体股东过半数同意，并应以股东会决议的形式为之。[1] 不过，如果有股东不同意向非股东出质，那么应如何处理呢？对此，有学者认为，如果过半数的股东不同意，又不购买该出质的股权，则视为同意出质。[2] 另一位学者则认为，该解释存在实务上的操作问题，如果采纳上述解释，那么，不同意出质的股东应当购买其出质股权，若其不愿购买出质股权而被视为同意出质时，对于设质人和质权人均皆大欢喜；若其愿意购买出质股权时，对设质人而言，设质股东会失去股权，这与其仅以股权来担保债务的初衷不符；对质权人而言，他将不得不另寻其他担保

---

[1] 《公司法》第38条第10项。
[2] 阎天怀："论股权质押"，载《中国法学》1999年第1期。

物。这实际上是将质权设定与质权实行的后果混为一谈。[1] 显然，后说较为有理。对于上述问题，关键是不能将股权的转让与股权质权问题相混淆，实际上，我国在有限责任公司股权的设质生效要件的规定上可以借鉴日本新《有限公司法》和我国台湾地区学说上的理论，将当事人的设质合意及出资证明书的交付作为股权设质的生效要件。对于《担保法》第78条第3款的"质押合同自股份出质记载于股东名册之日起生效"的规定，笔者认为根据物权变动与原因行为的区分原则，质押合同的生效与质押的生效是两个不同的概念，质押合同一般应自当事人达成出质协议并交付出资证明书时生效，而不是自股份出质记载于股东名册之日起生效。另外，笔者将股东名册上的设质事项的登记作为股权设质的对抗要件较为妥当，而不宜将其作为生效要件，因为采这种立法例更有利于维护设质的效力，可以更好地保护质权人的利益，也有利于提高设质的效率。至于设质记载，主要是一种对抗公司的效力，而不宜作为生效的要件。那么，采取上述立法例后，如何体现《担保法》第78条第3款所规定的"适用公司法股份转让的有关规定"呢？笔者认为，这主要是在质权的实行时体现。当债务人不履行债务导致以出质的股权来清偿时，可以将该股权转让，其转让规则适用公司法的相关规定。

（三）无限公司股权的设质

我国《公司法》中未对无限公司的设质问题作出规定，与之相类似者是以合伙企业的出资设质。《中华人民共和国合伙企业法》第24条规定，合伙人以其在合伙企业中的财产分额出质

---

[1] 钟青："股权质权研究"，载梁慧星主编：《民商法论丛》第22卷，法律出版社2002年版，第62页。

的，须经其他合伙人一致同意；未经其他合伙人一致同意，其设质行为无效，或者作退伙处理；由此给其他合伙人造成损失的，依法承担赔偿责任。此外，根据第21条第2款之规定，向合伙人之一出质时，亦应将出质事项通知其他合伙人。由此可见，合伙企业的人合性非常强烈，其合伙人出资份额的转让和出质均有较严格的限制，故我国《合伙企业法》以合伙人的一致同意作为设质生效的要件之一，这一规定也与其他国家的立法例类似。总之，合伙企业的出资份额在设定质权时，以当事人之间的设质合意、其他合伙人的一致同意、出资证明书的交付作为设质生效的要件。

第七节 知识产权质权的设定

与其他民事权利比较起来，知识产权的法律保护要晚得多，其权利保护方式也存在诸多的特殊之处，因此多数国家未在民法典中规定知识产权制度，也未将知识产权的质权设定纳入其中，有关该问题的规定通常散见于各国的知识产权单行法规之中。

一、知识产权质权设定的立法例

目前，多数国家未在民法典中规定知识产权质权制度，仅对此有原则性的规定。例如，《意大利民法典》第2806条第1款规定："不同于债权的权利质权，要以这些权利的转让所各自需要的形式设定，但是第2787条第3款的规定继续有效。"为此，知识产权设质的问题必须通过特别法来解决，多数国家均在知识产权专门法中涉及到了知识产权质押的问题，不过其规定十分简略。例如，《美国专利法》第261条、《英国专利法》第30条第

4款、《日本特许法》第73、77、95、96条都规定了专利权的质押问题，《日本商标法》第34条、《法国知识产权法典》第L.714-1条第4款规定了商标权的质押问题，《日本著作权法》第66、77条、《法国知识产权法典》L.132-34条规定了著作权的质押问题。另外，《日本集成电路布图设计法》第16、17、18条还规定了集成电路布图设计权的质押问题。从它们的规定来看，内容十分简单，多涉及知识产权质押与第三人的关系问题。例如，《日本著作权法》第77条第2款规定，以著作权为标的的质权的设定、转移、变更或者失效（混同或者著作权或者担保债权的失效的除外）或者处分的限制，如不登记就不能与第三者对抗。因此，知识产权质权在设定时通常适用民法关于权利质权设定的普通规范。

我国有关知识产权质权的立法例与其他国家不同，未在知识产权专门法律中规定其出质问题，而是在《担保法》中予以规定，这主要是因为在《担保法》制定之时我国的知识产权法律体系已基本确立，《担保法》应当对知识产权的质押问题作出回应。从《担保法》的规定来看，第75条规定依法可以转让的商标专用权，专利权、著作权中的财产权可以质押。显然，该条所确定的可以出质的知识产权范围较窄，实际上其他知识产权如商号权、集成电路布图设计权、植物新品种权等都可作为出质的对象。关于知识产权质权的设定方式，《担保法》第79条规定："以依法可以转让的商标专用权，专利权、著作权中的财产权出质的，出质人与质权人应当订立书面合同，并向其管理部门办理出质登记。质押合同自登记之日起生效。"可见，我国是在《担保法》中对此作出规定的。

二、知识产权质权设定的一般规范

知识产权质权设定时首先应当遵从权利质权设定的一般规范,即由出质人与质权人达成以知识产权设质的合意。关于设质协议的形式,多数国家未予明确规定,不过,我国《担保法》为了维护交易的安全,特别强调设质协议应当采取书面形式。

知识产权设质协议不同于一般的权利质权设质协议之处在于其质权标的的特殊性,特别应当注意知识产权的时间性和地域性对于质权设定的影响。所谓时间性,即知识产权通常只在国家法律规定的保护期内受到保护;所谓地域性,即知识产权通常只在取得权利的国家境内受到保护。因此当事人在以知识产权来设定质权时必须充分考虑出质对象的有效性,否则其质押对于质权人而言将毫无意义。此外,知识产权的出质人一般应为知识产权的权利取得者或其受让人。至于被许可使用人,笔者认为他们未经知识产权人的同意不得以被许可使用的权利来出质,因为被许可方所获得的仅是对知识产品的利用权利而非处分知识产权的权利。但是,如果知识产权人同意被许可使用人质押所取得的权利,则被许可人可以以该权利来出质。例如,《英国专利法》第30条第4款a项规定:"如果专利许可证中有这样规定,还可根据此许可签发分售许可证,而这样的许可证或分售许可证皆可转让或质押。"

知识产权质权在设定时还应当遵循知识产权法所规定的权利转让的特别规定。这些特殊性规定包括:

(1)著作权的特殊转让规范。著作权包括人身性权利与财产性权利,其中的人身性权利不得转让故不能设质,而财产性权利可以转让因而可以设质。另外,一些国家如法国还在其《知识产权法典》的第L.131-1条明确宣布"全部转让未来作品无效"。也即，虽然作者可以转让将来创作的作品的著作权，但不能将它们全部转让。对此，法国学者克洛德·科隆贝先生指出："在作者转让他的现有权利时，一般合同法看来是足够的，但当合同的标的为未来作品时，问题就暴露了，即作者不公平地受到合同的约束。例如，在他初出茅庐时，没有知名度，满腔热忱地接受了合同的条件。后来，他终于成了名却发现报酬很低，对他的约束过分，总之令人失望。"[1]正因为如此，法律规定全部转让未来作品的合同无效，以增强对创作者利益的保护。因此，作者不能以将来创作的全部作品的著作权来出质。我国《著作权法》新增了有关著作权转让的规定，但未对未来作品的转让问题给予规范，尚有补充的必要。

（2）商标权转让的特殊规范。商标权在一般情况下都可转让，但有些国家规定商标权不能单独转让，必须连同企业一并转让，如《美国商标法》第10条持该观点，所以在设定质权时必须连同企业一并设定质权。但近年来，越来越多的国家主张商标权可以自由转让，因为只要商品质量与商标一致，即使该商标与企业分开转让，也不会损害消费者的利益，例如，《英国商标法》第22条第1款规定："尽管有的法律条例或衡平法有相反规定，注册商标不论是否连同企业商誉，应当是并且应当认为向来就是可转让或可移转者。"在我国，《商标法》也采此立法例，在此情况下，商标权可以单独设质。另外，各国商标法为了维护消费者的利益，避免商品的来源混淆，一般都规定，凡类似商品使用同一商标的须将该注册商标在这些商品上的专用权全部转让而不得分别转让，联合商标不得分开转让。所以在设定质权时，

---

[1]［法］克洛德·科隆贝著，高凌瀚译：《各国著作权和邻接权的基本原则——比较研究》，上海外语教育出版社1995年版，第98页。

联合商标应当一并设定质权而不能分别设质。

(3) 专利权转让的特殊规范。多数国家的专利法都规定，专利申请权和专利权都可以转让，但对转让的条件，我国《专利法》第10条规定："中国单位或者个人向外国人转让专利申请权或者专利权的，必须经国务院有关主管部门批准。"为此，如果中国单位或者个人向外国人出质专利申请权或者专利权，必须经国务院有关主管部门批准。不过，如果中国单位或者个人向本国人出质专利申请权或者专利权，则不必经国务院有关主管部门的批准。

(4) 商号权转让的特殊规定。关于商号权的转让，《日本商法典》第24条第1款规定："商号只能和营业一起转让或在废止营业时转让。"因此商号权在设质时应与企业一同设质。而在另一些国家和地区，商号权可以单独转让。例如，我国台湾地区"商业登记法"第24条允许商号单独转让，商号权可以单独设质。

知识产权设质协议达成后，是否需要在知识产权管理部门办理出质登记才能生效呢？对此，多数国家的法律都认为无需经过出质登记这一环节，而只将出质登记作为对抗第三人的一种手段。例如，就专利权的质押而言，《美国专利法》第261条第4款规定："一项转授、赠送或转移行为，如不在成立后三个月内，或在以后的转授或抵押之先在专利与商标局登记，则以后如有价售或抵押情节，无需事先通知，以前的转授、赠送或转移对以后的价购者或质押债权人不生效力。"《英国专利法》第33条、《日本特许法》第98条均有类似之规定。就商标权的质押而言，《日本商标法》第35条规定："专利法第73条、第76条、第97条第1款、第98条第1款第1项及第2款的规定，准用于商标权。"因此，商标权的出质登记也是对抗第三人的一种手段。就著作权的质押而言,《日本著作权法》第77条第2款规定,以著作权为标的的质权的设定、转移、变更或者失效(混同或者著作权或者担保债权的失效的除外)或者处分的限制,如不登记就不能与第三者进行对抗。《法国知识产权法典》第L.132-34条亦有类似之规定。笔者认为,上述国家将知识产权的出质作为对抗第三人的要件,主要是因为多数西方国家的知识产权法律都将知识产权的转让登记作为对抗第三人的要件,例如《德国商标法》第8条第2款规定:"转让未在商标注册簿上登记,权利承继人不得主张由商标注册所生的权利。"因此,知识产权在出质时沿用转让时的规定也就是顺理成章的事情。

我国《担保法》第79条未采取上述立法例,而是将知识产权管理部门的出质登记作为质押合同生效的法定要件,质押合同自登记之日起生效。对此,有人认为上述规定与著作权法的规定存在冲突,其理由是著作权的取得、转让并无登记或注册制度,如依著作权法所规定的关于著作权转让的方式来设定著作权质押,则只需当事人双方之间签订著作权质押的合同即可,故著作权质押无公示方法,而《担保法》规定以登记为公示方法,这两者之间存在不同之处。[1] 实际上,这是对法律的一种误解,因为我国《著作权法》只是规定了著作权的转让制度,并未对著作权的质押问题予以规范,因此在质押方面适用《担保法》的相关规定,二者之间并不冲突。那么,我国《担保法》第79条为何将知识产权质押的登记作为质押合同生效的要件呢?笔者认为这与我国知识产权法的规定有关。我国《专利法》第10条规定:"转让专利申请权或者专利权的,当事人应当订立书面合

---

[1] 刘瑛:"版权质押合同及其质权人的利益保障",载《知识产权》2001年第2期。

同，并向国务院专利行政部门登记，由国务院专利行政部门予以公告。专利申请权或者专利权的转让自登记之日起生效。"因此，我国有学者认为，专利权的转让合同经当事人达成转让协议，并报专利局登记、公告后，才能生效。这是因为专利权的授予经过了登记和公告，以便使第三人和专利局都了解专利权的法律状况的变化，有必要登记和公告。[1] 可见，我国《专利法》的规定与外国法显然不同，按照外国专利法的规定，专利权转让的登记仅具有对抗第三人的效力，如果第一次转让未进行登记而使受让人受到了损失，则受让人只能根据合同向转让人要求赔偿损失。而按照我国法律的规定，如未进行登记、公告，专利权的转让自始无效。我国《商标法》第 39 条也采取了类似的规定："转让注册商标经核准后，予以公告。受让人自公告之日起享有商标专用权。"而在我国《著作权法》第 25 条中，尽管有关于著作权中的财产权利转让的规定，但当事人订立书面合同即可，而无需经过行政管理部门的批准。从以上规定可以看出，在我国法律中，专利权的转让登记、商标专用权的转让登记是上述权利移转的法定要件，而著作权中的财产权利的转让无需经过登记。我国《担保法》第 79 条将知识产权的出质登记作为设质合同生效的要件，显然是受了专利权转让和商标权利转让立法规定的影响，因此未像外国立法例那样将出质登记作为对抗第三人的要件。不过，对于著作权的财产权利出质采取上述立法例，似乎只能解释为参照了专利权和商标专用权设质的相关规定。

对于《担保法》的上述规定，有学者提出了改进意见，认为根据物权变动与其原因行为的区分原则，知识产权质押合同的生效与知识产权质权的设定不同，因此，质押合同应自合同成立

---

[1] 汤宗舜著：《专利法教程》，法律出版社 1996 年版，第 179 页。

之日起生效，但法律另有规定或当事人另有约定的，依其规定或者约定。质权自出质登记之日起设定。[1]笔者认为，知识产权质权在设定时首先应由当事人达成出质协议，按照多数学者的观点，该协议通常为诺成性协议，不需要移交专利证书、商标注册证等凭证，因此该协议应自当事人达成出质协议时成立并生效，但法律另有规定或当事人另有约定的，依其规定或者约定。那么，出质协议为什么不是像专利权的转让或商标专用权的转让那样自登记之日起生效呢？笔者认为知识产权的出质与转让是两个不同的概念，二者不能等同，如果仅有当事人之间的出质合意就可使出质合同生效，则较有利于维护当事人之间的利益。在此情况下，是否意味着知识产权质权已经设定了呢？从国外多数国家的立法例来看，知识产权质权在当事人达成出质协议后就设定，出质登记仅为对抗第三人的要件而非质权设定的要件，这种规定较有利于维护出质协议的效力，保护出质当事人的利益，而公示性稍弱。那么，我国《担保法》是否有必要也采取该立法例呢？笔者认为，知识产权质权的设定是一种物权行为，如果从强调公示性、保护第三方的利益考虑认为知识产权质权的设定应自出质登记后生效，当然有一定的益处。不过，如果要求任何出质合同都必须经过知识产权管理部门的登记才能生效，则又显得过于繁琐，反而不利于当事人及时设定知识产权的质押，因此这种登记行为常常会降低担保的效益。因此，笔者认为，我们可以将知识产权的出质登记作为对抗第三人的要件，如果出质双方未办理出质登记而给第三人造成损失，则出质人应当赔偿第三人的损失。

另一个值得注意的问题是，知识产权质权设定时是否应当移

---

[1] 参见梁慧星主编：《中国物权法草案建议稿：条文、说明、理由与参考立法例》，社会科学文献出版社2000年版，第747页。

交证明知识产权权利的证书的问题。对此，史尚宽先生认为，就专利权证书而言，它与债权证书不同，债权证书为表示债权之证书，而专利权证书之本身，则非表示权利，故理论上不应以交付证书或移转占有等要物行为为必要。因此，《德国专利法》第6条认为专利权出质为不要式之行为。[1] 对此，多数学者表示赞同，因为知识产权权利证书并非为流通证券，出质人向质权人交付知识产权证书，并无多少意义。[2] 当然，也有学者认为，为了防止出质人在设定质押后擅自转让知识产权，应当要求出质人向质权人交付知识产权证书，如商标注册证、专利证书等。[3] 笔者认为，如果以著作权中的财产权利来出质，著作权人并无权利证书可供利用，当然无交付的可能。如果以专利权、商标专用权等权利来出质，尽管上述权利有证书可以交付，但这仅为权利的证明而已，它的交付并不等于权利占有的移转，因此这种交付无多少意义。而且，有的知识产权如商标权在出质后，商标权人负有保全该权利的义务，仍应继续在商品或服务上使用其注册商标，否则在一定期限后将被撤销该注册商标，而商标注册证的持有是行使该权利的必要条件，所以，商标注册证由出质人即商标权人持有较为合理。对于其他知识产权而言，也应采取该立法例。如果发生出质人擅自转让知识产权的问题，可通过出质登记或其他法律规定来进行防范。

---

[1] 史尚宽著：《物权法论》，中国政法大学出版社2000年版，第417页。
[2] 参见梁慧星等著：《物权法》，法律出版社1997年版，第374页。
[3] 参见王利明著：《物权法论》，中国政法大学出版社1998年版，第770页；策玥："专利权质押中质权人的利益保障"，载《知识产权》1988年第3期。

第八节　权利质权的善意取得与让与

一、权利质权的善意取得

权利质权的善意取得与动产质权的善意取得类似，例如，我国台湾地区"民法"第886条规定，质权人占有动产，而受关于占有规定之保护者，纵出质人无处分质物的权利，质权人仍取得质权。这种动产质权的取得方式与动产所有权的善意取得相类似，其主要目的是为了保护善意的第三人的利益。一般而言，动产质权的善意取得应当具备以下几个条件：①标的物须为动产；②须出质人为动产占有人且无处分的权利；③须质权人已占有该动产；④须质权人在受让该动产占有时出于善意。质权人不知出质人无处分权，且该占有是根据法律行为而受让。当上述条件具备时，即在该动产上成立质权。

由于权利质权可准用动产质权的相关规定，因此，就权利质权而言，只有其出质标的与动产质权相类似才能适用该制度。一般而言，有价证券与动产最为类似，因此可以在此类有价证券上适用质权的善意取得制度。例如，日本学者多认为，善意取得制度在票据设定质权时可以适用，如果背书的出质人无票据权利，但质权人在质权设定时无恶意或无重大过失，则可有效取得质权，行使票据上的权利。[1] 但应注意的是，权利质权的善意取得制度对于普通债权质权、知识产权质权等其他质权一般不能适

---

[1]　黄献全著：《金融法论集》，台湾三民书局1991年版，第87页。

用，因为后者的权利取得常常要履行一定的手续。

二、权利质权的让与

权利质权作为财产权的一种，不具有专属性，因此此类权利可以让与。但是，由于权利质权为担保物权的一种，具有附属性，因而不得与被担保的债权分离而单独让与。所以，权利质权在让与时，必须与被担保的债权一同让与。此时，质权的让与来自于法律的规定而非当事人的质权设定行为。正如姚瑞光先生所言，这种质权的转移不是来自于当事人的法律行为，因此不待依权利质权设定方式为移转就可发生质权移转的效力。[1] 但是，为了便于对质权人利益的保护，法律上应当规定债权移转时，受让人有权请求转让人依质权设定方式而移转其质权。例如在移转专利权质权时，受让人有权请求转让人协助办理相应的出质登记手续。

---

[1] 姚瑞光著：《民法物权论》台湾海宇文化事业有限公司1995年版，第311页。

第六章 权利质权的效力

第一节 权利质权的效力范围

权利质权的效力范围,一般指权利质权所担保的债权的范围与权利质权标的的范围,上述问题是有关权利质权效力的两个核心问题。

一、权利质权所担保的债权的范围

关于权利质权所担保的债权的范围,多数国家未在其民法典中专门予以规定,而是适用有关动产质权的规定。例如,《日本民法典》第346条规定:"质权担保原本、利息、违约金、质权实行费用、质物保存费用及因债务不履行或质物隐有瑕疵而产生的损害赔偿。但是,设定行为另有订定时,不在此限。"《德国民法典》第1210条也规定:"(1)质权所担保的为当时状态的债权,特别是也担保利息和违约金。负个人责任的债务人并非质物的所有权人的,不因债务人在质权设定后所采取的法律行为而扩大责任。(2)质物所担保的为质权人偿还费用请求权、应偿还债权人的预告解约通知费用和权利追诉费以及质物出卖的费用。"《瑞士民法典》第891条第2款也规定:"质权向质权人提供了对其债权、利息、执行费用或延期利息的担保。"我国台湾地区"民法"第887条规定:"质权所担保者为原债权、利息、迟延利息、实行质权之费用及因质物隐有瑕疵而生之损害赔偿。但契约另有订定者,不在此限。"其"立法"理由指出,"谨按质权之效力,与抵押权相同,故本条规定动产质权担保之债权范围。其所担保者:(1)原债权。(2)利息。(3)迟延利息。(4)实行质权之费用(如拍卖之类)。(5)因质物隐有瑕疵而生之损害赔偿。但契约另有订定者,不在此限,盖特为明白规定,所以杜无谓之争执也。"[1] 从上述规定可以看出,多数国家和地区有关质权所担保的债权的范围的规定基本一致。

我国《担保法》未对权利质权所担保的债权的范围予以明确规定,而是在第81条规定:"权利质押除适用本节规定外,适用本章第一节的规定。"因此,根据该法第67条的规定,质押担保的范围包括主债权及利息、违约金、损害赔偿金、质物保管费用和实现质权的费用。质押合同另有约定的,按照约定。由此可见,我国《担保法》的规定基本上与其他国家一致,权利质权所担保的债权的范围不但包括主债权,还包括附随债权,如利息、违约金、损害赔偿金、质物保管费用和实现质权的费用。质押合同另有约定的,从其约定。在上述规定之中,笔者认为应当考虑到权利质权的特殊性,质权人为保持出质权利价值所花费的费用,例如股票质权人为了防止出质的股票大幅缩水而紧急抛售股票来保值所支出的费用,也应作为所担保的债权的范围之列。

---

[1] 蔡墩铭主编:《民法立法理由》,台湾五南图书出版公司1990年版,第997页。

二、权利质权效力所及的标的之范围

权利质权效力所及的标的的范围，与出质人的利益密切相关。对此，一些国家在其民法中对某些特殊问题作了规定。例如，《瑞士民法典》第904条第1款规定了有价证券的效力范围："附有利息或债权附有其他定期从给付的，诸如股票分红等给付的债权，除有另行约定外，仅以本期的请求权为限，视为共同出质。质权人对已到期的给付无请求权。"《德国民法典》的规定则比较详细，其第1289条规定："债权上的质权扩及于债权的利息。"第1296条规定："有价证券上设定的质权，仅在将该证券移交于质权人时，始得扩及于该证券的息票、定期金证券或者红利票。除另有其他规定外，在第1228条第2款规定的条件成就前，上述证券到期的，质权人可以要求交回上述证券。"而《法国民法典》第2081条仅仅规定了债权作为出质标的的范围："以债权作为出质物并且该债权应计利息时，债权人可将此利息抵偿应向其偿还的债务的原本。用债权设立质权，其担保的债务本身如未订定利息，前述利息得抵偿债务的原本。"我国台湾地区"民法"第910条也对有价证券出质的范围作了规定："质权以有价证券为标的物者，其附属于该证券之利息证券、定期金证券或分配利益证券，以已交付质权人为限，其质权之效力，及于此等附属之证券。"从以上规定可以看出，权利质权标的之范围与动产质权标的之范围存在相似之处，即都及于主物与从物，但亦有其特殊之处。下面我们不妨就某些特殊问题予以讨论。

1. 有价证券质权效力所及的标的之范围。如果出质人以有价证券来出质，那么质权的效力当然及于该有价证券，但是附属于该有价证券的证券（从证券），是否为标的之范围，自古以来学说上都存有异议。有人认为持有人以有价证券为质时，应交付主证券而兼及此等附属证券；也有人认为不交付附属证券而应由自己保管。[1] 从理论上讲，附属于有价证券之证券为孳息，根据孳息随原物移转而移转的原理，当以有价证券来出质时，其质权的效力及于从属的证券。由于有证券权利的行使与证券的占有十分密切，所以在以该证券出质时，应当移转有价证券及附随的证券。那么，是否附随于该有价证券的所有从证券都为质权的效力所及呢？理论上常常区分设质前的从证券与设质后的从证券。

设质前已存在的从证券在出质时应当考虑到证券的占有问题。如果以有价证券来设定质权，那么该有价证券为主证券，其附属证券为从证券，根据从随主的原理，从证券应为质权效力所及。但是，由于从证券可以与主证券相对独立，而质权的设定应以质权人占有质物为设定的生效要件。所以，多数学者主张应以从证券交付于质权人者为限。例如，我国台湾地区"民法"第910条规定："质权以有价证券为标的物者，其附属于该证券之利息证券、定期金证券或分配利益证券，以已交付质权人为限，其质权之效力，及于此等附属之证券。"至于未交付的有价证券，则质权效力不及于此。笔者认为，采取这种立法的好处在于，肯认了证券权利行使与证券占有之间的关系，便于保护善意占有证券的第三人的利益。其缺点在于，与民法所规定的从随主移转而移转的理论有所冲突。所以，立法者如果倾向于维护交易安全的观点，则一般会认为质权的效力仅及于已交付的有价证券。

关于设质后所生的从证券，也应当具体分析。权利设质后新生的一些从证券，如设质后新增的息票、红利等，根据从随主的

---

[1] 蔡墩铭主编：《民法立法理由》，台湾五南图书出版公司1990年版，第1008页。

原理，也应作为质权效力所及的范围。例如，我国台湾地区曾发生了这样一个案例，丙以他人所有的乙公司的记名股票，向甲公司设定权利质权，并依其"民法"第902条、"公司法"第165条第1项规定记载于股票及公司股东名册，此时，乙公司分派各股东的盈余，除现金股利外，由盈余中提取一部分，改为增资配股，甲公司系质权人，那么该项盈余及增资之配股，是否为权利质权效力所及的范围？该地区的法院在审理中认为，根据其"民法"第901条所规定的权利质权除本节有规定外，准用关于动产质权之规定，动产质权人依"民法"第889条规定除契约另有订定外，得收取质物所生之孳息，本案股票质权，乃"民法"第908条证券质权之一种，亦属权利质权，自亦在准用之列，乙公司分派之盈余（包括由盈余所转成的增资配股）系由各股份所生之法定孳息，质权人甲公司，亦得就此行使权利质权。至第910条所定的附属于有价证券之利息证券、定期金证券或分配利益证券，以已交于质权人者为限，始为质权效力所及，乃指已发行附属证券之情形而言，与本案情形不同。[1]

2. 债权质权效力所及的标的之范围。根据多数国家的立法和司法实践，债权质权之效力及于债权及其利息。当然，在实践中常常会遇到一些疑难问题。首先，如果当事人以定期存款债权来设质，该存款到期后予以转期并换发新的定期存单时，质权之效力是否及于转期后的定期存款债权？日本学者多认为在形式上，存款单据换发前的债权与之后的债权属于个别独立存在的债权，但它们在实质意义上并未改变，应当认为后一债权系原存款债权的延续，因此质权之效力当然及于转期后的存款债权。另外，如果以火灾保险合同所订的保险请求权设质，在保险契约期

---

[1] 参见我国台湾地区"判决"（63.5.28）。

满后，又以同一内容续定保险契约时，两契约虽然形式不同，但在实质上并未改变，仅保险期间有所延长，因此质权的效力当然及于继续存在的保险合同所生的保险金请求权。[1] 对此，笔者认为，在前一情形下，如果当事人的存款债权的到期日早于所担保的债权，则按债权担保之一般原理应当将该存款及利息提存。既然出质人未提存该存款而予以转期，那么其出质人的义务自应延伸到转存后的存款债权。如果存款债权的到期日晚于所担保的主债权，则不存在上述问题。后一情形与之相同，故不再赘述。

3. 代位物。在理论上，人们一般将权利质权的标的灭失所获得的赔偿金称为代位物。例如，债权质权的标的物债权受侵害而消灭所生的损害赔偿金，有价证券灭失所生的保险金请求权，可转换公司债券转换后的股票，等等，都可作为代位物。多数国家都在民法典中规定，权利质权适用动产质权的相关规定，即因质物灭失所得的赔偿金应当作为出质的财产。例如，《日本商法典》第208条规定："有股份销除、合并、分割、转换、收购时，以从前的股份为标的的质权，存在于股东因销除、合并、分割、转换、收购而取得的金钱或股份上。"在该场合，股东所获得的金钱或股份系原股份价值的代替物，因而为质权的效力所及。我国《担保法》第73条就动产质权的代位物也作了上述规定，由于权利质权准用动产质权的相关规定，所以，当权利质权的标的消灭后，因灭失所得的损害赔偿金应当为质权效力所及。

我国《担保法》未对权利质权标的之范围予以明确规定，因而一些学者对此不无遗憾，认为这将或多或少给司法实践带来了不便。[2] 鉴于立法的现状，我国在司法实践中仅能适用动产质

---

[1] 谢在全著：《民法物权论》下册，中国政法大学出版社1999年版，第823页。
[2] 吴春燕："一般债权质押研究"，载《现代法学》1997年第2期。

权的相应规定即第68条的规定:"质权人有权收取质物所生的孳息。质押合同另有约定的,按照约定。前款孳息应当先充抵收取孳息的费用。"因此在理论上,权利质权的效力可及于债权及其利息、违约金、损害赔偿金、股息、红利,等等。对此,为避免引起司法上的争议,现行法律应当予以明确。为此,《最高人民法院关于适用〈中华人民共和国担保法〉若干问题的解释》第104条对股权出质的效力范围作了规定:"以依法可以转让的股份、股票出质的,质权的效力及于股份、股票的法定孳息。"但是,对其他权利质权问题,立法上仍未明确。

第二节 出质人的权利义务

关于权利质权对于出质人的效力,多数国家未在民法典中作专门性规定,一般适用有关动产质权的相应规定。例如,出质人根据质权合同的规定保留有孳息收取权时,出质人有孳息收取权;如果出质的权利隐有瑕疵而给质权人带来损害时出质人负有赔偿义务。大体而言,对于出质人来讲,有以下一些问题颇值关注:

1. 处分权接受限制的义务。出质人在权利质权设定后,并未丧失对出质权利的所有权,因此他对于出质的权利仍享有法律上的处分权。但是,既然该权利已作为质权的标的,如果允许出质人将其消灭或变更,势必损害质权人对该标的交换价值的支配,使担保的设定毫无意义,因此法律应对出质人的权利加以一定的限制。对此,《德国民法典》第1276条规定:"(1)出质的权利,仅在经质权人同意后,始得以法律行为加以废除。此项同意应向因同意而受利益的人表示;此项同意不得撤回。第876条第3款的规定不受影响。(2)在权利变更的情况下,权利变更侵害质权的,亦同。"所谓以法律行为使其消灭,系指以法律行为使权利不能存在,如以免除、抵销等方式使债权消灭,或抛弃债权。此处所指的消灭,通常是指绝对消灭,倘为相对消灭,例如权利的让与,学者们通常认为根据物权的追及效力,质权人可以追及权利之所在行使其权利,使质权不受影响,因而不在限制之列。[1] 日本学者汤浅道男以债权质权为例解释了不得允许出质人随意消灭债权的原因:"由于对债权的设质,是将债权人所拥有的交换价值转移给质权人,所以用来出质的债权的债权人(质权设定人)及债务人(对质权人而言是第三债务人)就要受不能消灭该债权的设质的拘束。"[2] 所谓以法律行为使其变更,系指以法律行为变更权利之内容,如减少契约的利息,抛弃债权的担保,等等。这些行为对所担保的债权都产生一定的损害,因而出质人不得为之。但是,如果出质人的行为对之无害,例如增加债权的担保,增加利息的约定,则应允许。[3] 上述处分权的限制是为保护质权人的利益而设定,如果质权人同意出质人消灭或变更出质的权利,法律上当然无禁止的必要。因此,法律上一般允许出质人在得到质权人同意的情况下,对出质的权利予以处分。反之,如果出质人未得到质权人的同意而变更或消灭了出质的权利,则对质权人不生效力。

我国《担保法》也规定了对出质人处分权的限制。例如,该法第78条第2款规定:"股票出质后,不得转让,但经出质人与质权人协商同意的可以转让。出质人转让股票所得的价款应当

---

[1] [日]我妻荣著:《新订担保物权法》,岩波书店昭和43年版,第194页。
[2] [日]汤浅道男编著:《担保物权法》,成文堂1995年版,第50页。
[3] 谢在全著:《民法物权论》下册,中国政法大学出版社1999年版,第825页。

向质权人提前清偿所担保的债权或者向与质权人约定的第三人提存。"第80条也规定,以依法可以转让的商标专用权、专利权、著作权中的财产权出质的,出质人不得转让或许可他人使用,但经出质人与质权人协商同意的可以转让或者许可他人使用。出质人所得的转让费、许可费应当向质权人提前清偿所担保的债权或者向与质权人约定的第三人提存。上述规定对于出质的股票及知识产权的利用问题作出了明确的规定,但对于有价证券出质、债权出质及其他股权的出质所涉及到的处分权限制问题,则缺乏规定。为此,最高人民法院关于适用〈中华人民共和国担保法〉若干问题的解释》中补充了有关有价证券出质的处分权限制规定,即该《解释》在第101条规定:"以票据、债券、存款单、仓单、提单出质的,质权人再转让或者质押的无效。"对于上述规定,笔者认为它们存在一些不足之处。因为外国法律所规定的对出质人处分权的限制方式多是禁止出质人随意变更或消灭出质的权利,而我国《担保法》及其司法解释则未采取这些规定,而是不允许出质人转让出质的权利,这实际上是对于出质人所有权的一种干预,因为该权利尽管已出质,但出质人并未丧失对上述权利的法律上的处分权,他们有权将这些权利转让,更有权将它们出质(当然,这应在未超出其担保价值的条件下)。所以,我国《担保法》将来应增加类似于其他国家的对出质人处分权的限制性规定。

2. 保全出质权利的义务。出质人以某种财产权来出质,其意在于维护债权的安全,因此出质权利的交换价值的保全事关质权人的切身利益。在某些情况下,当出质权利的交换价值有可能降低而危及质权人利益时,则出质人负有保全价值的义务。例如,当债权质权设定后,出质人的债权受领清偿权已被冻结,因而不能直接受领债权,也不能直接对第三人请求履行债务。但是，出质人仍属该出质债权的权利人，故应负保全债权的义务。例如，当债权可能因诉讼时效届满而消灭时，出质人应当通过提起诉讼等方式来使诉讼时效中断，从而保全出质的债权的价值。

我国《担保法》未规定权利质押中出质人保全出质权利的义务，但是，《担保法》第70条的规定，质物有损坏或者价值明显减少的可能，足以危害质权人权利的，质权人可以要求出质人提供相应的担保。出质人不提供的，质权人可以拍卖或者变卖质物，并与出质人协议将拍卖或者变卖所得的价款用于提前清偿所担保的债权或者向与出质人约定的第三人提存。因此，当用以出质的财产权利的价值有明显减少的可能或有可能消灭，足以危害质权人权利的，质权人可以要求出质人提供相应的担保，出质人负有该保全质权的义务。

3. 股权出质后股东的会议出席权。当出质人以股权来设定质权时，是否仍有权出席股东会？理论界一般认为股权的设定与股份的转让不同，质权人仅对股权的交换价值有支配权，而无权行使股权中的决议权，因而不能出席股东会议。出质人虽然已股权来设质，但并未丧失股东的地位，因此股权的设定与动产质权的设定有所区别，不应禁止出质人基于股东资格所享有的权利，且出质人可以以股东名簿及设质登记来证明其身份，因此以股权设质的股东仍有出席股东会议并参与决议的权利。只不过无记名股票的股东，因为无法将股票交存，因而不得出席股东会议。[1] 但笔者认为，在以无记名股票设质时，无记名股票的持有人即质权人通常应被推定为股东，因而可认为他有权行使股东的表决权，但应在股东会召开前在一定期限内向公司提示并交付股票。另外，质权人行使表决权时应以善良管理人的注意来行使该权

---

[1] 史尚宽著：《物权法论》，中国政法大学出版社2000年版，第413页。

利,而不得故意损害出质人的利益。至于股东的其他权利,除盈利分配请求权应当受到限制外,其他权利记名股票的股东同样应当享有。至于无记名股票的股东,因为不能证明其股东的身份,则不得享有。在立法例上,目前仅《瑞士民法典》第905条规定了出质股票的代表权问题:"公司股票的出质,在公司全体大会上仍由股东代表行使,而不是由质权人代表行使。"不过,此处所指的股票是记名股票还是无记名股票,法律并未明确。

我国《担保法》及其司法解释都未对上述问题作出回答,可能会在实践中产生一定的问题,因而有必要今后在法律中予以明确化。

第三节 质权人的权利义务

权利质权设定后,对于质权人而言,也产生了相应的权利和义务。这些义务往往基于不同的设质对象而有所不同,下面将分别予以说明:

一、债权质权人的权利

债权质权设定后,质权人通常享有如下权利:

1. 留置债权证书的权利。债权质权设定时,基于质权设定的要物性,如有债权证书者,应当交付于质权人。例如,《日本民法典》第363条规定:"以债权为质权标的,如有债权证书时,质权的设定,因证书的交付而发生效力。"当债权证书交付后,质权人有权占有该证书,于被担保的债权全部受清偿以前,有留置的权利。相对于动产质权人的留置权而言,债权质权的留置作用较弱。在动产质权设定后,质权人一旦留置该动产,则出质人对动产的处分机能几乎丧失,因此能迫使债务人迅速还债。而债权的出质与动产的出质显然不同,因为债权不具有外在的形体,债权证书仅是其权利的证明和外在表现而已,握有债权证书并不能直接转化为对金钱或物质的支配,因此留置证书并不能迫使债务人迅速还债。但从另一角度而言,债权证书留置后,出质人在向该债权的债务人第三人(即第三债务人)行使请求履行债务的权利时,常会因不能出示债权证书而不能行使该权利,且债权证书的留置可以避免出质人通过免除或缩小债务人的债务来损害质权人的利益。[1] 因此留置债权证书具有一定的担保作用。

如果有两个以上的债权质权人都需要凭借该债权证书来行使权利,那么应如何处理呢?对此,《日本民法典》第347条规定:"质权人,于前条所载债权受清偿前,可以留置质物。但是,不得以此权利对抗对自己有优先权的债权人。"因此,如果后一次序的债权质权人留置了该债权证书,而当前一次序的债权质权人为实行质权需要使用该债权证书时,后一次序的债权质权人应当应对方的请求交付债权证书。如果债权证书被他人不法占有,债权质权人应当可以基于对该证书的占有权而请求占有该证书的人返还。

2. 收取孳息的权利。债权出质的目的在于担保债权的实现,债权证书也由质权人所持有,因此,多数国家都在立法中规定,债权质权人对于附随于债权的利息(包括约定利息和法定利息)在被担保债权清偿期未届之前,有收取的权利,该利息首先用于充抵收取费用,再用于充抵主债的利息,最后用于充抵主债。在被担保的债权到期后,为实行质权,当然也可收取孳息。例如,《法国民法典》第2081条规定:"以债权作为出质物并且该债权

---

[1] 吴春燕:"一般债权质押研究",载《现代法学》1997年第2期。

应计利息时，债权人可将此利息抵偿应向其偿还的债务的原本。用债权设立质权，其担保的债务本身如未订定利息，前述利息得抵偿债务的原本。"我国《担保法》未对债权质权人的孳息收取权作出规定，但根据该法第81条的规定，权利质权准用动产质权的相关规定，因此可适用该法第68条的规定，即质权人有权收取质物所生的孳息。质押合同另有约定的，按照约定。该孳息应当先充抵收取孳息的费用。从该规定可以看出，我国《担保法》虽然同其他国家或地区一样规定了质权人的收取孳息的权利，但在该孳息的清偿顺序上仍显简单，除了规定该孳息可用于充抵收取孳息的费用外，还应规定它可用于充抵主债的利息及主债。

3. 转质权。日本、瑞士等国的民法中都规定了转质制度，即在债权质的存续期间，质权人有权转让质权。例如，《瑞士民法典》第887条规定了承诺转质："质权人，经出质人同意后，始得将质物转质。"《日本民法典》第348条则规定了责任转质："质权人，于其权利存续期间，可以以自己的责任，转质质物。于此情形，对于因不可抗力造成的、不转质就不会产生的损失，亦负其责任。"我国台湾地区"民法"第891条采取了类似的立法："质权人于质权存续中，得以自己之责任，将质物转质于第三人。其因转质所受不可抗力之损失，亦应负责。"从上述规定来看，有的采承诺转质，有的则采责任转质。前者是指质权人经出质人之同意，为担保自己的债务，以其占有的出质债权为第三人再设定比自己的质权更优先的新质权。质权人在转质时取得了出质人的同意，即意味着出质人已将质物质押的处分权授予了原质权人。[1] 对质权人而言，新质权人的质权的效力优先于他。

---

[1] 王利明著：《物权法论》，中国政法大学出版社1998年版，第755页。

由于承诺转质贯彻了意思自治原则,因而法律的限制较少。所谓责任转质,是指质权人于质权存续期间,不经出质人的同意,而以自己的责任将出质的权利转质于第三人设定新的质权。关于责任转质是否合法的问题,理论上有两种争议。一种观点认为责任转质违反了担保物权设立的目的,允许质权人有权转质,实际上是允许其享有在质权存续期间随意处分他人质权的权利。这不仅违反了出质人的意愿,也侵害了出质人所享有的对质物的所有权,因此法律上应当禁止设立责任转质。另一种观点则认为,动产质权的标的物完全可以从市场中购得,因此承认责任转质并不会损害质物所有人的利益,反而有利于促进社会资金的流通,所以应当承认责任转质。[1] 实际上,在法律上允许责任转质具有一定的合理性。一方面,这样做有利于发挥质物的效用,使处于质权人占有下的质物的交换价值发挥出来,避免单一主体对物的静态的占有和闲置的价值浪费,从而给出质人、质权人、转质权人都带来一定的经济效益;另一方面,允许责任转质,可以利用质权占有这一公开形式,使占有权能适度扩张,可以丰富质权的市场形式,拓宽质权的适用范围,"可以强化多方主体的履约责任,事半功倍地发挥质权担保的效果。"[2] 正因为如此,立法上应当确认承诺转质和责任转质的合理性,我国《担保法》目前未规定转质问题,可以在将来修订时予以补充。

那么,债权质权设定后,是否可以准用动产质权转质的相关规定呢?王利明教授认为承诺转质可以适用于权利质权,但责任转质原则上仅适用于动产质权,而不适用于权利。其理由是,多数权利如股权、知识产权在出质时都需要登记,如果在未取得权

---

[1] 郭明瑞等著:《担保法新论》,吉林人民出版社1996年版,第218页。
[2] 曹诗权:"论动产质权中的转质",载《律师世界》1998年第4期。

利人的同意又未变更登记的情况下实行责任转质，既不符合公示、公信原则，亦会产生各种不必要的纠纷。[1] 从维护交易安全的角度，上述观点当然具有其积极意义。不过，从多数国家的立法趋势来看，目前权利质权设定时，为鼓励质权的设定，都倾向于将登记作为对抗第三人的条件，而不是权利质权成立的条件。那么，只要质权人和转质权人达成合意并交付了相关证书、证券等文件，同样可以成立质权，因此责任转质也具有一定的可行性。而我国《担保法》第78条、第79条将登记作为股权质权、知识产权质权设定生效的要件，因此如果未取得出质人的同意，质权人是不可能通过办理登记而进行责任转质。但是，就普通债权而言，它的设质无需登记，因此债权质权同普通的动产质权一样，既可以适用承诺转质规范，也可以适用责任转质的规定。

4. 对于债权质权受侵害的救济权。当质权、出质的债权或其证书受到侵害或有受侵害之虞时，史尚宽先生认为债权质权人有除去妨害或妨害预防的请求权。因此当上述权利受到侵害构成侵权行为时，质权人可以请求损害赔偿。[2] 从理论上讲，这属于一种物权受侵害而产生的损害赔偿权，质权人负有举证的义务。

5. 债权质权的实行权。债权质权的设定在于确保被担保债权的清偿，为达此目的，法律不能不给予实现质权的手段，以达到清偿债权的目的，这即是质权的实行权。一般而言，债权质权的实行权可分为两类：一为变价权，二为优先受偿权。因该问题较为复杂，故在后一节单独予以论述。

---

[1] 王利明著：《物权法论》，中国政法大学出版社1998年版，第757页。
[2] 史尚宽著：《物权法论》，中国政法大学出版社2000年版，第410页。

二、有价证券质权人的权利

有价证券质权人的权利与普通债权质权人的权利类似，主要包括以下几项：

1. 留置有价证券的权利。有价证券质权的设定以交付该证券为前提，这是质权要物性的体现。所以，出质人应当将有价证券交付于质权人，而质权人对于该有价证券有留置的权利。相对于普通债权质权中债权证书的留置而言，有价证券的留置则具有更强的留置效力，因为有价证券权利的行使与该证券密不可分，权利人行使权利需持有该证券，转让权利时需要交付或者背书交付该证券，因此，有价证券的留置效力与动产的留置效力几乎可以媲美。不过，也有学者认为，像仓单、提单等物品证券的留置功能并不显著，因为这些证券设质后，虽然质权人可以留置该证券，使出质人无法处分证券上所表彰的标的物，但这些证券在设质时，大抵系因买受人为支付价金而将证券持往金融机关融资，而其表彰之货物常处于寄存或运送期间，无法进行物的利用，当然也无处分的必要，等货物到达或需要处分时，则可赎单取物，因此该类质权的机能在于在特定期间内发挥标的物的担保价值，它的迫使债务人从速清偿债务的机能很微弱。[1] 不过，笔者认为，尽管在时间上仓单质押、提单质押的担保机能可能不及其他有价证券质权强，但它们的出质同样可对出质人造成一定的心理压力，有利用促使债务人还清债务，因而其担保功能同样不可忽视。而且，在这种质权制度之中，物品与表彰其权利的有价证券相对分开，从而不影响物的利用，因此其在促进物的利用

---

[1] 参见谢在全著：《民法物权论》下册，中国政法大学出版社1999年版，第828页。

上具有积极的经济价值。

2. 孳息收取权。有价证券质权设定后,质权人有收取孳息的权利。在收取孳息时,当事人有约定的,按照当事人的约定,如无约定,则质权人有权收取法定的孳息。另外,有价证券设质时,如果附属证券未交付于质权人,则质权的效力不能及于该附属证券的债权,质权人无权收取该孳息,采取该立法例的有《德国民法典》第1296条及我国台湾地区的"民法"第910条,等等。质权人收取的孳息,应当先抵充收取费用,次抵充主债的利息,再抵充主债。

3. 转质权。有价证券质权设定后,可以准用动产质权的相应规范,质权人可以将设质的权利转质于第三人。相对于其他权利而言,有价证券的转质最为常见,因为有价证券在性质上最接近于动产,因此英美国家习惯上将其纳入动产之列,在许多方面直接适用动产的法律规范。[1] 从类别上讲,承诺转质与责任转质在此一般都可适用。无论采取何种方式,转质时均应遵循各类质权设定的法律规范。我国《担保法》第76条仅规定了汇票、支票、本票、债券、存单、仓单、提单质权的设定,而未规定其转质问题,从该条的规定来看,上述质权设定的条件是双方当事人的合意及权利凭证的交付,登记不是设质生效的要件。因此,有价证券质权的转质问题似乎不会遇到太多的法律障碍,承诺转质与责任转质均有可以适用的余地,现行法律有必要对此予以专门规定。

4. 权利保全权。当出质的权利的价值明显减少,足以危害质权人的债权的安全时,准用动产质权中关于质权保全的相应规

---

[1] [美]迈克尔·D·贝勒斯著,张文显等译:《法律的原则——一个规范的分析》,中国大百科全书出版社1996年版,第110页。

范，应当允许质权人拍卖或者变卖出质的权利，以其卖得的价金来清偿所担保的债权或向与出质人约定的第三人提存。尽管权利的价值减少的情形并不多见，但个别情形仍然存在，例如以企业债券出质，企业经营不善可能导致不能到期按时足额清偿债务或企业债券在证券市场上价格下降较大，此时应当允许质权人及时变卖出质的债券，以其卖得的价金来清偿所担保的债权或向出质人约定的第三人提存。

5. 证券质权的实行权。质权设定的目的在于确保债权的清偿，因此债权确未获得清偿时，法律赋予质权人一定的手段来实现其质权，主要有变价权和优先清偿权两项。该问题将在后文论述。

在有价证券质权中，票据质权人的权利比较特殊，有必要单独予以讨论。①票据质权中的设质背书的效力。票据质权中设质背书的效力不同于一般的转让票据权利的转让背书的效力，因为它仅是为设质而背书，并非转移票据上的权利，票据权利人仍为出质人，就此而言，它与委托取款背书的效力相似。[1] 但是，票据上记载"委托取款"字样的，被背书人仅有权代背书人行使被委托的汇票权利，被背书人不得再行使背书转让汇票的权利。[2] 在这种情形下，被背书人仅系代理他人取款，因此票据债务人得以对于委托人的抗辩理由来对抗被背书人。而在票据质权中，质权人系被背书人，他为自己的利益收取款项，非背书人的代理人，因而质权人对于设质票据上的权利可以直接支配，在符合法律规定的条件下请求票据债务人给付票据款项。由于票据为无因证券，为了便于质权人能够以自己的名义为自己的利益顺

---

[1] 黄献全著：《金融法论集》，台湾三民书局1991年版，第86页。
[2] 参见我国《票据法》第35条。

利行使票据权利,《日内瓦国际统一票据法》第 19 条规定:"凡背书包含'因担保'、'因出质'或其他含有设质意义之记载者,持有人得行使汇票上全部权利。"《日本票据法》第 19 条作了与该公约同样的规定。按照以上规定,票据债务人不得以对抗背书人之事由来对抗善意的质权人,除非质权人在设定质权时明知有害于债务人。我国《票据法》第 35 条规定:"汇票可以设定质押;质押时应当以背书记载'质押'字样。被背书人依法实现其质权时,可以行使汇票权利。"我们在解释时应当认为,该规定与《日内瓦国际统一票据法》的规定相同。②质权人因设质背书而取得票据上的权利质权,从而享有在债务人到期不履行债务时,有权请求票据债务人给付票据款项,以该款项来受偿的权利。

三、股权质权人的权利

股权质权的效力为股权质押制度中的核心内容,股票质权、有限责任公司的股权质权、无限责任公司的股权质权、两合公司的股权质权的效力基本上类似,也稍有不同,兹以股票质权为例来予以说明。一般而言,股票质权中质权人的权利包括以下几项:

1. 留置股票的权利。留置是动产质权效力的表现之一,在股票质权中亦不例外。不过,从效力上讲,股票质权的留置效力与动产质权的留置效力稍有不同。在动产质中,因动产被留置,出质人无法利用质物,因此留置被认为是对出质人心理上的一种压迫,可以促使出质人尽快偿还债务。但在股票质权中,如为股份略式质,则因股票的留置对出质人不会造成不便,留置除有占有的公示作用外,对出质人的心理压力不如动产质权强烈;如为股份登记质,则因质权人可对公司主张社团法上财产给付的质权，对出质人的心理压力不可小谓。[1]实际上，尽管股票的留置效力可能不如动产质权那么强烈，但出质人对该股票的处分权仍然会受到一定的约束，对其仍有一定的心理压力，因此这对于促成还债仍有一定的积极意义。另一方面，股票的留置不会对股权所代表的有形财产的利用造成妨碍，从而有助于发挥物的利用价值。

关于股票留置的形式，因股票的表现形式不同而不同。如为纸张化的股票，则由质权人对其直接予以保管。如为电子股票，则根据我国最近颁布的《证券公司股票质押贷款管理办法》的规定，由贷款人在证券交易所中设立特别席位来存放出质的股票。

2. 收取分配盈余的权利。如果当事人以记名股票出质并将出质事项记载于股东名册（即设定股份登记质），则质权人一般享有分配股利的权利。这种分配的盈余，首先用于充抵收取费用，次抵利息，再抵充主债权。例如，《日本商法典》第209条第1款规定："以股份为质权标的，公司根据出质人的请求，将质权人的姓名及住所记载于股东名册，并将其姓名记载于股票时，质权人可以先于其他债权人，接受公司的盈余或股息分配、剩余财产的分配、前条的金钱的支付，以抵充自己债权的清偿。"在我国台湾地区，根据其"公司法"的规定，质权人的姓名记载于股东名册是对抗公司及第三人的要件，在具备该要件时，质权人有获取股利和利息的权利。

对于质权人所享有的上述权利，有学者认为股利可以看作是股份所生的法定孳息，根据质权的一般规定，在当事人无相反约

---

[1] 钟青："股权质权研究"，载梁慧星主编：《民商法论丛》第22卷，法律出版社2002年版，第44页。

定时可以适用。[1] 而日本学者认为,《日本商法典》第209条所规定的登记质的质权人有股利收取权,其趣旨在于每次股利分配系通过统一的股东名册处理,因此略式质权人没有股利分配请求权。[2] 我国也有学者同意后一观点,认为作为有价证券化的股份的设质,其机能在于以股份的交换价值的担保化为重点,实务中当事人于选择略式质权时一般不会考虑质权效力及于股利分配请求权的情况,特别在一些股利分配很低的证券市场更是如此。[3] 对于该问题,笔者认为,从民法的基本理论来看,将股利的分配解释为孳息具有其合理性,记名股票设质后,其质权人对于股票所生的股利,原则上应当具有收取的权利,这是质权效力的一种体现。至于日本法中所规定的略式质和登记质问题,笔者认为当事人可以根据该国的法律选择是设定略式质还是登记质,如选择略式质,则因未在公司的股东名册上登记而不能对抗公司,因此质权人不能收取股利;而选择登记质后,则可收取股利。因此,略式质中质权人不能收取股利的真实原因并非是因为质权的效力不能及于它,而是因为出质人和质权人未履行设质登记,从而不享有对抗公司的权利,这应当看作是质权人对盈余分配权的一种自愿放弃。综上所述,笔者认为在一般场合,股票的质权人应有收取分配盈余的权利。

那么,如果是无记名股票,其质权人是否享有上述权利呢?笔者认为,如果质权人没有丧失对该股票的占有,应当解释为有权收取该股票的股利。

---

[1] 史尚宽著:《物权法论》,中国政法大学出版社2000年版,第412页。
[2] 参见[日]河本一郎:《现代会社法》,商事法务研究会平成元年4版,第129页。
[3] 钟青:"股权质权研究",载梁慧星主编:《民商法论丛》第22卷,法律出版社2002年版,第44页。

我国《担保法》未明确规定质权人对出质股票的上述权利，但《最高人民法院关于适用〈担保法〉若干问题的解释》第104条规定，质权的效力及于股份、股票的法定孳息。一般而言，股份、股票的法定孳息应当包括股息和红利。我国最近颁布的《证券公司股票质押贷款管理办法》第33条规定，质押股票在质押期间所生的孳息包括送股、分红和派息，并应一并随股票出质。可见，该办法将股票质权的范围明确扩大到出质股票所生的孳息，这与日本法中的登记质的效力类似。

3. 转质权。股票同其他有价证券一样，可以进行转质。由于我国《担保法》第78条规定，股票质权的设定以在证券登记机构办理出质登记为设定的要件，因此，承诺转质较易实行，而责任转质通常无适用余地。其转质与债权质权及有价证券质权的转质类似，故不再赘述。

4. 权利的保全权。以股票来设定质权时，股票的价值极不稳定，极易受市场行情和公司经营状况的影响，而股票价格的跌落会直接损害质权人的利益。此时，根据动产质权的适用规范，应允许质权人享有股权的保全权利。对于这一现象，我国台湾学者郑玉波先生认为，权利这一担保物价值的跌落不仅对于质权人有损害，而且对于出质人也有损害，因此可以允许出质人另行提供担保物以取回设质的标的，以便变价。如果质权人不同意，则应负权利滥用的责任，以维护社会公平。[1] 如果出质人未提供其他担保物，则应允许质权人及时变卖或拍卖该股票，以所得价金提前清偿所担保的债权或向第三人提存。对于股票质权人行使保全权的条件，有学者提出了五项条件：①股权价值有明显减少的可能，且属现实的可能；②足以危害所担保的债权的实现；③

---

[1] 郑玉波著：《民法物权》，台湾三民书局1963年版，第333页。

质权人应通知出质人并征求其意见，要求其提供新的担保，如遭拒绝，可实行保全之方法；④以股票为出质标的的，质权人应告知证券登记机构，在证券交易所按股票转让的方法来出售；⑤处分股票所得的价金应当提前清偿所担保的债权或向第三人提存。[1] 上述提法均系根据动产质权保全的规定而类推出来，在实际操作上仍有一定的难度，例如如何理解股票价值的明显减少的可能，如何理解足以危害所担保的债权的实现，等等。对此，《证券公司股票质押贷款管理办法》的有关规定比较具体，可资借鉴。例如，该《办法》第26条设计了严格的警戒线和平仓线制度，当出质股票市值与贷款本金之间比率降至130%的警戒线时，贷款人应要求借款人及时补足质押价值的缺口；当股票市值降至上述比率的120%的平仓线时，贷款人应及时出卖设质股票，所得款项用于还本付息，余款退还借款人，不足部分由借款人清偿。降至警戒线后所谓的价值缺口，应依该《办法》第12条的质押率确定；降至平仓线贷款人出卖设质股票后的所得应按《担保法》的有关规定与借款人协商提前清偿债务或向第三人提存。该《办法》的出台，使《担保法》的相关规定具有一定的可操作性，有利于质权人行使其保全权，维护其债权的安全。不过，由于该《办法》仅是行政法规，因此其行政强制的色彩较为浓厚，未能充分体现当事人的意思自治精神，因此应当允许当事人自由对警戒线和平仓线的比率作出约定而不必统一适用该办法所确定的标准。

5. 股票质权的实行权。当债务人到期不履行债务时，质权人可通过一定的方法来实现其质权，主要包括股票的变价权和优先清偿权两项，后面将予以详述。

---

[1] 阎天怀："论股权质押"，载《中国法学》1999年第1期。

至于非上市公司的股票质权的效力,与上市公司的股票质权的效力基本类似,但其股票的转让方法主要通过背书交付方式进行,此时若出质人不为背书,则无法转让该股票,也无法保全该质权,因而有的学者将之称为股权设质的难点。[1] 那么,如果发生上述应予保全的情形,则质权人可以通过寻求司法救济的方式来保全其质权。

关于有限责任公司、无限公司、两合公司的股权质权人的权利问题,与股票质权的设定基本相似,故不再赘述。

四、知识产权质权人的权利

关于知识产权质权人的权利内容,多数国家未在法律中予以专门规定。德国学者认为,关于质权人能否行使质权标的即知识产权来收益的问题,仅在质权人取得用益权能时,方能用益。而在日本,其理论界又有如下几种学说:第一种学说认为,根据《日本民法典》第362条第2款及第350条的规定,知识产权质权准用第297条及第298条留置权的规定,质权人原则上并无利用该知识产权的权利。如果有,也以质权设定人的承诺为限。在此情况下,可以该收益来充被担保的债权的清偿,故此时有用益质的性质。无承诺时,质权设定人可以继续行使其权利,该质权有类似抵押权的性质。此时利用知识产权的收益,质权设定人可以收取。采此说的有我妻荣等人。第二种学说认为,知识产权质权可准用关于不动产质的第356条的规定,质权人可以行使知识产权来获得收益。采该观点的有石田文次郎等人。第三种学说认为,知识产权质权虽然名为质权,实质上与抵押权有同样的性

---

[1] 阁天怀:"论股权质押",载《中国法学》1999年第1期。

质，从而知识产权质权设定后，出质人依然可以实施其权利。末弘严太郎等人持此说。[1] 笔者认为，上述学说之所以不同的原因，乃在于对权利质权的性质认定不同，第二种观点将知识产权质权看作是类似于不动产质的一种质权，与多数国家的通行看法均不一致，也混淆了该种质权的性质，因而无采用的余地。第三种观点将知识产权质权比作抵押权，更与质权的性质相矛盾，因此更不足采信。至于第一种观点，则较准确地界定了出质人与质权人之间的关系，因而较为妥当。作为知识产权的出质人而言，他仅以该项权利来出质，在法律上仍是该权利的主体，因而应有利用该权利的资格。而质权人，仅取得以该权利的交换价值来担保的权利，[2] 并非为该权利的主体，因而无利用该权利的资格。如果有，也以出质人的同意为限，但使用该权利的收益应用于充抵债权。从另一角度而言，如果出质人不对商号权、商标权等权利予以利用，将面临该权利被撤销的危险，因而应由出质人继续使用。

从以上分析可知，知识产权质权人所享有的权利与其他质权人的权利类似，主要有以下几种：

1. 孳息收取权。质权的目的在于担保债权的实现，如果出质的权利有法定孳息，则质权人可以收取该孳息用于清偿债权。例如，著作权中的财产权、商标权、专利权等权利许可他人使用后的收益，质权人应有收取之权，但当事人就此项权利另有约定的除外。另外，质权人在收取该收益时，应以对于自己的财产的同一注意义务为之，并考虑出质人的利益，这是诚实信用原则的

---

[1] 史尚宽著：《物权法论》，中国政法大学出版社2000年版，第419页。
[2] [日] 田原睦夫监修：《実践担保のとり方·活かし方》，株式会社きんざい平成6年版，第253页。

要求。关于质权人收取的孳息,应当先用于抵充收取孳息的费用,次抵原债权的利息,再抵原债权。我国《担保法》第80条也持同样立场,商标专用权,专利权,著作权中的财产权出质后,出质人不得转让或许可他人使用,但经出质人与质权人协商同意的可以转让或者许可他人使用。出质人所得的转让费、许可费应当向质权人提前清偿所担保的债权或者向与质权人约定的第三人提存。

2. 转质权。知识产权质权在设质时,一般可准用动产质权的相关规定,由质权人将设质之权利转质给他人。关于转质的形式,承诺转质的设定比较方便,而责任转质则可能遇到法律障碍。例如,我国《担保法》第79条规定,知识产权质权的设定由当事人订立书面合同并向管理部门办理出质登记,质押合同自登记之日起生效。因此,如果出质人不同意转质,则质权人不可能进行出质登记,因而也不可能以自己的责任转质。

3. 权利保全权。知识产权设质不同于其他权利质权的一个显著特点在于其价值的极不稳定性,这不仅表现在知识产权的评估难度大,而且表现在它易受市场、政治等因素的影响,价值波动很大,特别是知识产权的时间性、地域性等特点都会对其价值产生影响。[1] 以著作权中的财产权的评估为例,经济学界一般采用重置成本法、现行市价法、收益现值法、成本——收益现值法、期望利润评估法、相对值计价评估法等方法来估算其价值。[2] 但法学界则认为上述评估未能结合知识产权的特点因而

---

[1] 刘瑛:"版权质押合同及其质权人的利益保障",载《知识产权》2001年第2期。
[2] 刘京城编著:《无形资产的价格形成及评估方法》,中国审计出版社1998年版,第93-105页。

其评估方法在实践中难以适用。[1] 姑且撇开上述争议不讲，知识产权的评估难在实践中是不争的事实。同时，知识产权的价值极易发生变化，例如，商标是企业商品的一种标志，也是企业商誉的晴雨表，当该商品在市场上畅销不衰时，其商标的价值会大幅攀升。反之，当企业经营不景气时，该商标的价值则会大幅下降。因此商标的价值常受市场的影响。就专利权而言，专利技术的寿命常有一定的期限，有的技术在开发之初创造的价值大，此时专利权的价值就大。一旦该技术的寿命即将结束或专利权的保护即将终至，则该专利权的价值将大大降低。上述种种事例均表明，知识产权的价值容易受各方面因素的影响而发生波动。为此，当知识产权的价值发生下降而可能损害质权人的利益时，应当准用动产质权中质物保全的条款，允许质权人采取一定的措施来保全质权。例如，知识产权质权人可以要求出质人提供相应的担保，出质人不提供的，质权人可以变卖或者变卖出质的知识产权，并与出质人协议将该拍卖或变卖所得的价款用于提前清偿所担保的债权或者向与出质人约定的第三人提存。

4. 质权的实行权。当债务人到期不清偿债权时，质权人可以实行其质权，主要包括变价权和优先清偿权两种，将在后文论述。

五、权利质权人的义务

权利质权人在享有权利的同时，也承担相应的义务。尽管多数国家未在法律中明确规定其义务，但适用动产质权的相关规定，质权人主要承担以下两种义务：

---

[1] 郑成思著：《知识产权论》，法律出版社1998年版，第375页。

1. 保管出质标的的义务。我国台湾地区"民法"第888条规定，质权人应以善良管理人之注意，保管质物。我国《担保法》第69条更是明确规定，质权人负有妥善保管质物的义务，因保管不善致使质物灭失或者毁损的，质权人应当承担民事责任。根据权利质权准用动产质权的规定，质权人如果占有有价证券或者债权证书等文件，应当以善良管理人的注意妥善保管。就有价证券、债权证书、记名股票而言，质权人可以采取类似保管动产质物的方法，将其置于其控制之下，维持现状，不使其灭失或毁损。如果出质的有价证券丢失，质权人可通过公示催告等方法来保全证券的权利，使该权利不致丧失。反之，如果质权人未经出质人的同意就任意转让设质的有价证券或将债权证书返还给该债权的债务人，则属保管义务的违反，对于出质人因此所受到的损害，质权人应负赔偿责任。

2. 返还出质标的的义务。在动产质权场合，当质权所担保的债权消灭时，质权人应当将质物返还给出质人。例如，我国《担保法》第71条规定，债务履行期届满债务人履行债务的，或者出质人提前清偿所担保的债权的，质权人应当返还质物。而在权利质权，质权人所占有的乃是债权证书、有价证券等文件，因此，在所担保的债权消灭时，应当将上述文件返还给出质人。另外，如果质权在设定时进行了出质登记，则根据诚实信用原则，质权人负有协同出质人办理涂销登记的义务。例如，在以记名股票设定质权、以知识产权设定质权的场合，质权人在质权消灭时，都负有协同出质人办理涂销登记的义务。

第四节　权利质权的实行

权利质权的实行，通常是指当债权已届清偿期而未受清偿时，质权人可以实行其质权而优先受偿的制度，这是质权人所享有的变价权和优先受偿权的体现。从质押担保设定的目的来看，权利质权的目的在于保障所担保的债权的受偿。如果所担保的债权未能及时获得清偿，应当允许质权人以一定的方式来行使质权而优先清偿其债权。因此，权利质权的实行，是质权效力的一个非常重要的方面。

权利质权的实行具有普通担保物权的不可分的特性。质押标的的分割、部分灭失或者毁损，债权的分割、让与或者部分清偿，对权利质权的行使都不发生影响。只要债权未获得全部清偿，债权人就可以对出质的权利行使全部的质权。

一、权利质权的实行条件

权利质权的实行，一般以债权已届清偿期而未受清偿为条件。例如，在古罗马法中，当债务人不能按时清偿债务时，质权人有权出卖出质的实物或权利，用所得价款实行清偿，将变卖所得的超额部分返还给债务人。[1] 之所以以此为条件，乃是因为如果债权人的债权未届清偿期而允许质权人行使质权，将损害债务人依法应当享有的期限利益。由于债务人并无提前清偿债务的义务，所以质权人只能等待债权已届清偿期未获清偿才能行使。

---

[1] [意] 彼德罗·彭梵得著，黄风译：《罗马法教科书》，中国政法大学出版社1992年版，第348页。

另外，当上述期限到来时，质权人仍保有该权利质权时才能行使质权，否则不能行使。

尽管债权已届清偿期而未获清偿为权利质权实行的一般条件，但是，如果有法定的或约定的其他情形发生时，尽管质权所担保的债权未到清偿期，质权人也可以在特殊情况下行使质权。这些情形一般包括：

1. 根据法律的规定或约定债务人丧失未届清偿期的债权的期限利益的。如果债权未届清偿期，则债务人享有清偿债务的期限利益。不过，如果有法律规定或基于约定的原因而使债务人享有的期限利益消灭的，债权人即可请求债务人履行债务。例如，我国《企业破产法》（试行）第31条规定，债务人受破产宣告的，未届清偿期的债权，视为已到期债权。那么，如果该债权上设定了权利质权，那么，尽管该债权尚未到期，则因债务人失去了期限利益，质权人仍可以行使权利质权。

2. 债务人负保全质物义务而未提供担保义务的。当质物有损害或价值明显减少，足以危害质权人权利的，债务人负有保全质物的义务，当质权人要求出质人提供相应的担保，而出质人不提供的，则不得以其期限利益来对抗质权人行使权利。例如，我国《担保法》第70条规定："质物有损坏或者价值明显减少的可能，足以危害质权人权利的，质权人可以要求出质人提供相应的担保。出质人不提供的，质权人可以拍卖或者变卖质物，并与出质人协议将拍卖或者变卖所得的价款用于提前清偿所担保的债权或者向与出质人约定的第三人提存。"

关于权利质权的具体实行方法，一般情况下可以准用我国《担保法》第71条第2款的规定，即"债务履行期届满质权人未受清偿的，可以与出质人协议以质物折价，也可以依法拍卖、变卖质物。"但是，就权利质权而言，其出质标的非为有体物而是权利，考虑到权利在处分上的特殊性，因此权利质权在实行上就有一定的特殊性。下面将分别予以论述。

二、普通债权质权的实行

当被担保债权的清偿期与出质债权的清偿期一致时，债权质权人可以直接请求出质债权的债务人向自己给付。例如，《日本民法典》第367条第1款规定："质权人，可以直接收取作为质权标的的债权。"同条第2款也规定："债权的标的物为金钱时，质权人以对自己的债权额部分为限，可以收取。"由此可见，债权质权的实行，以质权人向出质债权的债务人请求给付债务为基本形式。从效果上讲，债权质权的实行效果与债权转让的效果近似，因为在债权转让的情况下，转让人的请求履行债务的权利转移到了受让人，受让人有权请求债务人履行债务。正因为如此，债权质权的设定应当准用债权转让的规定。不过，二者之间也有明显的差异，因为在债权转让中，债权全部移转到了受让人手中；而在债权质权的实行中，质权人仅取得请求出质债权的债务人向自己给付的权利，并应将超过被担保债权的部分移交给出质人；如有不足，应由债务人清偿。另外，债权质权的实行方式也不同于动产质权，因为前者是通过对出质权利的处分而实现的，而后者是通过对质物的折价、拍卖或变卖而实行的。在实践中，尽管质权人可以直接向第三债务人请求给付，但郑玉波先生认为，第三债务人在向质权人清偿时应取得出质人的同意，因为第三债务人不了解出质人与质权人之间的债务是否存在减少或消灭等情形，因此在法律上应当规定第三债务人应经出质人的同意。当出质人同意后，质权人才有权收取。如果出质人和质权人都不同意向任何一方清偿,则第三债务人应当将该给付物提存。[1]

那么,质权人的直接收取债权的权利在性质上属于债权还是物权呢?理论上存在争议。史尚宽先生认为,质权人的收取权为债权,因为质权人行使了债务人对于第三债务人的权利,由于债务人的这种权利是债权,因而质权人所行使的权利也属于债权。[2]从权源上来看,质权人之所以能够行使该债权,乃是基于其质权,而质权本质上属于物权性质,但它并不影响收取权的债权属性。

在实际生活中,被担保债权的清偿期与出质债权的清偿期常常并不一致,从而使债权的实行方法也不一样。下面不妨分别予以说明:

1. 出质债权的清偿期早于被担保的债权的清偿期。如果出质债权的清偿期早于被担保债权的清偿期,则质权人因其债权未到期而不能直接收取出质债权来满足其债权,但出质债权的债务人(以下简称第三债务人)负有清偿到期债务的义务。此时,如果允许出质人收取该债权,则质权人无法对该出质的债权予以控制,债权质权将会消灭。为此,多数国家在立法中都确定了对出质人处分权的限制制度。因此,出质人在该情况下不能直接收取出质的债权,但是,第三债务人此时负有清偿到期的债务,如果不让其清偿而等待被担保的债权的清偿期到来时清偿,则一方面会增加第三债务人的交易成本,另一方面也会增加出质债权的履行风险。为此,多数国家的立法都设计了提存制度或特殊的清偿制度来调和当事人之间的利害关系。例如,《日本民法典》第367条第3、4款规定,当出质债权的清偿期先于质权人的债权

---

[1] 郑玉波:"论债权质权之实行",载《法令月刊》第32卷第12期。
[2] 史尚宽著:《物权法论》,中国政法大学出版社2000年版,第407页。

的清偿期届至时,质权人可使第三债务人提存其清偿金额。于此情形,质权存在于提存金上。当债权标的物不是金钱时,质权人于作为清偿而所受的物上有质权,即在该情形下债权质演化为物上质。《德国民法典》第1281条的规定则与之稍有不同,该条规定,第三债务人在此情形下只能向质权人和债权人共同清偿。质权人和债权人均可以要求向其共同清偿;质权人和债权人均可以要求为其提存债务的标的物,或者在债务的标的物不宜提存时,可以要求将标的物提交法院指定的保管人,以代替给付。从该规定可见,《德国民法典》规定了两种处理方式,一为提存债务的标的物,二为由第三债务人向质权人和债权人(即出质人)共同清偿。在共同清偿的要求下,第三债务人的清偿行为将对质权人和出质人均发生法律效力,如果第三债务人违反该义务,按照德国学者的解释,第三债务人向质权人或出质人中的一人所支付的款项不能对抗没有收到该款项的债权人。[1] 不过,当事人之间如何共同清偿,尚需作出比较明确的解释。

我国台湾地区"民法"第905条借鉴了以上作法,该条规定,为质权标的物之债权,其清偿期,先于其所担保债权之清偿期者,质权人得请求债务人,提存其为清偿之给付物。对此,黄右昌先生解释说,我国台湾地区目前尚无拍卖债权的规定,而且在实际生活中,除有价证券外,一般对债权不适用拍卖。为了方便,应当使质权人能够直接收取出质的债权,来实现自己的债权。这种权利通常称为直接索取权,即质权人不依收取之委任,径对第三债务人请求给付的权利。如果质权人自己的债权未到清偿期而出质债权已届清偿期,质权人不能取第三债务人所清偿的标的物来抵充自己的债权的清偿,但是,如果将该被清偿的标的

---

[1] 沈达明编著:《法国/德国担保法》,中国法制出版社2000年版,第294页。

物交给设质的债权人,则恐怕出质人有滥行消费该标的物而使质权不能巩固。为此,法律上应当规定,质权人有请求第三债务人提存其标的物的权利。[1] 当标的物被提存之后,则质权人的质权实际上已转化为以提存物为标的的质权,而非以债权为标的的质权。关于提存的主体,在一般情况下,质权人有权请求提存,但日本学者曾田先生认为出质人也有权请求债务人提存给付的标的物,这是因为请求提存的行为乃是债权的保全行为,故应允许出质人实施。[2] 那么,在提存时,究竟是以何人为提存物的领取人呢?日本学者中岛先生认为,如提存物为有体物,则债权人有受领权能,原来的债权质成为物权质,但出质人不得无条件的领取该提存物。不过,如果质权消灭,则出质人可以领取,因而应当以债务人为领取人,并应在提存书上记载质权人的姓名及质权存在的意旨。[3] 但从立法上看,《德国民法典》第1281条则规定质权人或出质人可以请求为双方提存出质标的物。因此,郑玉波先生认为,我国台湾地区"民法"第907条规定的提存意旨应解释为向质权人和债务人双方提存为妥,[4] 将来一方受领,须经他方的同意才行。[5] 从实际效果来看,《德国民法典》的规定对质权人较为有利,因为这种立法例可以防止出质人在主债权未被清偿的情况下就直接领取提存物,从而有利于维护质权人

---

[1] 黄右昌著:《民法诠释——物权编》,台湾商务印书馆1977年版,第73页。
[2] 参见谢在全著:《民法物权论》下册,中国政法大学出版社1999年版,第832页。
[3] 参见史尚宽著:《物权法论》,中国政法大学出版社2000年版,第406页。
[4] 第907条规定:"为质权标的物之债权,其债务人受质权设定之通知者,如向出质人或质权人一方为清偿时,应得他方之同意,他方不同意时,债务人应提存其为清偿之给付物。"
[5] 郑玉波:"论债权质权之实行",载《法令月刊》第32卷第12期。

的利益。

质物提存后，常因质物形态的不同而产生不同的法律效果，具体而言，有以下三种情形：

（1）给付物为金钱。如果给付物为金钱，则金钱提存后，质权人的质权移转于提存金的返还请求权上。[1] 质权人在债权的清偿期届至时，可以会同出质人在所担保的债权额的限度内向提存机关请求受领其给付。如果出质人不同意，则质权人可起诉出质人并持胜诉判决向提存机关领取。

（2）给付物为动产。如果给付物为动产，此时学说上通常认为质权人和出质人可将该物提存，则债权质权的性质演变为动产质权，提存机关实际上是为质权人占有该动产。当所担保的债权清偿期届至而未获清偿时，则可依动产质权实行方法实行质权，即将该提存的动产予以拍卖或变卖，将卖得的价款用以清偿债权。采取该立法例的有《德国民法典》，该法在第 1287 条规定："债务人已根据第 1281 条、第 1282 条的规定履行给付的，一经给付，债权人即取得给付物，质权人即取得给付物上的质权。"

（3）给付物为不动产之给付，不能办理提存的。如果给付物为不动产给付，不能办理提存的，应当如何处理，法律上一般未予规定。对此，有学者认为质权人可以请求第三债务人将该不动产登记为出质人所有，再登记质权人为抵押权人。例如，《德国民法典》第 1287 条规定，债务人已根据第 1281 条、第 1282 条的规定履行给付的，一经给付，债权人即取得给付物，质权人即取得给付物上的质权。如果给付物为转让土地所有权，质权人则取得保全抵押权，如果给付物为转让注册的船舶或者建设中的

---

[1] ［日］我妻荣著：《新订担保物权法》，岩波书店昭和43年版，第192页。

船舶，质权人则取得船舶抵押权。尽管我国台湾地区"民法"未规定不动产质，但应解释为质权人可以请求登记出质人为所有人，而登记自己为抵押权人。[1] 另有学者认为，《德国民法典》第1287条虽有质权人取得保全抵押权之规定，但我国台湾地区的"民法"未有同样规定，不能作同样的解释。况且，我国台湾地区无不动产质权的规定，很难认为债权质权已转化为不动产质权，但在法律上质权人的权利应当移存于该不动产之上。因此，质权人可请求债务人移转登记该不动产于出质人，待担保债权清偿期届满后，依法处分该不动产来清偿其债权。[2] 笔者认为，在分析该问题时应当结合不同国家的立法实践来判断。例如，《日本民法典》中规定有不动产质，因此我妻荣先生认为质权人对于第三债务人可请求对债权人为不动产移转登记，而交付占有于自己，质权续存于不动产之上。[3] 而在德国、我国台湾地区，均未规定不动产质制度，因而质权不能续存于不动产上，即债权质不能转化为不动产质。那么，债权质的效力如何体现呢？在该情形下，质权人可以直接向第三债务人请求将不动产登记为出质人所有，同时，为了表明质权人对该不动产的控制力，法律上仍应设计一定的制度将这一控制情形通过一定的方式公示出来，以维护质权人的利益。当然，《德国民法典》第1287条的规定不失为一种有效的方法，即将质权人的权利转化为一种对不动产的抵押权，可供我国在立法时予以借鉴。在法律尚未修正的情形下，当事人可暂在合同中约定，质权人可请求第三债务人将不动产移转登记于出质人所有，出质人应将该不动产抵押给质权

---

[1] 史尚宽著：《物权法论》，中国政法大学出版社2000年版，第407页。
[2] 姚瑞光著：《民法物权论》，台湾海宇文化事业有限公司1995年版，第317页。
[3] ［日］我妻荣著：《新订担保物权法》，岩波书店昭和43年版，第176页。

人，以维护质权人的合法利益。

（4）给付物为物以外的给付。如果出质债权的标的物为物以外的给付，如该标的物为一定的作为，此时无法直接适用提存制度。有人认为，质权人应当待被担保的债权的清偿期届至时，依强制执行法来实现其质权。如果债权以物之制作为内容，质权人可使其制作该物，而受交付，质权随后即续存于制作物上。[1] 从理论上讲，当债权作为出质标的时，无论其给付是否为金钱，质权人均应有权请求给付，所以质权人请求给付的对象并不限于金钱，其他种类的给付也包括在内。在此情况下，质权人可依合同约定对给付对象予以处分，以求获得清偿。当然，也有日本学者认为，质权人对于此种以物之给付为内容的债权，仍有收取权，只是剩余价值应当返还给出质人。当给付的结果为物时，质权随后移转于该物之上。[2] 从实际情况来看，不管给付的对象如何，只要第三债务人拒绝给付，质权人都可通过诉讼方式请求其履行，甚至可以通过强制执行方法来实现其质权。当然，这类质权在实行时较为困难。如果以上债权转化为损害赔偿金钱债权时，则可适用金钱债权的实行方法。

2. 出质债权的清偿期晚于被担保的债权的清偿期。如果出质债权的清偿期晚于被担保债权的清偿期，那么，当出质债权的清偿期来临时，质权人可直接向第三债务人请求给付。例如，《德国民法典》第1282条第1款规定，在上述情形发生时，质权人有权催收债权，而债务人只能向质权人清偿，仅在催收金钱债务为质权人求偿所必要的限度内，质权人始享有催收金钱债务的权利，在质权人有权催收的范围内，债权人也可以要求向其让

---

[1] 史尚宽著：《物权法论》，中国政法大学出版社2000年版，第406页。
[2] [日] 柚木馨、高木多喜男：《担保物权法》，有斐阁1973年版，第158页。

与金钱债权代替支付。《日本民法典》第367条第1款也规定了质权人的催收权。我国台湾地区"民法"第906条也规定:"为质权标的物之债权,其清偿期,后于其所担保债权之清偿期者,质权人于其清偿期届满时,得直接向债务人请求给付,如系金钱债权,仅得就自己对于出质人之债权额,为给付之请求。"之所以这样规定,是因为,当出质债权的清偿期晚于被担保债权的清偿期时,尽管质权人有权请求其债务人给付,但对于第三债务人而言,他由于履行期限未到而不负有提前清偿债务的义务,因此,质权人不能请求第三债务人履行债务。法律上采这种规定,就保护了第三债务人的期限利益,当然,如果质权人的债务人不及时清偿债务,则除负有偿债义务外,还应支付因迟延履行而产生的利息。另有学者认为,质权人为尽快实现其质权,可以不待出质债权的清偿期届至时,将出质债权予以变价或订约而取得该债权以供优先清偿。[1] 从法理上讲,将债权转让或予以变价类似于动产质权的实行,在法律未予禁止的情况下,采取这种实行质权的方式,也未尝不可。

质权人在向第三债务人请求给付时,一般可以自己的名义向第三债务人提出,他可以行使催告权、可以受领代物清偿,申请扣押、破产及参与企业资产的分配。如果第三债务人拒绝,质权人可通过诉讼予以强制执行。

当出质债权的清偿期晚于被担保的债权的清偿期时,其实行方法常因质权标的物债权的给付不同而有所不同,具体可分为以下几种情况:

(1) 给付物为金钱时,质权人可以等待出质债权的清偿期届至后,就自己对于出质人的债权额,直接向第三债务人请求给

---

[1] 姚瑞光著:《民法物权论》,台湾海宇文化事业公司1995年版,第312页。

付,而优先受偿。对于第三人而言,他受质权设定的通知后,应在债务清偿期届至时为给付行为,并不需要考虑质权人的债权是否已经到期。但是,从理论上讲,出质人作为债权人有权请求第三债务人履行债务,而质权人常常以其对该出质债权的限制权为由而请求第三债务人履行债务,因此《德国民法典》第1281条规定第三债务人应当向出质人和质权人共同清偿。《瑞士民法典》的立法例则与之不同,该法第906条规定:"(1)出于妥善管理上的考虑,需要收取或催告出质债权时,债权人有行为的权利,而质权人仅有请求行为的权利。(2)债务人得知出质时,须得到一方承诺时,始向另一方清偿债务。(3)无前款承诺时,债务人应提存债务额。"我国台湾地区"民法"第907条的规定与之类似,即第三债务人受质权设定通知后,如向出质人或质权人一方为清偿时,应得他方之同意。他方不同意时,债务人应提存其为清偿之给付物。也即,无论是向出质人或质权人清偿,都需取得对方的同意。如一方不同意,第三债务人负有提存其为清偿所给付之物的义务。倘未取得他方的同意,则向任一方当事人的清偿对他方都不发生清偿的效力。比较而言,后者的规定对第三债务人较为方便,操作起来相对容易。当然,出质人和质权人也可在合同中约定,出质人同意第三债务人届时直接向质权人清偿。

(2)给付物为动产或不动产时,待出质债权的清偿期届至时,质权人可请求第三债务人给付。此时质权人并不直接取得质物的所有权,如果给付物为动产,则质权移转于该给付物上,即成立动产质权。如果给付物为不动产,则给付后可登记出质人为所有权人,但质权人对该不动产有依法处分的权利,即在债务人不履行债务的情形下,依法将该不动产予以拍卖或变卖,以卖得的价金来偿还其债权。

(3)给付物为其他标的。如果给付物为其他标的，如第三债务人的一定的行为，则质权人可请求第三债务人履行该行为，如不履行，则质权人可通过诉讼强制其履行。

我国《担保法》现在未明确规定债权质权制度，故只能在将来补充有关债权质权实行的相关规定。

三、有价证券质权的实行

有价证券质权之实行方法与债权质权之实行方法类似，但由于其标的的特殊性也存在一些自身的特点，下面将予以分述：

1. 有价证券的到期日与被担保债权的到期日一致。如果有价证券的到期日与被担保的债权的到期日一致，那么，质权人可以直接向第三债务人（即证券关系的债务人）提示证券，请求给付，而第三债务人也可向质权人给付。例如，我国台湾地区"民法"第909条就规定，在证券质权中，债务人仅得向质权人给付。此时，第三债务人向质权人清偿时，一般不需取得出质人的同意，这与普通债权质权的实行存在显著的区别。这是因为，"证券债务人非对于持有证券之人（在票据则为执票人），即不得给付之故也。"[1] 有价证券在设定时一般不以通知第三债务人为必要，有价证券权利在行使时，必须以持有证券为前提，出质人不持有证券当然不能行使其权利，质权人持有证券自然可以行使其权利，所以，第三债务人仅向质权人给付，而不必取得出质人的同意。

2. 有价证券的到期日早于被担保债权的到期日。在该情形下，当有价证券的清偿期来临时，其所担保的债权的清偿期尚未

---

[1] 郑玉波："论债权质权之实行"，载《法令月刊》第32卷第12期。

届至。此时，如果是普通债权，则质权人只得请求第三债务人提存其给付物，而在证券质权，则有其特殊性。例如，《德国民法典》第1294条规定："如果以票据、其他可以背书转让的证券或者无记名证券为质权标的时，即使第1228条第2款规定的条件未成就，质权人仍有权进行催收，或者在有必要发出预告解约通知时，发出预告解约通知，而债务人只能向质权人履行给付。"也即，在以有价证券出质时，即使被担保的债权的清偿期尚未届至，质权人也有权请求第三债务人履行债务，但质权人仅有收取权，而不能在被担保的债权到期前就以该给付来充抵主债权。我国台湾地区"民法"第909条仿效了上述立法："质权以无记名证券、票据、或其他依背书而让与之证券为标的物者，其所担保之债权，纵未届清偿期，质权人仍得收取证券上应受之给付。如有预行通知证券债务人之必要，并有为通知之权利，债务人亦得向质权人为给付。"之所以这样规定的原因，其"立法理由"解释说是为了"巩固质权而设也。"[1] 详言之，虽然有价证券所担保的债权尚未到期，但证券权利的行使常常有时间限制，如不及时行使权利，则有可能会导致权利的丧失。因此法律上不得不准许质权人在被担保的债权未到期之前就收取有价证券上应得的给付。史尚宽先生将该权利称为独立的排他的收取权，[2] 即证券持有人，不问被担保的债权数额如何，可以收取全部的债权。质权人在行使该权利时，也有为适当收取的义务，并将收取情况告知出质人。对于证券关系的债务人而言，正因为质权人有这种排他的收取权，因而债务人只能向其给付，此时质权

---

[1] 蔡墩铭主编：《民法立法理由》，台湾五南图书出版公司1990年版，第1008页。
[2] 史尚宽著：《物权法论》，中国政法大学出版社2000年版，第407页。

存在于所收取的给付物之上。质权人的收取权在性质上属优先受偿权，该优先权系对于出质人及出质人的其他债权人而言。

在实际生活中，质权人收取证券给付时常常会遇到如下问题：①如果证券上的给付与被担保债权的给付都为金钱，则质权之实行甚为方便，但是，如果被担保的债权的金额小于证券的金额时，质权人在收取时是应以担保债权额为限，还是应以证券之给付金额为限呢？郑玉波先生认为，质权人所能请求者，应以自己之债权额为限。[1]这种解释是从质权所担保的债权的范围入手而言的。对于质权人未请求的剩余部分，则只能由出质人收取。但是，笔者认为这种解释实践中难以行通，因为证券权利的行使以持有证券为前提，如果按照以上说法，质权人在收取了证券上的给付后依照惯例常常要将该证券交还给证券关系中的债务人，这会给出质人收取带来许多不便。所以有学者认为，票据债务人原应依票据文义负担票据责任，出质人系就票据权利设定质权，并非委托被背书的质权人收取票据，因而质权人可以依自己的名义行使权利，不论所担保的债权金额如何，宜认为质权人有权收取全部的票据金额，但对超出其所担保的债权的部分，应当返还给出质人。[2]另外，如果质权人在被担保的债权清偿期届满前就收取了证券上的金钱，但不得提前以该金钱来清偿其债权，而应暂时予以保管，在清偿期届满后，才能优先受偿。②如果质权所担保的对象为金钱债权，而证券上所记载的给付为非金钱债权，质权人仍可收取该给付。质权人收取后，质权即移存于该给付物上，如果是动产，则变为动产质权，将来可依动产质权的实行方法优先受偿。③如果质权所担保的债权为非金钱债权，则质

---

[1] 郑玉波："论有价证券质权"，载《军法专刊》第 26 卷第 2 期。
[2] 黄献全著：《金融法论集》，台湾三民书局 1991 年版，第 88 页。

权人仍可按前述方法实行。

3. 有价证券的到期日晚于被担保债权的到期日。当有价证券的到期日晚于被担保债权的到期日时,其质权实行方法不同于普通债权的出质。因为在后者出质的情形下,质权人只能等待出质债权到期后才能向第三债务人请求给付。而在有价证券出质的场合,质权人在被担保债权未获清偿的情形下,可以等待有价证券的清偿期届至时再实行其质权,但也可以不待证券的清偿期到来就实行其质权而优先受偿。例如,《德国民法典》第1294条规定:"如果以票据、其他可以背书转让的证券或者无记名证券为质权的标的时,即使第1228条第2款规定的条件未成就,质权人仍有权进行催收,或者在有必要发出预告解约通知时,发出预告解约通知,而债务人只能向质权人履行给付。"我国台湾地区"民法"第909条仿效了该规定:"质权以无记名证券、票据、或其他依背书而让与之证券为标的物者,其所担保之债权,纵未届清偿期,质权人仍得收取证券上应受之给付。如有预行通知证券债务人之必要,并有通知之权利,债务人亦得向质权人为给付。"上述两规定中的"预告通知"、"预行通知"是学术界所公认的晦涩不清的用语,倪江表先生认为这一用语殊难索解,因为证券之债务人仅得向质权人为给付,质权之设定无通知证券债务人之必要。[1]目前,多数学者认为应当这样理解,即虽然有价证券上的债务未届清偿期,但证券质权人认为有必要时,可以向证券债务人提前终止其法律关系,而将证券加以处分。[2]例如,证券质权人为了避免有价证券跌价的损失,或自己急需用款,或

---

[1] 郑玉波:"论有价证券质权",载《军法专刊》第26卷第2期。
[2] 郑玉波:"论债权质权之实行",载《法令月刊》第32卷第12期;史尚宽著:《物权法论》,中国政法大学出版社2000年版,第408页。

因银行信用动摇而依贴现方法兑现款项，等等。对于定期存款，根据法律的规定，原存款人有权提前终止该存款关系，因此存单质权人也可提前终止该存款关系。法律上之所以允许质权人提前收取有价证券上的给付，其本意还在于维护质权人的利益，以巩固质权。就票据质权而言，这种规定显得尤其重要，例如，出质的汇票的到期日先于所担保的债权的清偿期，质权人仍应有权在到期日向付款人为付款的提示而受领汇票的金额，否则，质权人将丧失对前手的追索权。另一方面，质权人提前收取证券上的给付，不会损害证券关系中的债务人的期限利益。因为质权人在提前收取权的行使，往往是将该证券通过贴现、转让等方法实现的，证券关系中的债务人的债务并未消灭，只不过其履行对象发生了变化，因而不会损及其利益。不过，笔者认为，质权人的提前收取权对于仓单、提单等兼具物权性质的有价证券不能适用，因为理论上通常认为，这些证券"系物权的证券，占有证券与占有物品有同一之效力，应解为动产质。"[1] 因此，其质权在实行时准用动产质权的相关规定，因此不能在仓单、提单到期日前就允许质权人请求其债务人交付货物，否则将损害这些证券中的债务人的利益。

我国《担保法》仅规定了有价证券的到期日早于被担保债权到期日的质权实行方法，而未规定有价证券的到期日晚于被担保债权的到期日的质权实行方法，因而在内容上存在明显的欠缺。根据《担保法》第77条的规定："以载明兑现或者提货日期的汇票、支票、本票、债券、存款单、仓单、提单出质的，汇票、支票、本票、债券、存款单、仓单、提单兑现或者提货日期先于债务履行期的，质权人可以在债务履行期届满前兑现或者提

---

[1] 黄右昌著：《民法诠解——物权篇》，台湾商务印书馆1977年版，第76页。

货,并与出质人协议将兑现的价款或者提取的货物用于提前清偿所担保的债权或者向与出质人约定的第三人提存。"可见,质权人有权要求兑现或者提货,并与出质人协议以该款项或货物来提前清偿,也可以与出质人约定对标的予以提存,质权人可自由选择。对此,有学者解释为:"《担保法》这样规定可能与我国提存制度不完善有关,如果一律要求提存的话,在提存机关缺乏、提存费用过高的环境下,不利于当事人权利的实现。"[1] 笔者认为,该条规定与《德国民法典》第1294条及我国台湾地区"民法"第909条的规定有类似之处,即允许质权人在被担保的主债权履行期到来之前收取证券上的给付。但是,该条也存在明显的不足之处:①该条中的"债务履行期"的一词含义不明,应当明确规定该债务履行期是指"被担保的债权的履行期";②该条规定质权人以兑现的价款或者提取的货物提前清偿所担保的债权或者提存的前提是与出质人达成协议,那么,如果质权人与出质人未达成协议,质权人应当采取什么措施,法律上未予明确。笔者认为法律上应当补充规定:如无协议,则有价证券的债务人应当将款项或货物向提存机关提存;③根据其他国家的法律实践,如果质权人收取了有价证券所代表的货物,则质权移转于该货物之上,即成立动产质权。而第77条采取了提前清偿与提存两种做法,与之存在显然的不同。如果将该货物提前清偿,会使出质人丧失期限利益。尽管法律上规定提前清偿的前提是当事人之间的协议,但质权人处于优势地位,一般会逼迫出质人同意,因而该规定有可能会产生不公平的后果;如果出质人不同意,则根据该条的规定,应当将该货物向第三人提存,那么,从理论上

---

[1] 曹士兵著:《中国担保诸问题的解决与展望》,中国法制出版社2001年版,第320页。

讲，证券质权应当在提存后的货物上转化为动产质权，[1] 依动产质权的实行方法而实行。另外，第 77 条中的提存人是质权人与出质人"约定的第三人"，因而其范围并不局限于依法取得提存资格的提存机关，这与我国实践中提存机关较少、提存法律不完善存在很大的关系，这一局面很不利于当事人权利的实现。因此，要完善《担保法》的规定，建立健全提存制度是一件迫在眉睫的事情。

鉴于我国《担保法》未规定有价证券的到期日晚于被担保债权的到期日时质权的实行方法，《最高人民法院关于适用〈担保法〉若干问题的解释》第 102 条补充规定："以载明兑现或者提货日期的汇票、支票、本票、债券、存款单、仓单、提单出质的，其兑现或者提货日期后于债务履行期的，质权人只能在兑现或者提货日期届满时兑现款项或者提取货物。"根据这一解释，当有价证券的到期日晚于被担保债权的到期日的，质权人不能在有价证券的到期日前请求证券的债务人予以清偿。这一规定与普通债权的实行方法相同，但与其他国家所规定的证券质权实行方法明显不同，也未顾及有价证券与普通债权之间的差别。如前所述，《德国民法典》第 1294 条及我国台湾地区"民法"第 909 条均允许质权人在有价证券到期前兑现款项，以顾及质权人有可能急需款项、可能为避免证券的跌价而需提前兑现等情形，较为注重对质权人利益的保护。从我国现实来看，有价证券不同于普通债权的一个明显优点就在于其流通性强、变现容易，如果允许质权人在有价证券到期前兑现，则可以增强该证券的流通性，与

---

[1] 如果有价证券所代表的货物为不动产，则法律上应当规定质权人对该货物有一定的处分权。当债务人到期不履行主债务时，则质权人可依法将该不动产予以拍卖或变卖，以卖得的价金优先受偿。

证券之性质相符；反之，如果不允许质权人提前兑现或者提取货物，则该有价证券的流通性将被阻滞，以有价证券担保的优越性将荡然无存。所以，立法上应当允许质权人提取兑现款项。那么，立法上采取该立法例是否会损及证券关系的债务人利益及出质人的利益呢？从法律规定来看，票据、债券、存款单等有价证券依法律规定允许提前兑现，兑现对该证券债务人的利益影响不大。对于出质人而言，兑现中可能会丧失一些利益，如提前支取定期存款而丧失部分利息、提前兑现票据而支付贴现费用等等，但这些利益可从质权人所得的清偿中扣除，因而对出质人利益影响不大。重要的是，这种做法促进了有价证券的流通，维护了债权的安全。但应注意的是，对于仓单、提单等兼具货物凭证的证券，不宜允许质权人提前提取货物，以免损害上述证券中债务人的期限利益。

四、股权质权的实行

股权质权之实行方法与其他权利质权之实行方法类似，但亦有不同，下面分别予以说明：

1. 股票质权之实行。股票质权在实行情形可分为无记名股票质权的实行与记名股票质权的实行。

（1）无记名股票质权的实行。无记名股票的质权在实行时与普通有价证券质权的实行很类似，如多数学者认为，公司股票质权在实行时可依强制执行程序而为拍卖或变卖，以卖得的价金而优先清偿。[1]

（2）记名股票质权的实行。日本商法中将记名股票的实行

---

[1] 黄右昌著：《民法诠解——物权篇》，台湾商务印书馆1977年版，第76页。

分为股份略式质的实行与股份登记质的实行两种。如果是股份略式质，则可适用一般质权的实行方法，即将出质的股票予以拍卖或变卖，以卖得的价金优先受偿。那么，股票质权契约能否规定当债务人不履行债务时质权人可以取得出质的股票呢？对于这种流质条款，多数质权契约不允许存在，但是，日本商法理论上认可这种流质契约的效力，其理由为："依商行为产生的债权，无论系债权人或债务人的行为产生，此类债权的担保没有必要适用民法旨在保护弱者的流质禁止的规定。因此质权人可于债权到期而未获清偿时，依契约规定直接取得设质之股份。"[1] 正因为承认这种理论，日本商法上允许在债权到期后，质权人可依与设质人达成的协议取得设质的股份或就设质股份折价受偿，并退回超过债权的部分。但在其他国家的立法中，类似的立法并不多见。

股份登记质在实行时，其实行方法与股份略式质的实行基本一样，质权人也得通过拍卖或变卖等方式实行其质权，日本商法上对流质的效力也予承认。但应注意的是，如果质权人在实行前已从公司取得一定的分红、股息等财产，应在拍卖或变卖股票时从清偿额中扣除。当该类股票质权实行后，质权人应当协助出质人办理涂销质权的登记。

(3) 我国法律的规定。我国《担保法》第78条第2款规定："股票出质后，不得转让，但经出质人与质权人协商同意的可以转让。出质人转让股票所得的价款应当向质权人提前清偿所担保的债权或者向与质权人约定的第三人提存。"从该规定可以看出，股票出质后，在一般情况下不得转让，这是我国法律所规定的对出质人处分权的限制，同时体现了对质权人利益的一种偏

---

[1] 钟青："股权质权研究"，载梁慧星主编：《民商法论丛》第22卷，法律出版社2002年版，第53页。

向。从理论上讲,质权设定后,出质人并未丧失所有权,所以对出质物仍享有法律上的处分权,出质人仍可以通过简易交付或指示交付等方法将质物所有权让与,或以之为标的来设定质权。但是,出质人不得对质物进行事实上的处分权。[1] 因此,股票尽管出质,但出质人并未丧失法律上的处分权,股票的转让应当得到法律的认许,所以《担保法》第 78 条第 2 款禁止出质股票出让的规定与法理不符;而且,如果法律不允许该股票转让,则会影响该类财产的价值利用,这与当今注重财产用益价值的立法观也不相符。但应注意的是,尽管法律上应当允许出质股票的转让,但由于该股票上设定了质权,质权的效力续存于该转让后的股票上。那么,根据权利质权实行的一般原理,质权人只有待被担保的主债权到期后才能对出质股票实行。而我国《担保法》第 78 条第 2 款允许出质人在与质权人协商同意的情况下转让股票,那么,在有协议的情况下,出质人只能放弃其期限利益而以转让股票所得的价款提前清偿所担保的债权或向与质权人约定的第三人提存。上述规定显然对于出质人的处分权给予了较强的限制,即使允许股票转让,也是为了清偿债务而不是为了促进财产的流转,因此该条文反映了立法者急于解决债务拖欠的功利主义。此外,我国《担保法》未详细规定股票质权的实行方法,从而留下了立法上的漏洞。我国有学者认为,《担保法》中规定了三种对股票质权实行的方法:①质权人与出质人达成协议以股份折价受偿,质权人取得出质股份;②依法拍卖出质股份;③变卖出质股份。[2] 实际上,拍卖、变卖出质股票的方法可以根据

---

[1] 谢在全著:《民法物权论》下册,中国政法大学出版社 1999 年版,第 776 页。
[2] 钟青:"股权质权研究",载梁慧星主编:《民商法论丛》第 22 卷,法律出版社 2002 年版,第 57 页。

"权利质权准用动产质权的相关规定"的原理类推出来,而由质权人与出质人达成协议以股票折价受偿的方法则于法无据,因为在我国现行法律中,质权人和出质人折价取得股票的行为涉嫌场外交易,违反我国关于上市公司股票交易的规定而受到禁止。另外,我国现行法也不允许以流质方式来对股票质权予以实行,这与日本商法的规定有所不同。

我国目前在实践中,已有关于股票质权实行的行政规定。例如,《证券公司股票质押贷款管理办法》第32条第2款第1项规定,质权人银行可以直接通过证券交易所的特别席位出卖出质股票,并就所得资金优先受偿。这一公开出卖出质股票的做法,具有公平的市场价格,不会损害出质人和质权人的合法利益,且手续费低廉,不失为一种较好的股票质权实行方式。

2. 有限责任公司股权质权的实行。有限公司股权质权的实行与股票质权的实行类似,例如,在日本,有限责任公司股权质权在实行时一般适用拍卖、变卖等方式,但应遵守有关股权转让的规定。例如,《日本商法典》第204条第5项规定:"于转让股份应经董事会承认情形,取得股份者,可以向公司提交记载股份种类、数额的书面文件,请求公司承认其取得。请求未获承认时,可以请求指定该股份的受让人。于此情形,准用第二百零四条第三款、第四款及前三条的规定。"另外,奥地利、保加利亚等国也有类似的规定。在我国台湾地区,有限责任公司股权的实行可适用"公司法"第114条第4款的规定,即法院依强制执行程序,将股东之出资转让于他人时,应通知公司及其他全体股东;公司及其他全体股东并于20日内,依同条第1项或第3项之方式,指定受让人;逾期未指定或指定之受让人不依同一条件受让时,视为同意转让,并同意修改章程有关股东及其出资额事项。

我国《担保法》未对有限责任公司股权的实行方式作出明

确的规定，其第78条第3项仅十分笼统地规定："以有限责任公司的股份出质的，适用公司股份转让的有关规定。质押合同自股份出质记载于股东名册之日起生效。"而我国《公司法》第35条和第36条规定，股东之间可以相互转让其全部出资或者部分出资。股东向股东以外的人转让其出资时，必须经全体股东过半数同意；不同意转让的股东应当购买该转让的出资，如果不购买该转让的出资，视为同意转让。这是一种约定转让股权的方式，如果出质股权的股东不同意转让，那么法律上又应当如何处置呢？显然，我国《公司法》未规定对有限责任公司股权的强制执行方式，也未规定拍卖或变卖股权的办法，这些都会妨碍对股权质权的实行。因此，我国《公司法》或《担保法》有必要仿照日本法或我国台湾地区的相关规定予以补充。

3. 无限公司股权质权的实行。以无限公司或合伙的出资额设质时，需要经过其他股东或合伙人的一致同意，这种股权质权在实行时也可通过拍卖或变卖方式来实行。我国《合伙企业法》第49条第1款第4项规定，被人民法院强制执行在合伙企业中的全部财产是合伙人退伙的理由之一，该条实际上确认了对无限公司股权予以强制执行的可能性。当人民法院对无限公司的股权予以拍卖或变卖时，应当遵循合伙企业中关于出资额转让的规定，即合伙企业存续期间，合伙人向合伙人以外的人转让其在合伙企业中的全部或者部分财产份额时，须经其他合伙人一致同意。合伙人之间转让在合伙企业中的全部或者部分财产份额时，应当通知其他合伙人。合伙人依法转让其财产份额的，在同等条件下，其他合伙人有优先受让的权利。[1]

4. 两合公司股权质权的实行。两合公司股权质权在实行时，可

---

[1] 参见《中华人民共和国合伙企业法》第21条、第22条。

参照有限责任公司股权质权的实行与无限公司股权质权的实行方法。

五、知识产权质权的实行

关于知识产权质权的实行，多数国家未在其民法典中作出明确的规定。在实践中，一些国家类推适用其他权利质权实行的规定。例如，日本学者认为，知识产权质权在实行时应当适用其民事执行法的相关规定。[1] 例如，《日本民事执行法》第167条第1项规定，对不动产、动产及债权以外的财产权实施强制执行除有特别规定外，根据债权执行的规定实施。同法第193条规定，第143条的债权及第167条第1项规定的财产权为标的的担保债权的实行，仅在提出证明担保债权存在的文书时开始实施。所以，知识产权质权在实行时准用债权执行的相关规定。另根据《日本民事执行法》第170条及第181条的规定，对知识产权等权利执行时可准用债权执行的相关规定，即允许拍卖出质的知识产权来清偿被担保的债权。

我国台湾地区的民法学者一般认为，法律上一般对著作财产权、专利权等知识产权质权的实行没有直接规定，而"民法"债编施行法第14条之拍卖亦无此种权利可准用之规定，因此只得依强制执行程序为之（可参考我国台湾地区"强制执行法"第117—121条的规定）。[2] 我国的《担保法》第80条规定："本法第七十九条规定的权利出质后，出质人不得转让或者许可他人使用，但经出质人与质权人同意的可以转让或者许可他人使用。出质人所得的转让费、许可费应当向质权人提前清偿所担保

---

[1] ［日］田原睦夫监修：《实践担保のとり方・活かし方》，株式会社きんざぃ平成6年版，第261页。

[2] 黄右昌著：《民法诠解——物权篇》，台湾商务印书馆1977年版，第76页。

的债权或者向与质权人约定的第三人提存。"对此,《最高人民法院关于适用〈担保法〉若干问题的解释》第105条补充规定:"以依法可以转让的商标专用权、专利权、著作权中的财产权利出质的,出质人未经质权人同意而转让或者许可他人使用已出质权利的,应当认定无效。因此给质权人或者第三人造成损失的,由出质人承担民事责任。"从以上规定可以看出,在知识产权质权的效力及实行问题上,我国《担保法》及其司法解释对该问题所持的态度与股权质权基本一致,即不允许出质后的知识产权由出质人予以转让,甚至不允许许可他人使用,否则不发生效力。这些规定未顾及到出质人作为权利持有人的利益,因为出质人尽管以该权利出质,但并未丧失其所有人地位,他仍有权对该权利予以法律上的处分,所以他有权将该权利转让或许可他人使用。那么,我国《担保法》第80条之所以这样规定,其实是担心质权人的利益落空。实际上,根据质权的一般原理,质权具有追及效力,当知识产权权利人转让了该权利,则质权仍然存在于受让人所取得的权利之上。当知识产权权利人许可他人使用知识产品时,质权的效力不仅存在于出质的知识产权之上,还存在于许可使用费上。当然,如果出质人有意降低许可使用费或者免收许可使用费,则应看作是对质权的侵害,其处分权应受到限制。因此,为了鼓励财产的流转及利用,我国《担保法》应当允许出质人转让其权利或许可他人利用知识产品。另外,我国《担保法》并未明确规定权利质权的实行方式,这不能不算是一种立法上的缺憾。从《担保法》第80条的规定我们还可以看出,该条规定出质的知识产权在经出质人和质权人同意的情况下可以转让或许可他人使用,并以转让费、许可费向质权人提前清偿所担保的债权或者向与质权人约定的第三人提存,这实际上是间接承认了出质人可以通过转让其知识产权或许可他人使用知识产品来清偿债务人所负的债务。需指出的是，如果出质人与质权人没有事先提存问题，那么出质人应当向谁提存呢？立法上应当规定出质人应向提存机关提存。另外，如果出质人不同意转让知识产权或许可他人利用知识产品，那么，质权人应当如何实行其质权呢？我国《担保法》并未明确规定，理论界也有人认为可以依法变卖、拍卖该质物。[1] 我们认为当债务人到期不清偿债务需要对知识产权质权予以实行时，可以参照动产质权的实行方式，将该出质的知识产权予以拍卖或变卖来实行，但应注意的是，知识产权拍卖或变卖后，出质人有义务协助权利的受让人办理知识产权的权利变更手续。另外，我国现行法中对知识产权的评估、拍卖都缺乏理论和实践上的经验，为了促进知识产权质权的发展，今后有必要补充这方面的规范。

六、以他人对于自己之债权所设定的质权的实行

以他人对于自己之债权所设定的质权，是指出质人以对质权人的债权为标的所设定的质权。这种质权在实行方面存在以下特殊之处：

1. 出质债权清偿期先于质权所担保的债权的清偿期的实行。在该情形下，根据债权质权实行的一般原理，质权人有权请求第三债务人提存债权额，但是，质权人即第三债务人，自己对自己请求提存给付，并无实际意义。而且，即使不提存，也不会损害质权人的利益，所以此时可待被担保债权的清偿期届满后，再实行其质权。一般而言，其实行方法，如果出质债权的标的与被担保债权的标的均是金钱时，以抵销方法来受偿。[2] 如果不能抵

---

[1] 刘瑛："版权质押合同及其质权人的利益保障"，载《知识产权》2001年第2期。
[2] [日] 柚木馨、高木多喜男：《担保物权法》，有斐阁1973年版，第159页。

销，则质权人可以提出给付，以清偿其债权。如果出质债权的标的非为金钱，则可通过拍卖、变卖质物等方法来实行。

2. 出质债权与被担保债权的清偿期相同。在此情形，质权人可以提出出质债权的给付，供其主债权的清偿，如能抵销，可通过抵销方式进行。

3. 有价证券质权如发生质权人即为第三债务人的情形时，可根据有价证券实行的方法来实行，在适于抵销的情形时，可用抵销方式进行。

第五节 权利质权的消灭

权利质权的消灭原因甚多，债权的清偿、抵销、抛弃、质权的实行等，都会引起权利质权的消灭。另外，引起权利质权消灭的原因尚有一些特殊情形：

1. 出质权利的消灭。动产质权因质物的灭失而消灭，这一规则在权利质权制度中也准用。因此，当作为出质标的的权利消灭时，权利质权也随之消灭。例如，在以商标权出质的情形，商标权被撤销或因保护期届满未续展而终止时，设定于商标权之上的质权自然终止。还有，如以股票或有限责任公司的股权设定质权时，若该公司解散而使股权消灭，则股权质权亦消灭。但是，如果因权利质权的消灭而获得了赔偿金，则权利质权并不消灭而移存于该赔偿金之上。[1]

2. 混同。我国台湾地区"民法"第763条第1款规定："所有权以外之物权，及以该物权为标的物之权利，归属于一人者，其权利因混同而消灭。"我国民事实践的做法与之相同。例

---

[1] 参见《担保法》第73条。

如，当出质人甲以其股权向乙出质，作为债务的担保，后来乙继承了甲，此时股权与权利质权同归于质权人乙，权利质权即归于消灭。值得注意的是，如果权利质权之存续，对于权利人或第三人有法律上的利益时，权利质权并不消灭。[1]例如，乙以对于甲的债权向丙设定质权，即成立债权质权，该质权的存在对于第三人丙有法律上的利益，即使乙继承甲而发生混同情形，但权利质权仍然不应消灭。

3. 标的物的返还或丧失占有。在动产质权场合，质权人将质物返还于出质人或所有权人时，常常导致质权的消灭。例如，《德国民法典》第1253条规定："（1）质权人将质物返还于出质人或者所有权人时，质权消灭。保留质权存续的为无效。（2）出质人或所有权人占有质物时，应推定，质权人已向其返还质物。在质权成立后，从质权人或者所有权人处取得质物的占有的第三人占有此质物时，上述推定也同样适用。"这些规定对于权利质权亦有准用。例如，学者们通常认为有价证券质权的设定可以适用上述规范。[2]这是因为有价证券质权与动产质权最为相似。当有价证券质权人将出质的有价证券交还给出质人或移交其占有时，质权即归于消灭。此外，如果有价证券质权人非基于自己的意思丧失了有价证券的占有，又不能依法请求返还的，质权也消灭，尤其在无记名证券中是这样。上述规定在一般情形下应当遵循，但是，如果出质人为了收取有价证券上的价款、货物或出于其他正当的目的需要借用出质的有价证券，如果质权人将该

---

[1] 例如，我国台湾地区"民法"第762条规定："同一物之所有权及其他物权，归属于一人者，其他物权因混同而消减。但其他物权之存续，于所有人或第三人有法律上利益者，不在此限。"

[2] 谢在全著：《民法物权论》下册，中国政法大学出版社1999年版，第845页。

证券交给了出质人，是否会导致质权的消灭呢？如果按照大陆法系国家的一般做法，只要将出质的有价证券基于自己的意思，交还给出质人，一般都应认定为质权消灭。但是，《美国统一商法典》则采取了比较务实的做法，该《法典》第 9-304 条第 5 款规定："担保权人对于证券、流通权状或流通权状发行人以外之受寄人所占有之物品，具有已有效成立之担保利益，而有下列两款情事之一者，其担保利益在 21 日之期间内无须登记而继续有效成立：（a）其行为使债务人得有效利用其物品或表彰物品之权状，以达到最终出售或互易之目的或达到装卸、储藏、装船、转船、制造、处分之目的或为出售或互易之其他方式。但该物品正担保利益之优先权相冲突时，应依第 9-312 条之规定。（b）交付证券于债务人以达到最终出售或互易，或提示、收取、更新，或'移转登记'之目的。"也即，如果质权人将出质的有价证券或其他权利凭证移交给出质人是为了维护出质人的正当利益，则允许将该有价证券或其他权利凭证临时交付，但时间限于 21 天。

美国学者 Douglas 先生举例说，Karate 是一家自卫训练学校。它将顾客交给它的 36 张本票交给 Nightflyer 资金公司来取得贷款。当事人双方签订了一个担保协议，该资金公司不仅占有本票而且还签发了一个处理本票的文件。一个月后，Karate 学校的代表 Arnold Chung 来请求 Nightflyer 先生将一张本票还给他以便向顾客要款。该公司便在 4 月 6 日交还了本票。Chung 将其放在他的抽屉里但忘记了该事。在 10 月 12 日 Karate 学校破产，那么，银行是否对借出的本票有优先清偿权呢？Douglas 先生认为，"在 21 天内，银行的担保利益存在，即使该证券失去了控制。"[1] 笔

---

[1] Douglas J. Whaley. Problems and Materials on Secured Transactions. 3rd. edi. Little, Brown and Company . Boston . 1993. p.132.

者认为,《美国统一商法典》的规定较之大陆法系民法的规定显然灵活得多,既可以维护质权人的利益,也为出质人在有正当理由情况下向质权人借回出质的有价证券提供了方便,对我国相关立法也有很大的借鉴作用。

对于债权质权而言,如果质权人将债权证书交还给出质人是否会引起质权的消灭呢?谢在全先生认为,如果质权人将证书交还出质人或有丧失之情事时,除质权人有同意向第三债务人为质权撤销之通知外,质权并不消灭,这不仅是因为权利质权之设定准用权利让与规定之应有结果,实亦系以证书非债权本身,而仅为一证明文件与有价证券为权利之化身不同。[1] 其理论依据是我国台湾地区"民法"第298条规定:"让与人已将债权之让与通知债务人者,纵未为让与或让与无效,债务人仍得以其对抗受让人之事由,对抗让与人。前项通知,非经受让人之同意,不得撤销。"因此,当质权人将债权证书交还于出质人时,除非质权人明确通知第三债务人撤销质权,不应理解为质权已经消灭,而且,债权证书并不等于权利,债权证书的返还不等于质权人已将出质的权利交还给了出质人。

权利质权消灭后,质权人应当履行相应的法律义务。如果为有价证券质权,则质权人应当在所担保的债权消灭时,将有价证券返还于出质人。如果是债权质权,则应在质权消灭时将债权证书返还。如果是专利权、商标权、记名股票等需要办理出质登记的权利质权,则在质权消灭后,质权人负有协助出质人办理涂销登记的义务。这也是诚实信用原则的要求。

---

[1] 谢在全著:《民法物权论》下册,中国政法大学出版社1999年版,第846页。

第七章 我国权利质权制度的重塑

第一节 促进权利质权制度发展的重要意义

我国现行担保制度是在改革开放之后随着商品经济的发展逐渐形成的,相对于抵押、保证、留置等担保制度,权利质权制度的发展较晚。1995年,《中华人民共和国担保法》首次规定了权利质权制度,随后,有关知识产权质押、股权质押、存单质押的行政规定及《担保法》司法解释相继出台,极大地促进了我国权利质权制度的发展。但是,由于我国在市场经济建立后对担保制度产生了强烈的渴求,立法者仓促上阵,匆忙制定一些法律规范,以应付现实所需,致使《担保法》在制定中存在着相当多的急躁性和社会功利取向,失权利质权制度存在着一些明显的先天不足之处。这些现实问题都需要我们在慎重研究的基础上来完善我国的权利质权制度。

结合国外权利质权制度发展的经验及我国的立法实践,笔者认为,在现阶段,大力促进我国的权利质权制度的发展具有以下几方面的意义:

1. 顺应世界权利质权制度发展的历史潮流,完善我国的担保制度体系。从历史的角度来看,权利质权制度自降生于古罗马法以来，在大陆法系国家和英美法系国家历经数千年的变化，已逐步演化成为一种相当成熟的担保制度，与动产质权一起共同构成现代担保制度不可或缺的一个重要的组成部分。由于权利质权制度自身的一系列优点，其发展甚至有超过动产质权之势。正因为如此，世界上规定了担保制度的国家基本上都在其民法典中或其他法律中确立了权利质权的法律地位。我国正处于市场经济大发展的时期，急需设立各种担保制度来保障经济交易的安全，提高经济活动的效益，权利质权制度作为一种比较成熟的担保方式理应在我国担保制度中占据一席之地。而且，现阶段完善权利质权制度，能够使我国法律所规定的各种担保方式形成有机的统一体，为市场经济的发展提供完备的法律保障。

2. 有利于开拓新的担保资源，改变我国的担保结构。在我国历史上，有形财产一直是最重要的担保资源，动产质押、不动产抵押是财产担保的最重要的手段，特别是不动产抵押处于各种担保方式之手，享有"担保之王"的美誉。但到了20世纪90年代，特别是亚洲金融危机爆发之后，传统的担保资源特别是土地、房屋的价格极剧下降，有形财产的价值急剧贬值，使设定于这些有形财产之上的抵押制度、动产质押制度受到了前所未有的挑战，大量的金融贷款面临着各种担保乏力的信用风险。为此，寻找新的担保资源，发挥担保的保障功能，就成为上世纪末各国政府所不得不审视的一个重要课题。例如，日本政府在1987年后，其长期高速发展的经济开始衰退，特别是90年代爆发的亚洲金融危机使其经济需上加霜，日本经济步入低迷时期。这种经济的不景气使金融机关的不良债权问题日益突出，其中一个重要原因就是用作担保的土地、房屋等不动产的价值大幅缩水，使人们对传统的以有形财产为主要担保资源的担保方式发生了怀疑。在此背景下，包括知识产权在内的无形财产的价值日益凸现，日本通产省特地委托财团法人知识产权研究所考察了知识产权的担保问题并出具了评估报告，知识产权担保迅速成为日本社会担保制度中的一个重要方面[1]。我国正处于市场经济高速发展时期，大量的商品交易活动需要有发达的信用制度来保驾护航，而我国目前经济担保仍然属于以不动产抵押为主的传统担保阶段，某些地区不动产价值缩水的问题不仅对当地经济产生冲击，而且严重影响了信贷的安全。但与此同时，为数众多的知识产权、股权、债权等无形财产的价值未为人们所认识，现实生活中以这些无形财产作为担保的实例并不多见，这种局面无疑使我国广大企业在实践中感到可供担保的财产十分匮乏。显然，上述问题的存在与我国现阶段对权利质权这种担保方式的认识不足存在着密切的联系。从其他国家的发展趋势来看，当今世界各国都在积极开发新的担保资源，特别是以知识产权为主的担保资源。我国作为一个知识产品十分丰富的大国，理应对此予以高度重视。从未来的发展趋势来看，权利型资产如股权、债权、知识产权等的种类将会越来越广泛，一些新型资产如球队冠名权、球赛转播权等都将纳入无形财产的范围，这必将大大丰富可供担保的资产种类。更为重要的是，一旦我国完善了以知识产权、股权、债权等无形财产为主的权利质权制度，就又开辟了一条新的担保渠道，且可以在很大程度上减少因有形财产缩水所形成的不良债权，从而在我国形成以有形财产和无形财产为主体的主要担保方式，优化我国的担保结构。

3. 有利于充分发掘无形财产的价值，从以占有为重心转向以利用为重心。长期以来，无形财产的利用在我国一直未得到充

---

[1] [日] 鎌田薰编著：《知的财产担保の理论と实务》，信山社出版株式会社1997年版第1页。

分的发展，这不仅与传统思想对无形财产不重视有关，而且与我国制度上的不健全密切相关。因此，人们对无形财产的利用手段十分单一，企业只是将无形财产作为一项资产进行统计而未充分挖掘其经济利用价值。实际上，无形财产与有形财产一样，同样存在着交换价值与使用价值，人们除了可以对它们予以使用外，还可以利用其交换价值作为担保。只有完善权利质权制度，才能为无形财产交换价值的实现创造条件，才能使其使用价值和交换价值得以充分的展现。以专利权质押为例，如果企业仅将所持有的专利技术予以转让，则只能实现专利权的使用价值，而不能体现其交换价值；如果企业以专利权来作为借贷担保，则使该专利权的交换价值得到了体现，企业同时可以利用借贷资金大力推广专利技术，从而实现了无形财产效益的最大化。此外，发展股权质权将对我国经济的发展产生巨大的推动作用。据统计，截止2001年底，我国境内有上市公司1300余家，市值达6万多亿元，约相当于2000年的GDP的65%，累计筹资6300多亿元。在此基础上，发展股权质权，其意义十分深远。①可以通过股权融资，促成大量的商业银行资金进入证券市场，刺激股市，拉动社会总需求；②可以改善银行的融资结构，帮助银行消化我国巨额的银行存款，提高金融效率；③可以使证券公司利用股权质押贷款改善公司的资金状况，促使股价的上扬，从而有助于国有企业的资产重组和新股的上市发行，也为我国股市二板市场的建立奠定良好的资金基础。正如有的学者所言，我国目前所实行的股票质押制度的实质在于"通过鼓励商业银行的短期信用扩张，促进货币市场和资本市场的进一步发展。"[1]

---

[1] 武剑："股票质押融资的经济效应与风险"，载《中国证券报》1999年12月23日，第19版。

第二节 完善我国权利质权制度的具体构想

我国目前正在制定民法典,权利质权制度作为物权的一个重要组成部分理应得到应有的重视。为了完善这一制度,更好地为社会主义市场经济服务,我们应当在立足中国国情的基础上,广泛借鉴发达国家的成熟的立法经验,以安全、效率和公平为价值取向,构建完善的法律制度。具体而言,我们应当在以下几个方面来完善我国的权利质权制度。

一、权利质权制度立法体例的完善

权利质权从本质上属于担保物权的一种,英美法系国家一般在财产法中予以规范,而大陆法系国家则在民法典中将其规定在担保物权制度之中。我国目前正在制定民法典,权利质权制度作为现代社会一种重要的担保制度理应在该法典中得到确认,因此我国应在制定民法典时将其纳入物权体系之中。

从各国所规定的权利质权的立法例来看,英美法系国家和大陆法系国家的立法体例并不相同。前者一般将其作为动产质权的一个特殊组成部分,主要是因为英美法系国家习惯上将债权、知识产权、股权、有价证券等无形财产作为动产的一个特殊组成部分;而后者既有将权利质权作为动产质权的一部分的,也有将权利质权与动产质权并列立法的。以法国为代表的国家将债权、股权、定期金等无形财产作为动产,因而债权质权、有价证券质权等权利质权被作为动产质权的一种;以德国、瑞士、日本等国为代表的国家,已将有体物与无形财产(无体物)明显区分开来,并认识到该制度的重要性,因而权利质权制度上升为与动产质权相并列的一种制度。从各国的立法趋势来看，无形财产在经济生活中的地位日益突出，以其为标的的权利质权制度逐渐演化为现代社会中的一个重要的担保类型，甚至有超过动产质权之势，因此，我们在设计权利质权制度之时，不能对其发展势头熟视无睹，应当将该制度作为与动产质权相并列的一种担保制度，使其获得应有的法律地位。从我国现行法律规定来看，我国《担保法》第四章《质押》分两节将权利质押作为与动产质押相并列的一项制度，从而与该制度的发展趋势相适应。但从名称上讲，"权利质押"一词重在强调担保的方式，而"权利质权"制度重在强调担保权人的基本权利，既然权利质权是一种基本的担保物权，理应突出其权利的本质，以维护质权人的利益，因此我国将来在制定民法典物权篇时应当采用"权利质权"一词。

各国法律在对权利质权制度进行规范时，其法律渊源亦不相同。从多数国家的立法来看，民法典中一般规定债权质权、股权质权、有价证券质权等基本的法律规范，而商法典、公司法、知识产权法等特别法又专门对股权、知识产权、有价证券等无形财产的质权问题作出专门规定，采取该立法例的有日本、法国、美国等国，其主要原因是因为公司、知识产权、有价证券等制度在上述国家的诞生要比其民法典或财产法的产生晚得多，因而未能及时在民法典或财产法中反映出来。我国的权利质权制度与之有类似之处，除《担保法》中对权利质权制度作出一般性规范外，另在《票据法》、《合伙企业法》等法律中对票据、合伙出资的质押作出了专门性规范。除此之外，我国还在《著作权质押合同登记办法》、《专利权质押合同登记管理暂行办法》、《商标专用权质押登记程序》、《证券公司股票质押贷款管理办法》、《最高人民法院关于审理存单纠纷案件的若干规定》、《最高人民法院关于适用〈中华人民共和国担保法〉若干问题的解释》等行政法规和司法解释中对权利质权问题作出了具体规定。可见，我国目前已形成了以《担保法》为龙头，以特别法、部委规章、司法解释为配套的权利质权法律体系。从法律的规范性来讲，笔者认为，现存这种立法体系尽管涉及面较广，但并不科学、协调。①《担保法》的规定过于粗疏，缺乏可操作性；②各种特殊的权利质权制度分别由各部委、最高人民法院下文予以解释，缺乏司法的权威性；③上述立法体系分别由法律、规章、司法解释组成，体系混乱，且各部门在解释时容易发生矛盾，给司法实践带来混乱。正因为如此，笔者主张我国在将来制定民法典物权篇时，应当对权利质权的立法体系加以协调。首先，民法典中应当对权利质权制度的一般性问题予以规范，如规定权利质权的制度准用动产质权的规范，权利质权制度准用权利转让的规范，规定权利质权的种类、各类权利质权设定的方式、效力、实行的方式及后果、权利质权的登记，等等。在作上述规范时，考虑到我国民法典出台较晚的历史现实，我国不必在专门法规中对知识产权、票据等无形财产的质权作出规定，而可以直接在民法典中对相关制度予以规范，以便促进法律的协调性和规范性。对于最高人民法院的司法解释，笔者认为可以将其中一些比较科学的解释上升为法律，尽量减少司法机关扩大解释、越权解释的现象。对于部委规章，笔者认为，它们主要涉及权利质权的登记方面，我们可以通过改革登记制度来减少这些规章，具体做法将在后文论述。采取这种作法，既可以保障法律的权威性，又有利于促进法律体系的科学性。

二、权利质权标的种类范围的完善

从各国的法律实践来看，权利质权的标的一般为所有权以外可转让的财产权。以瑞士为代表的国家在其民法典中以概括的方法规定了权利质权的种类,而以法国为代表的国家则以列举的方式规定了可出质的权利种类。尽管立法体例有别,但各国一般都将债权、有价证券、知识产权、股权等权利作为出质的标的。我国《担保法》第75条以列举和概括的方式规定了权利质权的种类:"下列权利可以质押:(一)汇票、支票、本票、债券、存款单、仓单、提单;(二)依法可以转让的股份、股票;(三)依法可以转让的商标专用权,专利权、著作权中的财产权;(四)依法可以质押的其他权利。"这种立法例既具体又灵活,它一方面列举出了日常生活中常见的可供质押的几类权利,另一方面又以"依法可以质押的其他权利"一词来涵盖《担保法》未规定到的其他几类权利,具有一定的科学性。但本条的立法缺陷也显而易见:①该条未明确规定在权利质权制度中最为常见最为重要的一类质权——普通债权质权,从而缩小了该制度的应用范围,因而有必要在将来制定民法典时予以补充;②在规定股权质权时,将有限责任公司股东的出资称为"股份",其用语不准确,且未明确指出该股份、股票是否包括未上市公司的股票。这些都有必要在将来立法时予以明确;③在规定知识产权质权中,仅规定了商标专用权、专利权、著作权中的财产权的出质,对于商号、集成电路布图设计权、植物新品种权、商业秘密权等知识产权的出质则未提及,这都有必要在将来予以补充;④"依法可以质押的其他权利"一词用语不准,因为它与本条中的"下列权利可以质押"一词构成同义反复,没有对可以出质的权利的性质作出界定,因而笔者认为,根据理论界和司法界对权利质权标的的认识,应当采用"依法可以转让的所有权、不动产用益权以外的其他权利"一词较为准确,因为后者可以概况可出质的权利的特点。另外,《最高人民法院关于适用〈担保法〉若干问题的解释》第97条规定:"以公路桥梁、公路隧道或者公路渡口等不动产收益权出质的，按照担保法第七十五年第（四）项的规定处理。"也即，不动产的收益权如公路桥梁、公路隧道、公路渡口等收费权可以作为《担保法》第75条第4项所规定的"依法可以质押的其他权利"来质押。实际上，这些不动产收益权为附属于不动产之上的财产权，民事理论上习惯将它们视为与不动产相似的财产，在其上面设定的担保宜作为权利抵押对待而非权利质押。所以，笔者主张在将来不宜将上述权利作为出质的标的。

三、权利质权设定方式的完善

权利质权的设定是权利质权取得的最主要的原因。各国一般都在立法中确认，权利质权在设定时一般准用动产质权的规则并遵循权利让与的规则。约定质权是权利质权设定的最主要的方式，权利质权在设定时一般由当事人签订权利质押合同，并移交相关的权利凭证，需要办理出质登记的应当办理出质登记。

我国《担保法》第81条明确规定："权利质押除适用本节规定外，适用本章第一节的规定。"即权利质权除适用法律的特殊规定外，应当适用第一节动产质权的相应规则。在此，我国"担保法"采用的是"适用"而非"准用"一词，这实际上暗示动产质权的某些规则可以直接在权利质权部分适用而无需类推。笔者认为，"准用"一词似更准确，因为它可以揭示权利质权与动产质权尽管存在相同之处但二者之间毕竟有所差异，因而在适用上只能类推而不能直接照搬，所以立法上采用"准用"一词更为准确。关于权利质权在设定时应当遵循权利让与规定的规则，我国《担保法》并未明确规定，实际上，该法在规定股权质权、有价证券质权等问题时都遵循了该规范，所以从立法的严密性、周延性而言，宜将这一基本规则明确确认下来，以起到兜底的作用。

关于权利质权的具体设定方式，现行法律仅列举出了有价证券质权、股权质权、部分知识产权质权的设定方式，其范围十分有限。笔者认为，现行法律应当补充规定普通债权质权、其他知识产权、合伙企业出资额质权的内容。

就普通质权的设定而言，应当规定，以普通质权出质的，当事人应当达成书面设质合同，有债权证书的，应交付债权证书，质权自交付之时生效；无债权证书的，质权自当事人达成书面设质合同时生效。为了保护出质债权中第三人的利益，法律中还应当规定，以普通债权出质的，出质人或质权人非依债权让与的规定将设质情由通知第三债务人的，不得对抗第三债务人及第三人。

就有价证券质权的设定而言，我国《担保法》第76条非常笼统地规定："以汇票、支票、本票、债券、存款单、仓单、提单出质的，应当在合同约定的期限内将权利凭证交付质权人。质押合同自权利凭证交付之日起生效。"显然，该规定未明确区分无记名证券和记名证券在设质上的差别。实际上，无记名证券在设质上与动产质权相似，当事人在达成设质合意后将其交付于质权人即生质权设定的效力，主要该设质合意是否必须为书面形式，则根据各国对交易安全的态度来确定。对于记名证券和指示证券，多数国家规定这些证券在设质时需要当事人达成设质合意并移交有背书的证券。日本法则将设质背书作为对抗第三人的条件。从鼓励质权成立及保护交易安全的角度考虑，笔者认为我国将来在立法时，应当详细区分无记名证券和记名证券、指示证券的设质条件，并仿效日本立法，将设质背书作为对抗第三人的条件，这在《最高人民法院关于适用〈担保法〉若干问题的解释》有关票据出质和债券出质的规定中也有所体现。

就股权质押而言,它包括股票质权、有限责任公司股权质权、无限公司股权质权与两合公司股权质权。①无记名股票在设质时适用无记名证券之设质方式,记名股票适用记名证券之设质方式,即无记名式股票设定质权时以当事人达成设质合意并交付股票为生效要件,以记名式股票设定质权者,除上述条件外,还应依背书方法为之。至于记名股票的设质登记,既有像法国法那样将其作为设质生效条件的,也有像日本法那样将其作为对抗第三人要件的。②有限责任公司之股权也可作为出质的标的,该股权在设质时一般以当事人的设质合意及股东出资证明书的交付为要件,股权设质在公司股东名册上的记载一般为对抗第三人的要件。③无限公司股权在设质时除当事人之间达成设质合意、移交出资证明外,还须经其他全体股东的同意才能设立。④就两合公司的股权设质而言,无限股东之股权在设质时应经全体股东的同意,有限股东股权设质时一般经全体无限股东之承认即可。我国现行《担保法》在规定股权质权时十分简单、笼统。就股票质权而言,该法第78条第1款规定:"以依法可以转让的股票出质的,出质人与质权人应当订立书面合同,并向证券登记机构办理出质登记。质押合同自登记之日起生效。"显然,该条既未区分记名股票与不记名股票的设质,也未区分区分上市公司与非上市公司股票的出质问题,实际上它们在股票设质时存在明显的区别。因而《最高人民法院关于适用〈担保法〉若干问题的解释》第103条补充规定:"以上市公司的股份出质的,质押合同自股份出质向证券登记机构办理出质登记之日起生效。以非上市公司的股份出质的,质押合同自股份出质记载于股东名册之日起生效。"笔者认为,由于上市公司的股票目前都采取电子交易方式,因此《担保法》第78条第1款规定股票设质的要件是当事人的书面合意及出质登记,这比较符合现行上市股票交易的实际，但尚需就出质股票的保管和处分作出具体规定，以体现出质股票的占有移转效力。至于非上市公司的股票的设质问题，我国《担保法》未予规定，这是一个明显的缺陷。对于该类股票的出质问题，今后可以规定，无记名股票的设质以当事人之间的设质合意及股票的交付为设质的生效要件，而记名股票的设质可以以当事人之间的设质合意、出质人的设质背书、记名股票的交付作为生效要件。而在设质的对抗要件上，可以以设质事项记载于股东名册上作为记名股票设质的对抗公司要件，以占有股票作为对抗第三人的要件。关于有限责任公司股权的设定，我国《担保法》第78条第3款规定："以有限责任公司的股份出质的，适用公司法股份转让的有关规定。质押合同自股份出质记载于股东名册之日起生效。"该条混淆了质押合同的生效与质押生效两个不同的问题，因为质押合同一般自当事人达成设质合意并交付出资证明书为生效要件，设质事项记载于股东名册上可作为对抗第三人的要件。关于无限公司股权的设质，可以参照《合伙企业法》的规定，以当事人之间的设质合意、其他合伙人的一致同意、出资证明书的交付作为设质生效的要件。至于两合公司股权的设质，可以规定无限股东之股权在设质时应经全体股东的同意，有限股东股权设质时一般经全体无限股东之承认，为设质必要条件之一。

就知识产权质押而言，多数国家一般都未在民法典中专门予以规定，而是在知识产权法中作出了十分简略的规定，其设定规则一般适用普通权利设定的规范。从国外实践来看，知识产权的设质登记一般为对抗第三人的条件，而非质权成立的要件。我国《担保法》第79条规定："以依法可以转让的商标专用权、专利权、著作权中的财产权出质的，出质人与质权人应当订立书面合同，并向其管理部门办理出质登记。质押合同自登记之日起生效。"可见,上述知识产权设质时以当事人之间的设质合意、设质登记作为质权设定的要件。笔者认为,上述规定的不足在于,一是遗漏了植物新品种权、集成电路布图设计权、商号权等知识产权的设质问题,二是将设质登记作为知识产权质权设定的要件,这既会加大当事人的设质成本,也不利于提高效率。因此,该法在修订时,一是应当补充规定其他知识产权的设质要件,二是应当以当事人之间的设质合意作为知识产权质权设定的生效要件,而以设质登记作为对抗第三人的要件,以提高质权设定的效率,促进质权的设定。

四、权利质权效力的完善

权利质权的效力问题涉及权利质权的效力范围、出质人的权利义务、质权人的权利义务、权利质权的实行、权利质权的消灭等问题。

关于权利质权的效力范围,多数国家未予专门规定,而是适用动产质权的相关规定,即质押担保的范围包括主债权及利息、违约金、损害赔偿金、质物保管费用和实现质权的费用。质押合同另有约定的,按照约定。至于权利质权效力所及的标的范围,理论上有所争议。就有价证券设质而言,质权的效力一般及于已交付质权人的有价证券及从证券,而不及于未交付的从证券,设质后新生的从证券也为质权效力所及。就债权质权而言,其质权效力一般及于债权及利息。此外,权利质权还及于其标的的代位物,如标的灭失所得的损害赔偿金等。我国《担保法》对动产质权的上述问题作了规定,而未对权利质权的相关问题作出专门性规定,这可能会给司法实践带来不便。从便于执法的角度来看,笔者认为,对于权利质权中可适用动产质权一般规则的问题可不作规定,但对于一些特殊的问题,如有价证券质权、债权质权、股权质权效力所及的问题,应当作出明确的规定,即有价证券的质权效力一般及于出质人交付的有价证券及从证券,不及于未交付的部分;出质后新生的从证券,也为质权效力所及。债权质权的效力及于主债权及其孳息。股权质权的效力及于出质的股权及其法定孳息,等等。

关于出质人的权利义务,各国一般在法律中规定出质人有处分权接受限制的义务、保全出质权利的义务,股权出质人在出质后仍有出席股东会的权利,等等。我国《担保法》也规定了出质人有处分权接受限制的义务,如《担保法》第78条第2款禁止股票出质人转让股票,第80条禁止出质人转让知识产权,第101条禁止有价证券出质人转让或质押已出质的有价证券,除非上述这些转让或质押行为得到了质权人的许可。笔者认为,国外法所规定的对出质人处分权的限制方式多是禁止出质人随意变更或消灭出质的权利,而我国《担保法》及其司法解释则是不允许出质人转让出质的权利,这实际上是对于出质人所有权的一种干预,因为该权利尽管已出质,但出质人并未丧失对上述权利的法律上的处分权,他们有权将这些权利转让,更有权将它们出质(当然,这应在未超出其担保价值的条件下)。所以,我国《担保法》将来应对处分权的限制方式作出明确的规定,即不允许出质人在权利出质后随意变更或消灭。关于权利保全的规定,尽管我国《担保法》未予明确,但可以准用动产质权的相关规定。关于股权出质后出质股东仍有权参加股东大会的权利,一般都为各国法律或司法实践所肯定,我国法律亦应对此予以明确。

关于质权人的权利,各国法律一般规定质权人享有留置权利证书的权利、收取孳息的权利、转质权、对权利质权受侵害的救济权、实行质权的权利,等等。与此同时,质权人负保管出质标的及返还出质标的的义务。我国《担保法》对上述问题有所反映，但并不周全，仍有予以完善的必要。具体而言，就债权质权而言，我国《担保法》未明确规定普通债权质权人享有的权利，因而存在立法上的疏漏之处，今后应当在立法中规定债权质权人享有留置债权证书的权利、收取孳息的权利、转质权、对于债权质权受侵害的救济权及实行债权质权的权利，等等。就有价证券质权而言，现行法律未对质权人的保全权作出规定，而从实际生活来看，有价证券贬值的实例很常见，为了维护质权人的利益，应当明确规定质权人在出质的有价证券的价格下降较大危害质权人利益时，质权人有保全质权的权利。就股权质权而言，我国法律应当明确质权人有留置出质股票、股东出资证明的权利、收取分配盈余的权利、转质权、保全股权的权利、实行质权的权利，等等。就知识产权质权而言，我国法律应当明确质权人享有孳息收取权、转质权、权利保全权、实行质权的权利，等等。在质权人的义务方面，我国法律应当明确规定质权人负有妥善保管出质标的的权利凭证的义务，在质权消灭时，负有协同出质人办理涂销登记的义务。

权利质权的实行，是权利质权效力的一个非常重要的表现，它因质权标的的不同而有不同的实行方式。

（1）债权质权的实行。当被担保债权的清偿期与出质债权的清偿期一致时，债权质权人可以直接请求出质债权的债务人向自己给付。如果出质债权的清偿期早于被担保债权的清偿期，质权人或出质人有权要求第三债务人提存其清偿金额。如果出质债权的清偿期晚于被担保的债权的清偿期，则当出质债权的清偿期来临时，质权人可直接向第三债务人请求给付。我国《担保法》未明确规定普通债权的实行方法，将来应当将这些实行方法明确规定入民法典之中。

（2）有价证券质权的实行。如果有价证券的到期日与被担保的债权的到期日一致，那么，质权人可以直接向第三债务人（即证券关系的债务人）提示证券，请求给付，而第三债务人也可向质权人给付。如果有价证券的到期日早于被担保债权的到期日，质权人也有权请求第三债务人履行给付并予以保管。如果有价证券的到期日晚于被担保债权的到期日，质权人在被担保债权未获清偿的情形下，可以等待有价证券的清偿期届至时再实行其质权，但也可以不待证券的清偿期到来就实行其质权而优先受偿。我国《担保法》仅规定了有价证券的到期日早于被担保债权到期日的质权实行方法，而未规定有价证券的到期日晚于被担保债权的到期日的质权实行方法，因而在内容上存在明显的欠缺。根据《担保法》第77条的规定："以载明兑现或者提货日期的汇票、支票、本票、债券、存款单、仓单、提单出质的，汇票、支票、本票、债券、存款单、仓单、提单兑现或者提货日期先于债务履行期的，质权人可以在债务履行期届满前兑现或者提货，并与出质人协议将兑现的价款或者提取的货物用于提前清偿所担保的债权或者向与出质人约定的第三人提存。"笔者认为，该条也存在明显的不足之处：①该条中的"债务履行期"的一词含义不明，应当明确规定该债务履行期是指"被担保的债权的履行期"；②该条规定质权人以兑现的价款或者提取的货物提前清偿所担保的债权或者提存的前提是与出质人达成协议，那么，如果质权人与出质人未达成协议，质权人应当采取什么措施，法律上未予明确。笔者认为法律上应当补充规定，如无协议，则有价证券的债务人应当将款项或货物向提存机关提存；③根据其他国家的法律实践，如果质权人收取了有价证券所代表的货物，则质权移转于该货物之上，即成立动产质权。而第77条采取了提前清偿与提存两种做法，与之存在显然的不同。如果将该货物提前清偿，会使出质人丧失期限利益，因而应取得出质人的同意。由于质权人所处的优势地位，一般会逼迫出质人同意，因而该规定有可能会产生不公平的后果；如果出质人不同意，则根据该条的规定，应当将该货物向第三人提存，那么，从理论上讲，证券质权应当在提存后的货物上转化为动产质权，[1]依动产质权的实行方法而实行。另外，第77条中的提存人是质权人与出质人"约定的第三人"，因而其范围并不局限于依法取得提存资格的提存机关，这与我国实践中提存机关较少、提存法律不完善存在很大的关系，这一局面很不利于当事人权利的实现。因此，要完善权利质权的规定，必须建立健全提存制度。其次，鉴于我国《担保法》未规定有价证券的到期日晚于被担保债权的到期日时质权的实行方法，《最高人民法院关于适用〈担保法〉若干问题的解释》第102条补充规定："以载明兑现或者提货日期的汇票、支票、本票、债券、存款单、仓单、提单出质的，其兑现或者提货日期后于债务履行期的，质权人只能在兑现或者提货日期届满时兑现款项或者提取货物。"根据这一解释，当有价证券的到期日晚于被担保债权的到期日的，质权人不能在有价证券的到期日前请求证券的债务人予以清偿。这一规定与普通债权的实行方法相同，但与其他国家所规定的证券质权实行方法明显不同，也未顾及有价证券与普通债权之间的差别。从我国现实来看，有价证券不同于普通债权的一个明显优点就在于其流通性强、变现容易，如果允许质权人在有价证券到期前兑现，则可以增强该证券的流通性，与证券之性质相符；反之，如果不允许质权他提前兑现或者提取货物，则该有价证券的流通性将被阻滞，

---

[1] 如果有价证券所代表的货物为不动产，则法律上应当规定质权人对该货物有一定的处分权。当债务人到期不履行主债务时，则质权人可依法将该不动产予以拍卖或变卖，以卖得的价金优先受偿。

以有价证券担保的优越性将荡然无存。所以，立法上应当允许质权人提取兑现款项。但应注意的是，对于仓单、提单等兼具货物凭证的证券，不宜允许质权人提前提取货物，以免损害上述证券中债务人的期限利益。

（3）股权质权的实行。无记名股票的质权在实行时与普通有价证券质权的实行很类似，可依强制执行程序就出质股票拍卖或变卖，以卖得的价金而优先清偿。记名股票也可通过拍卖或变卖方式予以实现，当该类股票质权实行后，质权人一般应当协助出质人办理涂销质权的登记。我国《担保法》第78条第2款规定："股票出质后，不得转让，但经出质人与质权人协商同意的可以转让。出质人转让股票所得的价款应当向质权人提前清偿所担保的债权或者向与质权人约定的第三人提存。"从该规定可以看出，股票出质后，在一般情况下不得转让，这是我国法律所规定的对出质人处分权的限制，同时体现了对质权人利益的一种偏向。从理论上讲，股票出质后，出质人并未丧失法律上的处分权，股票的转让应当得到法律的认许，出质人可以指示交付的方式转让股票。所以《担保法》第78条第2款禁止出质股票出让的规定与法理不符；而且，如果法律不允许该股票转让，则会影响该类财产的价值利用，这与当今注重财产用益价值的立法观也不相符。但应注意的是，尽管法律上应当允许出质股票的转让，但由于该股票上设定了质权，质权的效力续存于该转让后的股票上。那么，根据权利质权实行的一般原理，质权人只有待被担保的主债权到期后才能对出质股票实行。而我国《担保法》第78条第2款允许出质人在与质权人协商同意的情况下转让股票，那么，在有协议的情况下，出质人只能放弃其期限利益而以转让股票所得的价款提前清偿所担保的债权或向与质权人约定的第三人提存。上述规定显然对于出质人的处分权给予了较强的限制，即使允许股票转让，也是为了清偿债务而不是为了促进财产的流转，因此该条文反映了立法者急于解决债务拖欠的功利主义。此外，我国《担保法》未详细规定股票质权的实行方法，从而留下了立法上的漏洞。今后在完善该制度时，可以这样规定：股票出质后，出质人有权转让，质权仍然续存于转让后的股票之上。不过，出质人只能以指示交付方式来出让股票。此外，法律中还应规定股票质权的实行方式，如质权人可在证券交易机构通过公开竞价来出售股票，并就所得资金优先受偿。至于有限责任公司的股权质权的实行方式，一般也适用拍卖、变卖等方式，但应遵守股权转让的规定。我国《担保法》未对有限责任公司股权的实行方式作出明确的规定，这将会妨碍股权质权的实现。因此，将来应在法律中明确规定质权人可通过拍卖、变卖等方式来实行其质权。至于无限公司和两合公司的股权实行方式，也可适用拍卖或变卖方式，我国法律应对此予以明确。

（4）知识产权质权的实行。知识产权质权在实行时一般适用拍卖或变卖的方法来实现，我国《担保法》第80条规定："本法第七十九条规定的权利出质后，出质人不得转让或者许可他人使用，但经出质人与质权人同意的可以转让或者许可他人使用。出质人所得的转让费、许可费应当向质权人提前清偿所担保的债权或者向与质权人约定的第三人提存。"对此，《最高人民法院关于适用〈担保法〉若干问题的解释》第105条补充规定："以依法可以转让的商标专用权，专利权、著作权中的财产权利出质的，出质人未经质权人同意而转让或者许可他人使用已出质权利的，应当认定无效。因此给质权人或者第三人造成损失的，由出质人承担民事责任。"从以上规定可以看出，在知识产权质权的效力及实行问题上，我国《担保法》及其司法解释对该问题所持的态度与股权质权基本一致，即不允许出质后的知识产权由出质人予以转让,甚至不允许许可他人使用,否则不发生效力。这些规定未顾及到出质人作为权利持有人的利益,因为出质人尽管以该权利出质,但并未丧失其所有人地位,他仍有权对该权利予以法律上的处分,所以他有权将该权利转让或许可他人使用。那么,我国《担保法》第80条之所以这样规定,其实是担心质权人的利益落空。实际上,根据质权的一般原理,质权具有追及效力,当知识产权权利人转让了该权利,则质权仍然存在于受让人所取得的权利之上。当知识产权权利人许可他人使用知识产品时,质权的效力不仅存在于出质的知识产权上,还存在于许可使用费上。当然,如果出质人有意降低许可使用费或者免收许可使用费,则应看作是对质权的侵害,其处分权应受到限制。因此,为了鼓励财产的流转及利用,我国《担保法》应当允许出质人转让其权利或许可他人利用知识产品。另外,我国《担保法》并未明确规定权利质权的实行方式,这不能不算是一种立法上的缺憾。从《担保法》第80条的规定我们还可以看出,该条规定出质的知识产权在经出质人和质权人同意的情况下可以转让或许可他人使用,并以转让费、许可费向质权人提前清偿所担保的债权或者向与质权人约定的第三人提存,这实际上是间接承认了出质人可以通过转让其知识产权或许可他人使用知识产品来清偿债务人所负的债务。需指出的是,如果出质人与质权人没有事先就提存问题达成协议,那么出质人应当向谁提存呢?笔者认为,立法上应当规定出质人可向提存机关提存。另外,如果出质人不同意转让知识产权或许可他人利用知识产品,那么,质权人应当如何实行其质权呢?我国《担保法》并未明确规定,理论界也有人认为可以依法变卖、拍卖该质物。[1] 我们认为当债务人到期不清偿债务需要对知识产权质权予以实行时,可以参照动产质权的实行方式,将该出质的知识产权予以拍卖或变卖来实行,但应注意的是,知识产权拍卖或变卖后,出质人有义务协助权利的受让人办理知识产权的权利变更手续。另外,我国现行法中对知识产权的评估、拍卖都缺乏理论和实践上的经验,为了促进知识产权质权的发展,今后有必要补充这方面的规范。

(5)以他人对于自己之债权所设定的质权的实行。如果出质债权的清偿期先于质权所担保的债权的清偿期,且出质债权的标的与被担保债权的标的均是金钱时,以抵销方法来受偿。如果不能抵销,则质权人可以提出给付,以清偿其债权。如果出质债权的标的非为金钱,则可通过拍卖、变卖质物等方法来实行。如果出质债权与被担保债权的清偿期相同。在此情形,质权人可以提出出质债权的给付,供其主债权的清偿,如能抵销,可通过抵销方式进行。有价证券质权如发生质权人即为第三债务人的情形时,可根据有价证券实行的方法来实行,在适于抵销的情形时,可用抵销方式进行。我国法律未对上述问题作出规定,将来应予以补充。

关于权利质权的消灭,可准用动产质权的相关规定。

五、权利质权相关制度的完善

如前所述,权利质权制度具有非常重要的价值,那么,为什么我国现阶段该制度未得到充分的发展呢?笔者认为,造成这一局面的原因,除了有制度本身的内在原因外,尚有一些外在因素

---

[1] 刘瑛:"版权质押合同及其质权人的利益保障",载《知识产权》2001年第2期。

未得到解决,[1] 具体如下:

  1. 我国现行担保登记制度不够完善。我国《担保法》在担保债权设定方面规定了大量的担保登记机关,撇开大量的有形财产登记机关不谈,单就权利质权设定方面就规定了较多的登记机关,如股票出质的登记机关为证券登记机构,专利权出质的登记机关为国家知识产权局,商标专用权出质的登记机关为国家工商行政管理局商标局,著作权出质的登记机关为国家版权局,植物新品种权出质的登记机关为国务院农业、林业行政部门,商号权出质的登记机关为工商行政管理部门,等等。如果出质人以两项以上的无形财产或以有形财产和无形财产共同出质,其登记机关更为复杂。而且,各登记机关所发布的登记程序内容相差甚远,其登记期限和费用也并不相同。从质权设立的公示和公信原则而言,进行登记制度对于保护第三人的利益十分有益,应当大力提倡。但在我国目前登记机关众多,登记程序不一的情况下,合同当事人要想设立质权,必须有相当多的法律专业知识,而且应有相当多的时间。从成本与效率的角度来考虑,这种登记制度会加重质权设立的成本,降低质权设立的效率,因此它是一种不太经济的制度。当务之急,我们应当改革权利质权乃至担保债权的登记制度,设立统一的债权担保登记机关,统一登记程序,合理制定收费标准,以便于当事人进行担保登记。唯如此,才能降低当事人的担保成本,提高担保设定的效率,促进担保的设立,维护债权的安全。

  2. 我国现行提存制度不够完善。权利质权在实行时,经常要适用提存制度,而我国现阶段的提存制度的不完善,又常常使当事人无所适从。具体而言,我国1986年颁布的《中华人民共

---

[1] 关于制度本身的缺陷,笔者已在前文做过论述,为避免重复,此处不再赘述。

和国民法通则》对提存未作明确规定，只是最高人民法院在对其进行司法解释时通过第 104 条对提存作出了概括性规定，即"债权人无正当理由拒绝债务人履行义务，债务人对将履行的标的物向有关部门提存，应当认定债务已经履行。"司法部在 1995 年 6 月发布了《提存公证规则》，从公证机关如何办理提存公证的角度，详细规定了提存的原因、条件、程序、法律效力，等等。我国《合同法》第 91 条明确规定提存为合同权利义务关系终止的事由之一，并以第 101—104 条规定了提存的原因、风险责任、法律后果等问题，但却未对提存机关作出详细的规定。而且，提存是否仅限于金钱、物品或有价证券，不动产能否提存？学者们对此争议很大。[1] 权利质权设定后，当需要提存时，负有提存义务的当事人往往不知道应当向何机关提存，如果涉及的是不动产，更是无从下手。因此，要完善权利质权制度及其他担保债权制度，必须完善提存制度，法律上应当明确规定提存的机关、提存的原因、提存的标的、提存的程序、提存的法律后果，等等。

3. 我国现行评估制度很不完善。我国尽管规定有知识产权质权制度，但迄今为止，尚无一件知识产权质权在有关机关登记。造成这一现象的原因是多方面的，其中一个很重要的原因是我国欠缺完善的知识产权评估制度，人们无法衡量出质的知识产权的价值，更不清楚在将来质权实行时该知识产权可能价值几何，当然不可能去设定质权。对此，一些学者曾撰文指出，我国目前无形资产评估方面存在如下问题：执业主体对行政机关依附性强而造成能力缺乏，执业人员素质差影响了评估质量，评估缺

---

[1] 参见张广兴：《债法总论》，法律出版社 1997 年版，第 276 页；史浩明："论提存"，载《法商研究》2001 年第 6 期。

乏统一的标准及规则而影响了评估的后果,等等。[1] 所以,完善知识产权制度,首要的问题是应当完善知识产权的评估制度,可由法律界、会计学界的专家共同攻关,制定出合理的知识产权评估标准及办法,为知识产权质权的设定及实行打下夯实的基础。

总之,完善我国的权利质权乃至债权担保制度任重而道远,我们应从该制度的本身及外因方面来完善,以促进我国物权制度的发展。

---

[1] 参见卢平等:"对我国无形资产评估立法问题的思考",载《法商研究》1996年第3期。

主要参考文献

一、中文参考书

1. 周■著：《罗马法原论》，法律出版社 1994 年版。
2. ［英］巴里·尼古拉斯著，黄风译：《罗马法概论》，法律出版社 2000 年版。
3. ［罗马］查士丁尼著：《法学总论——法学阶梯》，张企泰译，商务印书馆 1993 年版。
4. ［意］彼德罗·彭梵得著，黄风译：《罗马法教科书》，中国政法大学出版社 1992 年版。
5. 赵中孚主编：《民商法理论研究》第 1 卷、第 2 卷，中国人民大学出版社 1999 年、2000 年版。
6. 梁慧星著：《民法解释学》，中国政法大学出版社 1995 年版。
7. 王泽鉴著：《民法总则》，中国政法大学出版社 2001 年版。
8. 胡长青著：《中国民法总论》，中国政法大学出版社 1997 年版。
9. 曾世雄：《民法总则之现在与未来》，台湾三民书局 1993 年版。
10. ［葡］Carlos Alberto da Mota Pinto：《民法总论》，澳门

法律翻译办公室 1999 年版。

11. 佟柔主编：《中国民法学·民法总则》，中国人民公安大学出版社 1990 年版。

12. 梁慧星著：《民法总论》，法律出版社 1996 年版。

13. [日] 田宫和夫著，唐晖、钱孟珊译：《日本民法总则》，台湾五南图书出版公司 1995 年版。

14. [日] 北川善太郎著：《日本民法体系》，李毅多等译，科学出版社 1995 年版。

15. 郑玉波等主编：《现代民法基本问题》，台湾汉林出版社 1981 年版。

16. 王泽鉴：《民法学说与判例研究》，中国政法大学出版社 1998 年版。

17. 刘德宽著：《民法诸问题与新展望》，台湾三民书局 1980 年版。

18. 王泽鉴：《最新综合六法全书》，台湾三民书局 1994 年版。

19. 林纪东等编纂：《新编六法参照法令判解全书》，台湾五南图书出版公司 1986 年版。

20. 蔡墩铭主编：《民法立法理由》，台湾五南图书出版公司 1990 年版。

21. [德] 迪特尔·梅迪库斯著，邵建东译：《德国民法总论》，法律出版社 2000 年版。

22. 李宗锷编：《香港日用法律大全（二）》，商务印书馆（香港）有限公司 1995 年版。

23. [意] 桑德罗·斯契巴尼选编，范怀俊译：《物与物权》，中国政法大学出版社 1999 年版。

24. 孙宪忠著：《德国当代物权法》，法律出版社 1997 年版。

25. [英] F. H. 劳森、B. 拉登著, 施天涛等译:《财产法》, 中国大百科全书出版社 1998 年版。

26. 李进之等著:《美国财产法》, 法律出版社 1999 年版。

27. 王利明著:《物权法论》, 中国政法大学出版社 1998 年版。

28. 钱明星著:《物权法原理》, 北京大学出版社 1994 年版。

29. 郑玉波主编:《民法物权论文选辑》下, 台湾五南图书出版公司 1984 年版。

30. 辛学祥著:《民法物权论》, 台湾商务印书馆 1980 年版。

31. 郑玉波著:《民法物权》, 台湾三民书局 1995 年版。

32. 倪江表著:《民法物权论》, 台湾正中书局 1965 年版。

33. 黄右昌著:《民法诠释——物权编》, 台湾商务印书馆 1977 年版。

34. 谢在全著:《民法物权论》, 中国政法大学出版社 1999 年版。

35. 陈华彬著:《物权法原理》, 国家行政学院出版社 1998 年版。

36. 梁慧星主编:《中国物权法研究》, 法律出版社 1998 年版。

37. 梁慧星主编:《中国物权法草案建议稿:条文、说明、理由与参考立法例》, 社会科学文献出版社 2000 年版。

38. 史尚宽著:《物权法论》, 中国政法大学出版社 2000 年版。

39. 梁慧星、陈华彬编著:《物权法》, 法律出版社 1997 年版。

40. 杨与龄著:《民法物权》, 台湾五南图书出版公司 1982 年版。

41. 姚瑞光著：《民法物权论》，台湾海宇文化事业有限公司1995年版。

42. 尹田著：《法国物权法》，法律出版社1998年版。

43. ［日］田山辉明著，陆庆胜译：《物权法》，法律出版社2001年版。

44. 董开军著：《债权担保》，黑龙江人民出版社1995年版。

45. 曹士兵著：《中国担保诸问题的解决与展望》，中国法制出版社2001年版。

46. 沈达明编著：《法国/德国担保法》，中国法制出版社2000年版。

47. 邓曾甲著：《中日担保法律制度比较》，法律出版社1999年版。

48. 何美欢著：《香港担保法》，北京大学出版社1995年版。

49. 郭明瑞等著：《担保法新论》，吉林人民出版社1996年版。

50. 许明月著：《英美担保法要论》，重庆出版社1998年版。

51. 邹海林等著：《债权担保的方式和应用》，法律出版社1998年版。

52. 徐武生著：《担保法理论与实践》，工商出版社1999年版。

53. 毛亚敏：《担保法论》，中国法制出版社1997年版。

54. 羊焕发：《质押制度研究》，中国人民大学博士学位论文2000年。

55. 王闯著：《让与担保法律制度研究》，法律出版社2000年版。

56. 许明月著：《抵押权制度研究》，法律出版社1998年版。

57. ［日］我妻荣著：《债权在近代法中的优越地位》，中国政法大学出版社 1999 年版。

58. 王利明、崔建远著：《合同法新论·总则》，中国政法大学出版社 1996 年版。

59. 史尚宽著：《债法总论》，中国政法大学出版社 2001 年版。

60. 孔详俊著：《合同法教程》，中国人民公安大学出版社 1999 年版。

61. 杨建华著：《票据法要论》，台湾汉林出版社 1979 年版。

62. 王小能主编：《中国票据法律制度研究》，北京大学出版社 1999 年版。

63. 黄献全著：《金融法论集》，台湾三民书局 1991 年版。

64. 施天涛主编：《证券法释论》，工商出版社 1999 年版。

65. 卞耀武：《当代外国公司法》，法律出版社 1995 年版。

66. 柯芳枝著：《公司法要义》，台湾三民书局 1995 年版。

67. 成之德主编：《资产证券化理论与实务全书》，中国言实出版社 2000 年版。

68. 杨志华著：《证券法律制度研究》，中国政法大学出版社 1995 年版。

69. 李茂堂著：《商标法之理论与实务》，台湾三民书局 1979 年版。

70. 张今著：《知识产权新视野》，中国政法大学出版社 2000 年版。

71. 陈仲主编：《无形资产评估导论》，经济科学出版社 1995 年版。

72. 参见郑成思主编：《知识产权价值评估中的法律问题》，法律出版社 1999 年版。

73. 刘京城编著：《无形资产的价格形成及评估方法》，中国审计出版社 1998 年版。

74．［法］克洛德·科隆贝著，高凌翰译：《各国著作权和邻接权的基本原则——比较研究》，上海外语教育出版社 1995 年版。

75．汤宗舜著：《专利法教程》，法律出版社 1996 年版。

76．［美］迈克尔·D·贝勒斯著，张文显等译：《法律的原则——一个规范的分析》，中国大百科全书出版社 1996 年版。

77．张文显著：《法学基本范畴研究》，中国政法大学出版社 1993 年版。

78．［美］博登海默著，邓正来译：《法理学：法律哲学与法律方法》，中国政法大学出版社 1999 年版。

79．［美］理查德·A·波斯纳著，蒋兆康译：《法律的经济分析》（上），中国大百科全书出版社 1997 年版。

80．［美］斯坦、香德著，王献平译：《西方社会的法律价值》，中国人民公安大学出版社 1989 年版。

81．张文显著：《二十世纪西方法哲学思潮研究》，法律出版社 1996 年版。

82．黑格尔著，范扬等译：《法哲学原理》，商务印书馆 1961 年版。

83．潘华仿著：《英美法论》，中国政法大学出版社 1997 年版。

84．陈盛清主编：《外国法制史》，北京大学出版社 1987 年版。

85．张晋藩主编：《中国法制史》，群众出版社 1991 年版。

86．孔庆明等编著：《中国民法史》，吉林人民出版社 1996 年版。

87．曲彦斌著：《典当史》，上海文艺出版社 1993 年版。

88．［美］R．科斯等著：《财产权利与制度变迁》，上海人民出版社1994年版。

89．王保树主编：《中国商事法》，人民法院出版社1996年版。

90．［英］戴维·M·沃克主编，北京社会与科技发展研究所组织编译：《牛津法律大辞典》，光明日报出版社1989年版。

91．郑成思主编：《知识产权与国际关系》，北京出版社1996年版。

92．赵弘等著：《知识经济呼唤中国》，改革出版社1998年版。

二、日文参考书

1．［日］田原睦夫监修：《实践担保のとり方·活かし方》，株式会社きんざぃ平成6年版。

2．［日］镰田 薰编著：《知的财产担保の理论と实务》，信山社出版株式会社1997年版。

3．［日］汤浅道男编著：《担保物权法》，成文堂1995年版。

4．［日］我妻荣著：《新订担保物权法》，岩波书店昭和43年版。

5．［日］石田喜久夫著：《口述物权法》，成文堂1982年版。

6．［日］柚木馨：《担保物权法》，有斐阁，昭和33年版。

7．［日］原田庆吉：《日本民法典的史的素描》，创文社1954年版。

8．［日］米仓明：《让与担保》，弘文堂1985年版。

9．［日］高木多喜男：《担保物权法》，有斐阁1993年版。

10. ［日］松坂佐一：《民法提要》（物权法），有斐阁1980年版。

11. ［日］岩波讲座：《基本法学——财产》，岩波书店1983年版。

12. ［日］小岛庸和著：《无体财产权知的所有权の知识》，创成社1998年版。

13. ［日］椿寿夫编：《担保法の判例》，有斐阁1994年版。

14. ［日］长谷川雄一：《手形·株券论集》，成文堂平成9年版。

15. ［日］高石义一监修：《知的所有权担保》，银行研修社1997年版。

16. ［日］铃木禄弘著：《物的担保制度の分化》，创文社1992年版。

三、英文著作

1. R. M. Goode, Legal Problems of Credit and Security, 2nd ed. Sweet & Maxwell, 1988.

2. Simon Gleeson, Personal Property Law, FT Law and Tax, London, 1997.

3. Henry J. Bailey Ⅲ, Secured Transactions, West Publishing, 1981.

4. Douglas J. Whaley, Problems and Materials on Secured Transactions, 2nd, Little, Brown and Company, Boston and Toronto, 1989.

5. Philip R Wood, Comparative Law of Security and Guarantees, Sweet & Maxwell, London.

6. J. W. Harris, Property Problems From Genes to Pension Funds, Kluwer Law International Ltd. London, 1999.

7. Olin L. Browder, Jr. Roger, A. Cunningham, Allan F. Smith, Basic Property Law, West Publishing Co., 1984, 4thedi.

8. W. W. Buckland, The Main Institutions of Roman Private Law, Cambridge at the University Press, 1931.

9. Peter Drahos, A Philosophy of Intellectual Property. Dartmouth, Aldershot, 1996. p17.

10. F. W. Maitland, The Mystery of Seisin in Anglo – American History, Cambridge at the University Press.

11. Ian J Lloyd, Information Technology Law, Butterworths, London. 1997. 2nd edi.

12. Ugo Mattei. Basic Principles of Property Law: a Comparative Legal and Economic Introduction, Greenwood Press, London, 2000.

13. Anthony Hurndall, Property in Europe: Law and Pratice, Butterworths, London, 1998.

14. Kevin P. Mc Guinness, The Law of Guarantee, Carswell, London, 1986.

15. Sam Ricketson, The Berne Convention For The Protection of Literary and Artistic Works : 1886 – 1986, Centre For Commercial Law Studies Queen Mary College, London, 1988.

16. UNESCO and WIPO: Copyright Laws and Treaties of the World 1, 2, 3, The Bureau of National Affairs, Inc., 1990.

四、法典

1. 罗结珍译:《法国民法典》, 中国法制出版社 1999 年版。
2. 黄晖译:《法国知识产权法典（法律部分）》, 商务印书馆 1999 年版。

3. 郑冲、贾红梅译：《德国民法典》，法律出版社 1999 年版。

4. 殷生根、王燕译：《瑞士民法典》，中国政法大学出版社 1999 年版。

5. 王书江译：《日本民法典》，中国人民公安大学出版社 1999 年版。

6. 国立中兴大学法律研究所主译：《美国统一商法典及其译注》，台湾银行经济研究室编印，1979 年版。

7. 赵秉志总编：《澳门民法典》，中国人民大学出版社 1999 年版。

8. 费安玲、丁玫译：《意大利民法典》中国政法大学出版社 1997 年版。

9. 米良译：《越南民法典》，云南大学出版社 1998 年版。

10. 杜景林等译：《德国商法典》，中国政法大学出版社 2000 年版。

11. 金邦贵译：《法国商法典》，中国法制出版社 2000 年版。

12. 王书江等译：《日本商法典》，中国法制出版社 2000 年版。

后 记

本书是我在中国人民大学攻读民商法博士学位的一篇成果，也是我这些年来学习民商法的一点体会。权利质权制度是债权担保制度中一个十分复杂而艰深的课题。它题目虽小，但却意蕴丰富，广泛涉及到债权、股权、知识产权、证券等方面的专业知识，是一个综合性极强、需要有高度抽象思维的课题。尽管如此，权利质权制度却在近年来的司法实践中频频运用，其实践上的问题常常需要通过正确的理论予以解决。正因为如此，权利质权的性质分析、标的理论、设定理论、效力理论都是极富理论色彩和实践意义的课题，这些都曾激起我极大的钻研兴趣，但又由于该课题所涉领域的广泛常常感到力所不逮。尽管如此，笔者尽最大之可能，将我对该问题的一点思考撰写成文，以求得到各位专家、学者和同仁的指导。

本论文在创作中，一直得到我的导师赵中孚老师的殷切关怀和帮助。在三年的求学生涯中，他不仅在学业上对我细心指点，而且教给我许多做人、做事的道理。正是在他的帮助之下，才能使我在困难中奋起，最终完成学业。此外，关怀教授、王利明教授、刘春田教授、龙翼飞教授、房绍坤教授都为本论文的完成提供了宝贵的帮助。论文在完成中，还得到了中南财经政法大学吴汉东教授、陈小君教授、曹诗权教授的指导，我的同事江蒲女士、付黎旭先生提供了日文资料上的帮助。特别是吴汉东教授和曹诗权教授不仅在学业上给我以指导，而且在生活中给以无微不至的帮助，吴汉东教授在论文选题及构思方面都提供了极富参考性的意见，尤其是在多年的科研中亲自为我批改论文，传道解惑，论文的出版还得到了吴汉东教授主持的教育部"全国优秀博士学位论文作者专项资金"的资助。此外，我的诸位学友胡春雨、付翠英、刘敏、李有根、解志国、左坚卫、周佳海等人，也为本论文的创作提供了无私的帮助。在此，请允许我向这些可敬的人们致以我最真挚的谢意。

论文评阅答辩中，得到了中国人民大学章尚锦教授、杨大文教授、郭禾教授、董安生教授，国家法官学院周贤奇教授，清华大学崔建远教授，中国社会科学院孙宪忠教授，北京大学刘剑文教授，中国政法大学赵旭东教授的热情指导，在此一并致以谢意。

论文创作期间，适逢我在中南财经政法大学任教期间，小儿也刚刚出生，每天总在繁忙的教学、科研和家务之中奔波，讲台、书台和灶台成了最常光顾的处所。幸亏我的父母、岳父母鼎力相助，幸得我的妻子张丹东女士几年来的理解和照顾，最终促成我完成了学业，在此也一并致以谢意。该文的出版还得到了中国政法大学出版社的大力支持，在此谨以衷心的谢意。

胡开忠
2003年3月

图书在版编目（CIP）数据

权利质权制度研究 / 胡开忠著．— 北京：中国政法大学出版社，
2003.7
ISBN 7-5620-2445-6

Ⅰ．权… Ⅱ．胡… Ⅲ．法学－研究　Ⅳ．D90
中国版本图书馆CIP数据核字（2003）第060239号

书　名	权利质权制度研究	
出版发行	中国政法大学出版社（北京市海淀区西土城路25号）	
	北京100088信箱8034分箱　　邮政编码100088	
	zf5620@263.net	
	http://www.cuplpress.com　　（网络实名：中国政法大学出版社）	
	（010）58908325（发行部）　58908285（总编室）　58908334（邮购部）	
承　印	固安华明印刷厂	
规　格	880×1230　1/32　12印张　290千字	
版　本	2004年1月第1版　2004年1月第1次印刷	
书　号	ISBN 7-5620-2445-6/D·2405	
定　价	26.00元	

声　明　1. 版权所有，侵权必究。
　　　　2. 如有缺页、倒装问题，由本社发行科负责退换。